EL CINE

EL CINE BEATLE

TODAS LAS PELÍCULAS DE
JOHN, PAUL, GEORGE Y RINGO

Arturo Moreno Obregón

Nuer
EDICIONES

A mis padres,
Vicente y Carmela.

AGRADECIMIENTOS

A Jordi Costa, por su minuciosa revisión del borrador, sus certeras sugerencias, su prólogo y, en definitiva, por su generosidad.

A Luis Aldaz, por su cibernáutica aportación y por las risas.

A Javier Jiménez y Pino Canosa, por las horas de *scanner* que sirvieron de excusa para una estupenda comilona.

Y a Mar Plaza, por su legendaria paciencia con el autor.

ÍNDICE

MELENA Y PIROTECNIA

El amor de *fan* es una energía que puede canalizarse de maneras muy diversas. Sabemos, por ejemplo, que a Selena, la estrella latina que precedió a la actual avalancha de divas de piel morena y músculo gimnástico, la mató la presidenta de su propio club de *fans*. También sabemos que John W. Hinckley, para impresionar a su amor platónico, Jodie Foster, atentó contra Ronald Reagan emulando al Travis Bikle de *Taxi Driver.* Sabemos también, por supuesto, que Mark Chapman, el asesino de John Lennon, era probablemente el *fan* más radical —el *fan* más fatal— que el autor de *Imagine* pudiera jamás concebir. El amor de *fan* es, de vez en cuando, un amor que mata, porque suele ser intenso, desbordante, más fuerte que la vida... Pero, como hemos dicho, existen muchas otras maneras de canalizarlo; maneras que no sólo pueden resultar menos crispadas, sino que incluso pueden devenir casi en altruista servicio público. Es el caso del libro que ustedes tienen entre manos.

Entre Mark Chapman y Arturo Obregón hay más puntos de contacto de los que pudiera parecer a simple vista, pero también existe una diferencia más que sustancial. Son la cara y la cruz de la psicopatología del *fan,* su luz y su sombra. *El cine Beatle,* el ejercicio terapéutico que ha elaborado Obregón para no tener que matar de amor a sus ídolos —los tres que quedan— y, de paso, poder ofrecer una herramienta de utilidad a sus semejantes, es una obra que se beneficia de la minuciosidad ciertamente psicopática y obsesiva con que el autor ha afrontado la compleja tarea de diseccionar el breve, pero decisivo, paso del cuarteto de Liverpool por los universo de celuloide y las secuelas que su huracán de talento dejó en ese medio, incluso muchos años después de su disolución como grupo pop.

Los Beatles fueron buenos para el cine. Y Arturo Obregón ha sido bueno con la humanidad a la hora de transmitir su sapiencia mitomaníaca, reorientando su energía de *fan* hacia un buen fin. Si la aparición de los Beatles transformó irreversiblemente el panorama de la música popular, su transustanciación en mitos de celuloide trajo consigo una no menos revolucionaria mutación en la gramática del séptimo arte: *¡Qué noche la de aquel día!* (*A Hard Day's Night,* 1964)

supuso la fundación del cine pop, con su exaltación de la disconti-
nuidad, su narrativa libérrima, su pirotecnia formal, su arbitrariedad
militante y su celebración de lo lúdico. Con la complicidad de
Richard Lester, los Beatles se convirtieron en el vehículo que redi-
mensionó —haciéndose crecer unas melenas de alto poder simbóli-
co— la transgresora corriente del *nonsense* británico, que se prolon-
garía poco más tarde en el fértil discurso humorístico de los Monty
Python. No es casual que a los Monty Phyton se les llamara los
Beatles de la comedia, ni tampoco lo es el hecho de que las respectivas carreras cinematográficas de los de Liverpool y del dorado grupo
de cómicos discurrieran en paralelo: en 1969, año en el que vería la
luz el revolucionario programa televisivo *Monty Python's Flying
Circus,* Ringo Starr —como actor— y Paul McCartney —como compositor de un tema musical— estuvieron implicados en la génesis de
*Si quieres ser millonario, no malgastes el tiempo trabajando (The Magic
Christina,* 1969), película en la que Grahan Chapman y John Cleeme
—inminentes cimientos de Monty Python— trabajaron como guionistas. Años más tarde, George Harrison, en calidad de productor
cinematográfico, echó una providencial mano a los Monty Python en
el momento en que *La vida de Brian* corría el serio peligro de convertirse en un proyecto abortado: a partir de ese momento, la productora que Harrison creó para la ocasión, la Handmade Films, se convertiría en la impulsora de un buen número de los proyectos cinematográficos en solitario del grupo de cómicos.

En el comienzo del documental *Life of Python,* Terry Gilliam
afirma lo siguiente: "George Harrison siempre ha tenido la teoría
de que nosotros heredamos el espíritu de los Beatles. El hecho de
que empezáramos cuando ellos terminaron le llevó a convencerse
de que, fuera cual fuera el espíritu de los Beatles, se reencarnó
en nosotros". Dos años antes de su asesinato, John Lennon declaró
en una entrevista concedida a la BBC: "En cierto sentido, hubiese
preferido antes formar parte de Monty Python que de los Beatles".
El vínculo es, pues, evidente: los Beatles abrieron el camino de la
transgresión sublimada por los Python y vistieron de modernidad a
una corriente transgresora —la del *nonsense*— que venía definien-
do desde tiempo atrás lo más perdurable de la cultura británica. El
paso de los Beatles por el mundo del cine no fue decorativo, ni
irrelevante: para ellos, el séptimo arte no fue un mero instrumento
funcional, una simple plataforma para explotar su momento...,
sino mucho más. Fue la manera de prolongar, por otros medios, la

revolución que estaban desarrollando en el terreno de la música popular.

Pero sería inexacto reducir la importancia del cine *beatle* y post-*beatle* a esa función de puente entre subversiones pasadas y futuras, a su papel de bisagra entre el humor *goon* de Peter Sellers y Spike Milligan y la surrealidad polimórfica de los Python. El espíritu *beatle* tuvo en el cine muchas otras ramificaciones —algunas de ellas aisladas y puntuales— que casi nunca tuvieron que ver con la convencionalidad del discurso cinematográfico *mainstream:* la sombra del espíritu *beatle* también cubrió los terrenos de la animación de vanguardia —con la excepcional *El submarino amarillo (Yellow submarine,* 1968)— y del cortometraje experimental post-warholiano —con los trabajos que Obregón agrupa en el apartado dedicado al cine Lennon/Ono—, pasando por algunas de las propuestas más delirantes del cine de filiación más o menos contracultural de los 70 —la carrera en solitario de Ringo Starr, con sus sucesivos encuentros con Terry Southern, Frank Zappa y Ken Russell, entre otros, resulta de lo más reveladora en este sentido—. El cine *beatle* y post-*beatle* fue tan heterogéneo como lo eran, a fin de cuentas, las personalidades de los integrantes del inmortal cuarteto de Liverpool y, quizás por eso, un libro como el presente cobra un sentido muy especial. Los Beatles no fueron un simple capítulo en la larga historia de amor entre el cine y la música popular: fueron un islote, un mundo aparte, un universo que se rigió por reglas propias. O, dicho de otro modo: el cine utilizó a Elvis, pero los Beatles utilizaron al cine, lo mutaron.

Arturo Obregón visita el planeta cinematográfico *beatle* con un gusto por el detalle incluso inquietante: los diarios de rodaje que enriquecen sus capítulos sobre las películas canónicas del cuarteto llegan incluso a dar miedo por ese empeño casi patológico en no desdeñar ningún dato. Dudo que tanto el "beatlemaníaco" de pro como el cinéfilo interesado en algunas de las más interesantes manifestaciones del cine pirotécnico surgido a partir de los 60 encuentren en castellano un manual más exhaustivo que el presente a la hora de adentrarse en la frondosa jungla del cine *beatle* y post-*beatle.* Obregón ha conseguido destilar su obsesión de *fan* en un texto que debería convertirse en obra de referencia. No obstante, me da miedo que lo haya acabado. ¿Qué hará ahora este hombre, dios santo? Si me llamara George, Paul o Ringo ya estaría temblando.

Jordi Costa

INTRODUCCIÓN

Cuando el 13 de diciembre de 1973 la Primera Cadena de Televisión Española programó *¡Qué Noche La De Aquel Día!*, el pase por la pequeña pantalla de la primera película de Los Beatles, emitida tres años después de su separación, significó para muchos el descubrimiento de un fenómeno que no habían tenido la suerte de vivir, pero que les atraparía musicalmente para siempre.

Para un número considerable de españolitos que se negaron a irse a la cama y que hoy son avezados treintañeros, el hecho de encender la tele y encontrarse a George Harrison diciendo "grotes", a John Lennon cortando un metro de sastre para inaugurar un puente imaginario o a los cuatro de Liverpool cantando ante enloquecidas *fans,* supuso encender la mecha de una "segunda generación beatlemana" que al día siguiente se despidió de la niñez y corrió a la tienda para comprarse su primer LP de Los Beatles.

Pero si aquellos incipientes admiradores tuvieron fácil acceder a las canciones de sus nuevos ídolos, contemplar sus películas no resultaba tan sencillo. El vídeo era ciencia ficción y los pases con cuentagotas de *¡Help!* o *¡Let It Be!* en la Filmoteca, o en los casi clandestinos "cinestudios" de barrio, como el desaparecido Covadonga de Madrid, eran esperados con sedienta avidez por largas colas de *fans* que reventaban aquellas diminutas salas.

Del mismo modo que durante mucho tiempo no fue fácil contemplar las películas de Los Beatles, las publicaciones dedicadas a su cine también han sido tradicionalmente escasas. Si bien hay abundante material bibliográfico sobre la historia del grupo y su música, el apartado de sus películas se resuelve, casi siempre, en sólo unas pocas líneas y ésta es la principal razón que me ha llevado a escribir este libro.

En nuestro país, la única excepción a esa laguna fílmica es el magnífico *The Beatles, Una Filmografía Musical,* publicado hace ya cuatro años por Magi Crusells y Alejandro Iranzo. Pero a diferencia de aquél, limitado a las películas y emisiones televisivas protagonizadas por Los Beatles, el propósito del presente volumen es reunir, por vez primera, la totalidad de las películas, proyectadas en pantalla grande, en las que los miembros del grupo han participado, tanto juntos como por separado.

En las siguientes páginas el lector encontrará información precisa tanto de las cinco películas que Los Beatles protagonzaron juntos (todas ellas muy diferentes entre sí), como curiosidades acerca de los cortos experimentales realizados por John Lennon, los patinazos fílmicos de Paul McCartney, la ascensión y caída de George Harrison como productor y la prolífica carrera de Ringo Starr como actor.

En la intención de paliar en lo posible ese vacío de cine *beatle* llevado a libro, he intentado que este volumen sea una guía o inventario útil para todos los que admiran al grupo, ya sea porque tomaron contacto escuchando los discos de sus padres, vieron *¡Qué Noche La De Aquel Día!* en televisión, o tuvieron la inmensa fortuna de vivir los increíbles sesenta.

Pero además de ellos, creo que el libro puede ser útil para cualquier cinéfilo que, sin ser *fan* terminal del grupo, sí tenga curiosidad por acercarse a una filmografía de tendencias, contenidos y resultados variopintos unida por un único denominador común: El haber sido posible gracias a cuatro músicos llamados John, Paul, George y Ringo.

Arturo Moreno Obregón,
Madrid, noviembre 1999

—I—
EL CINE DE LOS BEATLES

¡QUÉ NOCHE LA DE AQUEL DÍA! 1964
A hard day's night!

Dirección: Richard Lester/ Guión: Alun Owen/ Fotografía: Gylbert Taylor/ Operador: Derek Browne/ Música: John Lennon, Paul McCartney, George Harrison, George Martin / Dirección Musical: George Martin/ Mezclas de sonido: H.L. Bird/ Cámara de sonido: M. Silverlock/ Montaje: John Jympson/ Dirección Artística: Ray Sim/ Ayte. Dirección: John Merriman/ Vestuario: Dougie Milling/ Maquillaje: John O'Gorman/ Peluquería: Netty Glasgow/ Producción: Walter Shenson para United Artists/ Productor Asociado: Dennis O'Dell/ Nacionalidad: Gran Bretaña/ Duración: 87 minutos. Blanco y negro.

Intérpretes: John Lennon, Paul McCartney, George Harrison, Ringo Starr, Wilfred Brambell, Norman Rossington, John Junkin, Victor Spinetti, Richard Vernon, Deryck Guyler, Eddie Malin, Anna Quayle, Patty Boyd y Kenneth Haigh.

En octubre de 1963 el productor norteamericano Walter Shenson se presentó ante el *manager* de Los Beatles, Brian Epstein. Traía bajo el brazo una oferta de United Artists para financiar una película protagonizada por el grupo. Difícilmente podría Epstein resistir la tentación. Ver a sus chicos en la gran pantalla era una consecuencia lógica del éxito y, aunque el cine de cantantes de la época era célebre por su endeblez, Brian sabía que si Elvis Presley había hecho cine Los Beatles no podían ser menos.

Tras los primeros contactos vendría una reunión posterior en la que Shenson y Bud Orenstein, alto funcionario de United Artists en Gran Bretaña, ofrecieron a Epstein un presupuesto de 189.000 libras para la película, cifra más bien baja tratándose de un film protagonizado por el grupo musical del momento. En estas conversaciones el *manager* de Los Beatles puso de relieve como nunca su inexperiencia negociadora. En lugar de esperar a ver los resultados comerciales de este primer film y reservarse la opción de renegociar posteriormente, Epstein cerró de antemano un acuerdo por dos películas más con United Artists, incluidas sus bandas sonoras y otorgó además a Walter Shenson todos los derechos sobre las mismas cuando se cumplieran quince años desde la fecha del estreno. Brian estaba convencido de cerrar un trato ventajoso, después de todo, en aquel entonces, ni él ni nadie pensaban que un grupo de musica pop pudiera seguir siendo recordado pasados quince años. También se acordó que Los Beatles y su *manager* recibirían 25.000 dólares y un porcentaje de taquilla. Para empeorar aún más las cosas, Brian Epstein insistió en que no se conformarían con menos de un 7,5 por ciento de esas ganancias, sin saber que Shenson y Orenstein habían acordado de antemano ofrecer a Los Beatles hasta un 25 de porcentaje. Por otra parte, aunque Brian también lo ignoraba, United Artists tenía sus dudas sobre la rentabilidad fílmica del cuarteto. El principal objetivo de la firma eran los sustanciosos dividendos que saldrían de las ventas de la banda sonora, ventas prácticamente aseguradas aun en el caso hipotético de que el film fracasase comercialmente.

De cualquier forma, las negociaciones para el primer largometraje de Los Beatles transcurrieron muy poco antes de que el éxito del grupo superase los límites de toda lógica conocida. Entre octubre de 1963, inicio de las conversaciones, y marzo de 1964, fecha en que comenzó el rodaje, John, Paul, George y Ringo dieron un vuelco absoluto al concepto de música popular. En el año que acababa habían colocado de manera consecutiva dos LPs y cuatro singles en el número 1 de las listas, actuado en 219 conciertos y aparecido en 52 programas de radio y 39 de televisión. El líder laborista Harold Wilson se fotografiaba con ellos para atraer al electorado joven y las algaradas protagonizadas por un número creciente de enloquecidas *teenagers,* chillando y corriendo detrás de sus ídolos, obligaban a tomar medidas de seguridad cada vez más severas allá por donde el grupo pasaba.

Casi de la noche a la mañana, la flemática y pulcra Gran Bretaña parecía haberse vuelto loca y todo ello con el beneplácito de la propia Familia Real, conquistada por Los Beatles el 3 de noviembre, cuando en el tradicional *Royal Variety Show,* antes de cantar "Twist and Shout", John Lennon pidió dar palmas al público de las localidades baratas y "sólo sacudir sus joyas" a los espectadores sentados en los palcos donde se encontraba la Reina Madre.

Por si fuera poco, habían conseguido que Estados Unidos se rindiese a sus pies. Cuando todos los grupos británicos fracasaron en el intento, el 7 de febrero del 64 Los Beatles se encuentran con más de 3.000 vociferantes *fans* y un centenar de fotógrafos que les esperan en el aeropuerto Kennedy de Nueva York. Días después,

Los Beatles en los estudios Twickehnam, rodando insertos para el concierto final de *¡Qué Noche La De Aquel Día!*. *Fuente:* Hulton-Deusth Collection.

73 millones de televidentes contemplan su actuación en el *Show de Ed Sullivan*. Alcanzan el número 1 en las listas con "I Wanna Hold Your Hand", venden más de 3 millones de copias del LP americano *Meet The Beatles* y las localidades para sus dos conciertos en el Carnegie Hall se agotan en un solo día. Un éxito inimaginable en América para un grupo británico.

En tales condiciones, todo favorecía a Los Beatles para renegociar de una forma más ventajosa su salto a la gran pantalla, pero

Epstein, con su intachable sentido del honor, había empeñado su palabra, así que los contratos se quedarían como estaban.

En diciembre de 1963 se anunció de forma oficial el próximo rodaje de lo que sería la primera película de Los Beatles. No había título aún, pero se podía confirmar que su director sería el realizador publicitario Richard Lester.

Nacido en Filadelfia en 1932, la trayectoria de Lester siempre había estado ligada a la música, primero como afinador de pianos y concertista de clarinete por Europa y más tarde como intérprete de canciones y números cómicos en programas de televisión, medio donde comenzaría su interés por el cine. En 1959 es cuando dirige su primer largometraje *The Running, Jumping and Standing Still Film,* con el cómico Spike Milligan como protagonista. Con él también realizaría poco después el programa *Goon Show,* uno de los espacios favoritos del productor de Los Beatles, George Martin.

La incursión de Richard Lester en el cine musical será en 1962 con la película *It's Trad, Dad,* protagonizada por la cantante adolescente de moda, Helen Shapiro. Una cinta donde ya se apuntan algunos de los innovadores recursos visuales, principalmente basados en el montaje, que Lester experimentaría mucho tiempo como director de anuncios televisivos y que llegarían a ser su marca de fábrica en las dos películas que realizó con John, Paul, George y Ringo.

Según Lester: "Conocí a Paul en el Playhouse Theatre de Londres en 1963 cuando Los Beatles ensayaban un *show* radiofónico. Los cinco comenzamos a tantearnos para decidir qué tipo de película queríamos hacer. Lo que descubrimos fue qué clase de película no queríamos y felizmente coincidimos."

"Ellos habían visto *The Running Jumping Standing And Still Film* y se habían dado cuenta de que yo era probablemente el peor pianista de *jazz* del mundo, así que se rieron bastante conmigo."

Pero aunque la elección de Richard Lester augurase un planteamiento fílmico innovador, Los Beatles estaban intranquilos ante su debut en el celuloide. Desconocían completamente el medio y como espectadores tenían muy presente los recientes fracasos cinematográficos de su muy admirado Elvis Presley, quien, después de películas sólidas como *Jailhouse Rock* (1957) o *King Creole* (1958), había dilapidado buena parte de su prestigio protagonizando producciones infames. Otras cintas protagonizadas por cantantes británicos como *Expresso Bongo* (1959) con Cliff Richard o Tommy

Wilfrid Brambell, el "Abuelo Pulcro" de Paul resistiendo estoicamente el sarcasmo de Lennon. *Fuente:* British Film Institute.

Steele con *Rock Around The World* (1957) constituían dos ejemplos de un cine que se distinguía por sus historias ramplonas, trufadas de canciones incrustadas con calzador en la trama y traducidas, en conjunto, en un auténtico insulto a la inteligencia del espectador. Consciente de que este tipo de productos suponían más un negocio que una forma de expresión artística, John Lennon dejó claro que no estaba dispuesto a ser un simple monigote en un musical de serie B. Cuando se enteró de que la película iba a ser rodada en blanco y negro porque United Artists no quería arriesgar más dinero, se negó a participar en el proyecto.

En busca de una historia más cuidada de lo habitual, fue Paul McCartney quien sugirió el nombre de Alun Owen, escritor oriundo de Liverpool, autor de algunas piezas teatrales para televisión y guionista de la serie *No trams to lime street* ambientada en la ciudad natal del cuarteto.

Con el visto bueno de Brian Epstein, Owen acompañó a Los Beatles en su gira de noviembre del sesenta y tres por Gran Bretaña para captar desde dentro todo tipo de detalles de su vida cotidiana. La toma de notas se completaría en enero con una visita a París, donde Los Beatles actuaban por vez primera ante el público francés. Alun Owen puso especial cuidado en transcribir los giros norteños del lenguaje de John, Paul, George y Ringo y dar forma cinematográfica al peculiar sentido del humor *beatle*. Definido por Lennon como "un profesional de Liverpool", Owen escribió primero dos borradores de historias en las que predominaba la aventura y la ficción y que él mismo desecharía tras convencerse de que lo mejor era mostrar a Los Beatles siendo lo que eran: cuatro jóvenes de Liverpool, integrantes de un grupo musical de desmesurado éxito y atrapados en su propia fama.

Centrada en la imagen pública del grupo, concebida como el relato de cuarenta y ocho horas en su vida cotidiana, la película mostraría a Los Beatles en los preliminares de una actuación televisiva. El grupo aparecería ensayando canciones, conversando con periodistas, acosados por las *fans* y sometidos a diversas situaciones que a los cuatro les eran absolutamente familiares.

Según confirmaría Richard Lester, esta concepción fílmica surgió cuando, conversando con John acerca del último *tour* por Suecia, Lennon aseguró que Los Beatles no eran más que prisioneros de su éxito y que se habían pasado la gira de coche en coche y de habitación en habitación.

Además de desarrollar esta idea, el trabajo de Alun Owen fue especialmente cuidadoso al trasladar para la pantalla, con gran acierto, la arrogancia burlona de John, la amabilidad de Paul, el carácter taciturno y algo tosco de George y la personalidad solitaria y tímida de un Ringo menos agraciado que los otros, habitual blanco de las bromas y más sensible al cariño. "Intentábamos separar oficialmente sus caracteres", declararía Lester años después. "En aquella época la imagen pública de los cuatro era demasiado similar. Compartían las mismas características e incluso en algunas ocasiones se turnaban para practicarlas."

"Cuando asistías a una fiesta con ellos podías observar cómo uno descansaba y los otros tres eran los graciosos. A la noche siguiente, por ejemplo era Ringo el alma de la fiesta, a la otra podía permanecer pasivo y ocupar George su lugar, y así sucesivamente."

Además de potenciar sus rasgos individuales, Owen procuró equilibrar la trama para que ninguno de Los Beatles sobresaliera por encima de los otros y evitó involucrarles en escenas amorosas que podrían haber molestado a sus *fans*.

En la revisión final, John, Paul, George, Ringo y Brian Epstein incluyeron la secuencia del encuentro con los periodis-

George y Paul se preparan para rodar el *play-back* de "If I fell". Obsérvese la ausencia de cables en las guitarras.
Fuente: Transworld Feautre Syndicate.

tas, directamente inspirada en la ingeniosa y tumultuosa conferencia de prensa celebrada en febrero a su llegada a Estados Unidos. Asimismo, modificaron algunos párrafos del guión para hacerlos más realistas, ya que, en palabras de John, se sentían un poco incómodos con determinados diálogos que consideraban demasiado rápidos y poco sinceros. A George Harrison en particular, le sonrojaba decir la palabra *gretty* ("grotes"), calificativo inventado por Owen para valorar cierto tipo de camisas que le mostraban a George en una secuencia. A pesar de su descontento *gretty* se convertiría en término de moda en todo el Reino Unido a partir del estreno. Asímismo, Los Beatles descartaron sin discusión el título inicial, *Beatlemanía* propuesto por el guionista.

En cualquier caso, Alun Owen realizó un excelente trabajo al plasmar con toda fidelidad la entusiasta energía de un fenómeno musical y sociológico todavía en fase de expansión. Lamentablemente, discrepancias con John, Paul y el propio Brian Epstein durante el rodaje harían imposible cualquier tipo de colaboración entre Los Beatles y Alun Owen en posteriores películas.

En lo tocante al reparto se evitó recurrir a estrellas consagradas que pudieran robar protagonismo a Los Beatles y se optó por profesionales de reconocido prestigio en la comedia británica. Así, el veterano Wilfred Brambell, actor de la BBC y protagonista de la serie *Steptoe and Son* dio vida al ficticio, travieso y mujeriego abuelo de Paul. John Junkin y Norman Rossington interpretaron a los asistentes personales de Los Beatles en sendos papeles inspirados en los auténticos ayudantes del grupo Mal Evans y Neil Aspinall.

Aunque natural de Londres, con tal de conseguir el papel, John Junkin no tuvo inconveniente en imitar a la perfección en el *casting* el acento de Liverpool que Lester buscaba. Por su parte, Norman Rossington sí había nacido en la misma ciudad de Los Beatles y no tuvo necesidad de fingir. Fallecido a los setenta años, el 21 de mayo de 1999, cabe señalar que tres años después de *A Hard Day's Night,* ya en 1967, Rossington interpretaría el papel de Arthur Babcock en la película de Elvis Presley *Double Trouble* convirtiéndose así en el único actor de la historia que ha trabajado en el cine con las dos mitos del *rock* más grandes de todos los tiempos.

El galés Victor Spinetti daría vida al sufrido director del programa de televisión donde actuaban John, Paul, George y Ringo. La amistad que Los Beatles y Spinetti trabaron durante el rodaje fue tal que el actor aparecería también en *Help!* y *Magical Mystery Tour* llegando a colaborar además en el disco navideño con el que Los Beatles felicitaron las navidades a sus *fans* en 1967. Por el contrario, Kenneth Haigh, un intérprete especialista en Shakespeare que aparecía junto a George en la breve secuencia de las camisas, se negó a aparecer en los créditos alegando que participar en un musical pop perjudicaría su carrera teatral. No tardaría en lamentar su decisión.

John de coche en coche huyendo de las *fans* en una de las primeras escenas de *¡Qué noche la de aquel día!*. *Fuente:* British Film Institute.

El rodaje de *A Hard Day's Night* comenzó el 2 de marzo de 1964, siete días después del regreso de Los Beatles de Estados Unidos y duró ocho semanas, terminando con el tiempo justo para que el grupo empezase una nueva gira por Escocia.

Durante esos dos meses, Los Beatles sufrieron una disciplina a la que no estaban acostumbrados y que les obligaba a abandonar su habitualmente desenfrenada vida nocturna para presentarse bien despiertos cada día, a las ocho de la mañana, en los estudios Twickenham, situados a las afueras de Londres y donde se rodó la mayoría del metraje de interiores. A su asistente Neil Aspinall correspondía la dura tarea de despertarles, cada día uno a uno, durante los dos meses que duró la filmación.

Además de madrugar, otro problema consistía en memorizar los diálogos. Los Beatles nunca llegaron a leer el guión definitivo en su totalidad y cada día se les facilitaban las secuencias que se iban a rodar el día siguiente. Aunque lo intentaron jamás conseguieron aprenderse los textos por la noche y lo habitual era estudiarlos a última hora en la *limousine* que les trasladaba hasta los estudios. Por si fuera poco, el hecho de que la película no se rodase siguiendo el orden del guión contribuía a aumentar la confusión de los cuatro incipientes actores.

Hasta bien entrado el rodaje, la película no tuvo título definitivo. Después de rechazar *Beatlemanía,* se habían barajado nombres como *Travelling On (Viajando), Moving On, Let's Go, On The Move (Adelante, Vamos, A Moverse), It's A Daft, Daft, Daft, Daft World (Es Un Mundo Chiflado, Chiflado, Chiflado, Chiflado)* e incluso *What Little Old Man? (¿Qué Viejecito?),* este último sugerido por Paul a partir de una de las frases del guión en las que se hacía referencia a su abuelo.

Tal y como cuenta la leyenda, sería el 19 de marzo cuando Ringo, exhausto tras una dura jornada vespertina en los estudios Twickenham, se desplomó en su silla exclamando "Oh boy! This has been a hard day's night" ("Chico, esta sí que ha sido la noche de un día agotador"). La frase había sido utilizada por John en el cuento "Sad Michael" perteneciente a su libro *In His Own Write* recién publicado. Según Richard Lester: "Esperamos a que Ringo se emborrachase. Cuando bebía de más decía cosas que nunca imaginábamos oírle. Dijo 'A Hard Day's Night' sin pensarlo. Dijo cosas como 'Tomorrow Never Knows' ('El mañana nunca se conoce'), otra de sus frases favoritas. Y una de las más grandes: 'He who laughs last, last laughs laughs last last' ('Quien ríe el último, el último ríe ríe, el último último...')".

El visto bueno de Lester al título *A Hard Day's Night* obligó a escribir y grabar contra reloj la canción homónima cuando todos los temas de la banda sonora ya habían sido registrados.

Pero el habitual virtuosismo musical del grupo contrastaba con su inseguridad como actores. John Lennon reconoció que estaban aterrorizados cada vez que tenían que decir sus diálogos o moverse ante la cámara, una falta de desenvoltura palpable, sobre todo, en la primera parte del *film,* por mucho que el coreógrafo Lionel Blair y todo el equipo se volcasen a cada momento en consejos para que Los Beatles vocalizaran y se comportaran con naturalidad.

Paul fue quien más dificultades tuvo e incluso hubo que suprimir, después de dos días de trabajo, una secuencia en la que mantenía un largo diálogo con una actriz. Por el contrario, a pesar de sus reservas, John se desenvolvió con naturalidad en un papel plagado de frases irónicas a su medida y George se reveló como un actor cuando menos eficaz. De hecho, el productor Walter Shenson alabó su desenvoltura en el episodio de la camisa, hasta tal punto que encargó a Alun Owen escribirle otra escena sobre la marcha. Surgió así la secuencia en la que Harrison afeita el reflejo de John Junkin sobre un espejo.

Humor, música, beatlemanía y hasta *vedettes* del Folies Bergères en la primera película de los Beatles. *Fuente:* British Film Institute.

Pero sería Ringo quien cosechase las mayores alabanzas de la crítica. Por mucho que el guión estuviese pensado para que ningún *beatle* destacase sobre los otros, la naturalidad interpretativa del batería ante la cámara sorprendió a todos. En concreto, la secuencia en la que se escapa para vagabundear con un niño callejero, constituye sin duda el mejor momento del film. A pesar de las numerosas películas en las que intervino después, con o sin sus tres amigos, el debut ante la cámara del batería quedaría como una interpretación nunca superada en toda su carrera cinematográfica.

Sin embargo, en la biografía oficial de Los Beatles, escrita por Hunter Davies, Ringo no se mostraba tan convencido de su talento: "La gente dice que quedé muy bien en *A Hard Day's Night,* pero yo no tenía ni idea de lo que estaba haciendo. Cuando rodé aquella escenita del chico y el canal, que decían que era tan buena, no sabía lo que me hacía. Tenía la cabeza espesa de verdad, no había dormido en toda la noche. Salí con mi impermeable y muerto de cansancio. No podía ni moverme. Dick (Lester) tenía que gritármelo todo, pero al final salió bien. Aquel trozo donde le daba patadas a una piedra, aquello era cosa mía. Sí, en serio. Pero todo lo demás fue idea de Dick. Yo estaba atontado".

En el rodaje de exteriores, buena parte del presupuesto se gastó en ahuyentar a las multitudes de *fans* que entorpecían el trabajo. Secuencias como la de la estación de Marylebone con la que comienza el film, o las escenas en las calles de Londres tuvieron que filmarse con la mayor rapidez posible. En cierta ocasión un empleado de United Artist que regresaba a Londres con varios rollos filmados se vió obligado a escapar a la carrera cuando una horda de muchachas le persiguieron por los andenes de la estación de Paddington, en la huida se le cayeron algunas latas con valioso material filmado que se perdería para siempre. Las prisas también dieron lugar a algún fallo de *raccord* fílmico. Por ejemplo, cuando el tren de Los Beatles llega a la estación John lleva chaqueta, camisa y corbata, dentro del coche que les traslada al hotel aparece con un jersey de cuello vuelto y ya en la habitación vuelve a vestir camisa y corbata. En cualquier caso, el acecho de las *fans* y el consiguiente ejercicio de lograr la toma adecuada en el menor tiempo posible favoreció, en parte, la espontaneidad y el ritmo vivaz que Lester convirtió en una de las principales virtudes de *A Hard Day's Night.* De la misma forma, casi por casualidad, el blanco y negro que tanto desagradó a John en principio, sirvió para conseguir el definitivo carácter de reportaje documental que Los Beatles y Lester buscaban.

Hay que decir que, a pesar de la intensidad del rodaje, el ritmo de trabajo era relativamente inferior en comparación con la frenética actividad que Los Beatles habían vivido en los últimos seis meses. Aunque aparecían en la mayor parte del metraje de la película siempre quedaban ratos libres y solían pasar muchas horas sentados en los vestuarios rodantes de Twickenham fumando o conversando, recibiendo visitas de familiares y amigos o de actores como Dick Van Dyke y Julie Andrews, que en esas fechas rodaban en los mismos estudios la película de Walt Disney *Mary Poppins.*

Ringo aprovechaba el tiempo para jugar a las cartas y se rebeló como una auténtica bestia negra para el actor John Junkin, al que ganó en pocos días una considerable suma. Por su parte, John, Paul y George mataban el aburrimiento entre pausas de rodaje gracias a un proyector de ocho milímetros que se habían hecho instalar en su camerino y en el que veían películas pornográficas y cintas de James Bond, especialmente suministradas por Walter Shenson, directamente de los archivos de United Artists. Cuando no había películas, algunas de las jóvenes que participaban en el rodaje como extras eran inevitablemente convencidas por Los Beatles para visitar sus camerinos en rápidos encuentros íntimos entre toma y toma.

Entre las chicas que nunca accedieron a tales proposiciones se encontraba una modelo de diecinueve años llamada Patty Boyd, en la que George Harrison se fijó desde el primer día de rodaje. Ex modelo de Mary Quant, Patty había trabajado anteriormente con Richard Lester en el *spot* televisivo de cereales Smith. Delicada, rubia, de facciones redondas y grandes ojos azules, Patty recuerda que al terminar la primera jornada de filmación en la estación de Waterloo pidió autógrafos para sus hermanas Jenny y Paula a cada uno de Los Beatles, a excepción de John, cuyo sarcasmo la atemorizaba. Aquel día George rubricó su firma con dos besos para cada una de sus hermanas y siete besos para Patty.

Al día siguiente, el *beatle* inició una persecución sin tregua por todo el decorado, Patty opuso resistencia alegando que tenía novio pero George no se rindió. Al tercer día aceptaba una invitación a cenar y una semana después Harrison ya había sido presentado a su madre y hermanas. La pareja contrajo matrimonio el 21 de enero de 1966. En *A Hard Day's Night* Patty es una de las colegialas que aparece en los primeros momentos de la película cuando Los Beatles cantan "I Should Have Known Better" mientras juegan a las cartas en un compartimento del tren.

DIARIO DE RODAJE

Lunes 2 - Viernes, 6 marzo:

A las 8.30 de la mañana del 2 de marzo de 1964, Los Beatles se convirtieron en actores de cine. La estación londinense de Paddington fue el lugar elegido para rodar las primeras secuencias de la película en las que el grupo huye de una multitud de *fans* y sube a bordo de un tren. Ese mismo día, pocos minutos antes de la primera vuelta de manivela, conocerían a los actores Wilfred Brambell y Norman Rossington. Las cinco primeras jornadas de trabajo y el lunes siguiente estarían dedicadas a rodar todas las escenas del tren, alquilado por United Artist al precio de seiscientas libras diarias y que partiría de la plataforma cinco de la estación de Paddington rumbo a Minehead, el 2, 3 y 4 de marzo; Tauton, 5 y 6, y Newton Abbot, el 9 de marzo, después de un fin de semana de descanso. En esos días, Los Bealtes cubrieron en tren un recorrido total de 2.500 millas. Las escenas no incluían la secuencia inicial del *film,* rodada en abril en la estación de Marylebone .

Para burlar a la multitud de *fans* que les recibió el primer día en Paddington, los días siguientes Los Beatles decidieron embarcarse en la estación de Acton Main Line, al oeste de Londres. Según el mismo procedimiento, nunca regresaban a Paddington entrada la tarde y aprovechaban estaciones como Acton Main Line, West Ealing, Westbourne Park y Hayes And Harlington, donde un chófer esperaba para recogerles.

Además de las escenas que sirvieron para que George Harrison y Patty Boyd se conociesen, en estas jornadas se rodó también la secuencia en la que Los Beatles perturbaban la tranquilidad del distinguido pasajero con quien compartían el vagón y al que daba vida el actor Richard Vernon. El día 4 en concreto, en la estación de Crowcombe, Somerset, se filmó la secuencia en la que el grupo, corriendo sobre una plataforma adyacente al exterior del tren gritaban a Vernon "Eh Mister... Can we have our ball back?" ("Señor... ¿Nos devuelve la pelota?").

Esa misma semana, mientras Los Beatles filmaban, su productor, George Martin, trabajaba en los estudios Abbey Road en la banda sonora. El día 3 de marzo, entre las 10.00 de la mañana y las 13.45, Martin puso a punto las mezclas en mono de "I Should Have Known Better", "If I Fell", "Tell Me Why", "And I Love Her", "I'm Happy Just To Dance With You" y "I Call Your Name". En esta ocasión, las canciones no sólo eran del interés de EMI, sino que Unided Artist las necesitaba para utilizarlas durante el rodaje.

Martes, 10 marzo:

Ya en los estudios de Twickenham se ruedan algunos planos de la secuencia en la que Ringo, animado por el "abuelo" de Paul, Wilfred Brambell, deserta del grupo y se embarca en una serie de aventuras más o menos desastrosas. Lo primero que se filmó fue su visita a un *pub* donde el batería se queja de los sándwiches, rompe accidentalmente una botella de cerveza y juega a los dardos. Estas escenas se registrarían en el *pub* Turks Head, situado en Winchester Road, St Margaret's, muy cerca de los estudios.

Ringo y Charley. Dos desertores en la secuencia más aclamada de *¡Qué noche la de aquel día!*. *Fuente:* British Film Institute.

El mismo día, en Abbey Road, George Martin produjo las versiones en estereo de "Can't Buy Me Love", "Long Tall Sally", "I Call Your Name" y "You Can't Do That". Por cierto, un curioso documento descubierto años después en EMI sugiere que un "bateria", del que no se aporta identidad, participó aquel día en la grabación de "Can't Buy Me Love", entre las 10.30 y las 13.00. Es posible que Martin utilizase algún efecto de *overdubbing* en la grabación, pero lo cierto es que los tambores de "Can't Buy Me Love" en su versión estéreo difieren ligeramente de la mezcla en mono, y el trabajo de Ringo en Twickenman para la película en esa misma jornada hace imposible que estuviese grabando, al mismo tiempo, en los estudios Abbey Road.

Miércoles, 11 marzo:

Desde las 8.00 de la mañana hasta las 10.00 de la noche, Los Beatles ruedan en Twickenham el momento en que juegan a las cartas mientras cantan "I Should Have Known Better". Estas escenas, en las que simulan estar en el departamento de equipajes del tren, fueron filmadas en el interior de una furgoneta zarandeada para conseguir el efecto de un tren en marcha.

Jueves, 12 marzo:

También en Twickenham, se ruedan las secuencias en las que Los Beatles están en el Hotel y sus asistentes Norm y Shake (Norman Rossington y John Junkin) les obligan a permanecer en su habitación y contestar el correo de sus *fans*. También en estas secuencias de interior, el grupo regresa después de una escapada a un club nocturno y George descubre a un camarero escondido en el armario.

Viernes, 13 marzo:

Aprovechando el día soleado, el equipo de rodaje se traslada al aeropuerto de Garwick, a 27 millas al sur de Londres. A partir de las 10.00 ruedan la secuencia final en la que Los Beatles suben a un helicóptero que se pierde en el cielo mientras deja caer por el aire fotos promocionales del grupo.

Después del almuerzo, también se utiliza un helicóptero para filmar algunas tomas aéreas para el momento en que suena "Can't

Buy Me Love", con John, Paul, George y Ringo correteando y jugando en la explanada del aeropuerto.

Lunes, 16 marzo:

Tras un fin de semana de descanso, se ruedan las imágenes de la cantina, en las que Wilfred Brambell, el abuelo de Paul, convence a Ringo de que el resto del grupo le trata injustamente y le anima a dejar de leer libros y desertar cuando falta muy poco para la actuación. El resto de Los Beatles descansan ese día.

Martes, 17 marzo:

En el lujoso casino de Les Ambassadeurs, en Hamilton Place, Londres, se filman los planos en los que el abuelo de Paul burla la vigilancia de Los Beatles para jugar al bacará. En la película Les Ambassadeurs se denomina Le Circle Club. Aprovechando esa jornada, el periodista de la BBC Jack de Manio acude al local para grabar una entrevista con John acerca de la publicación de su libro *In His Own Write* de inminente aparición. Nuevas imágenes para la película se filmarán en este mismo lugar un mes después.

Miércoles, 18 marzo:

De vuelta a los habituales estudios Twickenham, rodaje de las escenas en las que Los Beatles aparecen en los camerinos de los estudios de televisión. Ese día, aprovechando los descansos del rodaje, graban una serie de intervenciones en las que se entrevistan entre sí para el programa de radio de la BBC *The Public Ear* que se emite el día 22.

Jueves, 19 marzo:

Desde primera hora de la mañana hasta media tarde se filman en Twickenham escenas que transcurren en los pasillos de los estudios televisivos. Los Beatles también reciben la visita en los decorados del periodista cinematográfico Peter Noble que les entrevista para el programa de radio de la BBC *Movie Go Round* para su emisión del 12 de abril. Fue el día en que Ringo pronunció la frase *A Hard Day's Night* que serviría como título.

Viernes, 20 marzo:

Continúa desde última hora de la mañana y durante gran parte de la tarde el rodaje de imágenes correspondientes a camerinos, platós y pasillos televisivos.

La periodista Lyn Fairhurst acude a los estudios Twickenham para entrevistar a Ringo, aprovechando un descanso del rodaje, también para el programa de la BBC, *Movie Go Round.*

Lunes, 23 - Jueves, 26 marzo:

El equipo de rodaje se traslada al Scala Theatre, en el centro de Londres, donde se simula la actuación de Los Beatles para el *show* de televisión. El teatro sería presentado en la película como "United TV House". Antes de tomarse cuatro días de descanso aprovechando la Semana Santa, el grupo interpreta las escenas correspondientes a las canciones "If I Fell", "And I Love Her" y "I'm Happy Just To Dance With You". En las secuencias de la actuación hay 350 *teenagers* que, tal y como estipulaba el sindicato de actores, cobran por gritar mientras sus ídolos cantan, algo que sin duda habrían hecho gratis. Entre esa multitud también se encuentra un chaval de trece años que alcanzaría la fama como músico del grupo Génesis y después como artista en solitario. Se llamaba Phil Collins y quería tocar la batería como Ringo.

Martes, 31 marzo:

Nueva jornada en el Scala para rodar la parte final de la actuación en la que Los Beatles simulan cantar "Tell Me Why", de nuevo "If I Fell", "I Should have Knonw Better", "You Can't Do That" (no incluida en el montaje final) y "She Loves You". Durante las imágenes de "Tell Me Why" se puede observar al propio Richard Lester en un fugaz cameo.

Miércoles, 1 - Jueves, 2 abril:

Todavía en el Scala, Los Beatles ruedan las imágenes del encuentro con los periodistas. Una escena escrita por Alun Owen a partir de la conferencia de prensa del grupo a su llegada a Estados Unidos y recreando también la posterior recepción en la embajada británica de Washington, donde Los Beatles abandonaron la fiesta cuando una de las invitadas sacó de un bolso unas tijeras e intentó cortar un mechón de pelo de Ringo para llevárselo como recuerdo.

Viernes, 3 abril:

De vuelta a los estudios Twickenham, Los Beatles ruedan un curioso tráiler promocional de la película. En él aparecen John con George y Paul con Ringo repartidos en dos cochecitos de bebés situados uno junto a otro. John teclea una máquina de escribir, Paul habla, George refunfuña y Ringo atiende un teléfono que ofrece dos veces a John diciendo "Es para ti", a lo que Lennon contesta "No seas blando". A pesar del absurdo de las imágenes, el tráiler llegaría a distribuirse en algunos cines.

Domingo, 5 abril:

Aprovechando que la estación de trenes de Marylebone en Londres cerraba los domingos, el equipo de rodaje rompe su descanso de fin de semana para filmar sin tumultos las secuencias iniciales de *A Hard Day's Night*. John, George y Ringo aparecen corriendo para refugiarse en cabinas telefónicas y en un fotomatón. Paul aparece sentado en un banco, disfrazado con perilla postiza junto a Wilfred Brambell. McCartney se camufla tras un periódico, mientras su abuelo lee una revista erótica. John, George y Ringo también ruedan en la calle contigua a la estación, Boston Street, corriendo hacia la cámara en una escena en que George y Ringo caen al suelo y que serviría para iniciar el film. En todas estas imágenes Los Beatles son perseguidos sin tregua por un centenar de privilegiadas *fans,* cada una de los cuales cobraría, además, 7,5 libras por el trabajo.

Lunes, 6 - Martes, 7 abril:

En Twickenham, en la mañana del lunes, rodaje de la secuencia en donde se ve a Los Beatles maquillándose en un camerino. Por la tarde y durante todo el martes se filman los planos de Ringo y Wilfred Brambell en la comisaría de policía. El miércoles 8 de abril Los Beatles no intervienen en el rodaje al filmarse tan sólo la escena de la ópera de Strauss interrumpida por la aparición del abuelo de Paul.

Jueves, 9 abril:

En Surrey, a orillas del Támesis y sin los otros Beatles, Ringo rueda la secuencia en la que vagabundea con un niño que se ha escapado de la escuela.

Viernes, 10 abril:

Vuelta a los estudios Twickenham para rodar la escena que tiene lugar en la oficina de producción.

Domingo, 12 abril:

Nueva jornada de trabajo dominical en la estación de Marylebone, esta vez sin *fans,* para completar las imágenes de apertura.

Lunes, 13 abril:

Por la mañana, rodaje en los estudios Twickenham de la secuencia en solitario de George. La acción consiste en que el *beatle* es conducido ante un ejecutivo de la confección que le confunde con el modelo para la campaña de unas nuevas camisas, que son descritas por George como "grotes".

Por la tarde, Harrison también interviene en la escena del cuarto de baño, donde pone espuma en el espejo para afeitar la cara reflejada de John Junkin. Mientras, John aparece enjabonado en la bañera, cantando "Rule Britannia".

Este mismo día se anuncia a la prensa que el título de la película será *A Hard Day's Night,* aunque todavía no se había escrito la canción.

Martes, 14 abril:

Jornada de rodaje en Twickenham y también de localizaciones en Arlington Road. Allí se filman unos planos destinados al final de la película y que no llegarían a incluirse en el montaje definitivo. Las escenas mostraban a Los Beatles atrapados en un atasco de tráfico y su discusión con un conductor de otro coche. El actor de comedia Frank Thornton hizo el papel de chófer del grupo.

Miércoles, 15 abril:

Vuelta al teatro Scala aunque sólo para rodar en el exterior del edificio. Se trata de escenas de Los Beatles corriendo y también se hacen algunas tomas en Tottenham Street y Charlotte Mews.

Jueves, 16 abril:

Agotadora jornada en la que Los Beatles pasan la mayor parte del día en Clarendon Road, en el barrio de Nothin Hill Gate, donde se registran las imágenes en que son perseguidos por la policía. La "comisaría" era en realidad la Escuela de Secundaria de St. John, en el número 83 de la calle. Las escenas interiores de la comisaría se habían filmado ya en Twickenham los días 6 y 7.

El rodaje atrajo la atención de cientos de *fans,* obligando a Los Beatles a permenecer ocultos gran parte de la jornada en el interior del edificio. También se registran algunas imágenes en Heathfield Street y una secuencia en una casa de Portland Arms que finalmente no sería utilizada. En ella, Los Beatles entraban por una puerta de Portland Road y salían inmediatamente por otra de Penzance Place. A pesar de eliminar estas escenas, Lester retomaría la idea en una secuencia de su siguiente película titulada *The Knack.*

Este mismo día hubo tiempo por la tarde para que, entre las 19.00 y las 22.00 de la noche, Los Beatles grabasen en Abbey Road la canción que daría título al film.

Viernes, 17 abril:

El equipo de rodaje vuelve al casino Les Ambassadeurs para la secuencia de la discoteca, con Los Beatles bailando mientras suenan "All My Loving", "I Wanna Be Your Man" y "Don't Bother Me". Ese día reciben la visita de Ed Sullivan. La estrella de la televisión americana había volado expresamente desde Estados Unidos al *set* de rodaje para entrevistar a Los Beatles el jueves, pero la apretada jornada de trabajo obliga a posponer el encuentro veinticuatro horas. La entrevista, de algo menos de un minuto y medio de duración, se emite en la edición del domingo del exitoso *Show de Ed Sullivan.* En el mismo programa televisivo se incluyen las escenas filmadas en el teatro Scala con Los Beatles cantando "You Can't Do That". Cedidas por United Artist expresamente para esta ocasión, sería la única oportunidad de verlas al ser eliminadas luego del montaje definitivo de la película.

Sábado, 18 abril:

Los Beatles pasan toda la mañana en Twickenham, retocando algunas tomas que Lester deseaba mejorar y añadiendo nuevas líneas de diálogos en determinadas escenas.

Lunes, 20 - Martes, 21 abril:

Durante estos dos días, en la escuela de baile de Jack Billings y sin los demás bealtes, Paul ensaya y rueda su secuencia en solitario con la actriz Isla Blair. Las escenas iban a mostrar cómo Paul, en busca de Ringo, se metía en un estudio y entablaba una larga conversación con una actriz que ensayaba creyendo que se encontraba sola. A pesar de los dos días de trabajo y de los retoques de Richard Lester y Alun Owen sobre el guión original, los resultados no terminan de convencer y las imágenes no se incluyen en la película, con lo que Paul es el único beatle que no tiene una secuencia en solitario en *A Hard Day's Night.*

Mientras, el lunes 20, entre las 14.00 y las 15.15, George Martin realiza en Abbey Road las mezclas, en mono y estereo de *A hard Day's Night,* cintas recogidas por United Artists para su utilización en la película.

Miércoles, 22 abril:

Por la mañana, en la parte posterior del cine Hammersmith Odeón, rodaje de la secuencia en la que Los Beatles bajan por la escalera de incendios mientras suena "Can't Buy Me Love". Posteriormente se vuelve e repetir la escena en la que huyen de la policía, esta vez en St Luke's Road en Nothing Hill Gate. Se trata de las imágenes en las que la persecución interrumpe la faena de un ladrón de coches interpretado por John Bluthal. Después, en Lancaster Road, Ringo completa su secuencia en solitario con algunas tomas en las que aparece haciendo fotos a una botella de leche, perseguido por dos *fans* y comprándose la gabardina que le sirve de disfraz en una tienda de saldos, en el número 20 de All Saints Road. Por último, se filma una toma de Paul caminando por Goldhawk Road y entrando en la escuela de baile de Jack Billings, temporalmente rebautizada como "TV Rehersal Room".

Jueves, 23 abril:

Por la mañana, en Thronbury Playing Fields, en Isleworth, cerca del aeropuerto de Londres, Lester rueda más escenas destinadas a "Can't Buy Me Love" para completar las tomas aéreas filmadas en el aeropuerto de Gatwick el 13 de marzo. Los Beatles aparecen esta vez tomados desde tierra, en un helipuerto, de nuevo saltando y corriendo. También se realizan varios planos de John, Paul y George por los aires. Para conseguir el efecto, un cámara les fima tumbado en el suelo mientras saltan desde una escalera.

Poco más tarde, John tiene que acudir a un almuerzo en el Dorchester Hotel y el rodaje continúa sin él. Por esta razón son sólo Paul, George y Ringo los que aparencen al final de la secuencia, cuando un vigilante les advierte a gritos que se encuentran en propiedad privada y George responde: "Perdone si hemos estropeado su campo". El trabajo de filmación terminó aquel día a la una, por eso es posible que el grupo asistiese por la tarde a Abbey Road, donde, entre las 16.30 y las 17.45 de la tarde se completa una nueva versión mono de "A Hard Day's Night" publicada posteriormente.

Viernes, 24 abril:

En la calle Edgehill, en la zona residencial de West Ealing, rodaje matinal de las últimas imágenes para la película. Se trata de la escena en la que Ringo, caballerosamente, se quita la gabardina y la tiende sobre unos charcos para que una señora pase por encima sin mancharse. Lamentablemente, uno de los charcos resulta ser un profundo socavón en el que la mujer se hunde.

Por la tarde, después de ocho semanas de trabajo, Los Beatles y todo el equipo celebran una fiesta en un local denominado "The Turks Head" para celebrar el final del rodaje de *A Hard Day's Night*.

BANDA SONORA

El 10 de julio de 1964 salió a la venta en Gran Bretaña el LP que contenía en la cara A las siete nuevas canciones incluidas en la película. En la cara B: "Any Time At All", "I'll Cry Instead", "Things We Said Today", "When I Get Home", "You Can't Do That" y "I'll Be Back" completaban un LP que sería el primero y único compuesto exclusivamente por canciones de Lennon y McCartney. Ambos habían escrito la mayoría de esos temas en enero de 1964 en las dependencias que ocupaban en el Hotel George V de París, durante sus actuaciones francesas y entre refrigerios a base de *crepes* flambeadas. Todas las canciones de la cara A del LP se grabaron entre el 25 de febrero y el 1 de marzo, antes de dar comienzo el rodaje, a excepción de "A Hard Day's Night". También estaba grabada "You Can't Do That", relegada a la cara B del disco tras ser excluida de la banda sonora. Los Beatles no grabarían el resto de los temas hasta después de concluir el rodaje. En distintos momentos de la película también se escuchan otras canciones como "She Loves You" y "All My Loving", "Don't Bother Me", de George y "I Wanna Be Your Man", estas tres últimas pertenecientes al album *With The Beatles.*

El carácter documental de *A Hard Day's Night* facilitó a Richard Lester la excusa perfecta para poder incluir las canciones en la trama con total naturalidad, mostrando cómo Los Beatles interpretan los temas durante sus ensayos o en la secuencia final de la actuación televisiva, tal y como sucedía en realidad. Éstas eran las canciones de la primera película de Los Beatles:

A HARD DAY'S NIGHT

A pesar del pacto para firmar como Lennon/McCartney todas sus canciones, la banda sonora de la primera película de Los Beatles fue una nueva demostración de la (entonces todavía estimulante) rivalidad entre John y Paul a la hora de componer por separado, empezando por el propio tema que sirvió de título al film. Con "A Hard Day's Night" fue John quien se adelantó a su compañero en cuanto Richard Lester dio el visto bueno a la frase pronunciada por Ringo.

Escrita, arreglada y ensayada en poco más de veinticuatro horas, George Harrison se sirvió de su Rickenbaker de doce cuerdas para aportar el vibrante acorde de Sol Séptima que abre la canción, grabada con la voz de Lennon reproducida en toma doble y con McCartney cantando la estrofa que sirve de puente. Según John, esta colaboración vocal de Paul sólo obedecía a que él no fue capaz de llegar a las notas altas. La grabación de "A Hard Day's Night" costó nueve tomas e incluyó la participación de George Martin al piano. Se escucha al principio y al final de la película.

I SHOULD HAVE KNOWN BETTER

Se grabó el 26 de febrero y en ella destaca la armónica de John sobre los dos acordes básicos que rasguea en su acústica Gibson modelo Sunburst. Un tema sencillo y pegadizo debido a la inspiración de Lennon y en el que no faltan expresiones como "Ou, Ou, Aaa", una de las pegadizas marcas de fábrica en el sonido *beatle* de la época. Paul toca el bajo, George la Rickenbaker solista de 12 cuerdas y Ringo la batería.

En la película es la canción más forzada dentro de la trama. Mientras el resto de las interpretaciones forman parte de actuaciones o ensayos, en "I Should Have Known Better", Los Beatles aparecen repentinamente cantando con sus guitarras en un plano después de estar jugando a las cartas con toda naturalidad y desapareciendo de nuevo los instrumentos al término de la canción.

IF I FELL

El siguiente corte era "If I Fell". Grabada el día 27 de 1964 y compuesta también por John, fue, según él, su primer intento de escribir una balada digna. Correspondiente a un período en el que Los Beatles estaban entusiasmados por las armonías bien conjuntadas, las voces de Paul en los tonos graves y John en los agudos fueron grabadas a petición propia con los dos cantando ante el mismo micrófono. En *A Hard Day's Night* Los Beatles interpretaban el tema durante un ensayo en los estudios de televisión. Mientras ejecutan la canción George tropieza y derriba un amplificador. Un incidente espontáneo que Lester no dudó en incluir en la película.

En la grabación John canta y toca la guitarra rítmica, Paul es voz solista y toca el bajo, George toca la guitarra solista y Ringo la batería.

I'M HAPPY JUST TO DANCE WITH YOU

Escrita por John expresamente para que George la cantase en el film, se grabó para la banda sonora el 1 de marzo, en la víspera del inicio del rodaje. En la película, Los Beatles la interpretan tras irrumpir en un plató televisivo donde hay un grupo de baile ensayando.

John se ocupa de la guitarra rítmica y hace coros, Paul también hace coros y toca el bajo y George toca la guitarra solista además de cantar. Ringo, además de su habitual batería, toca el bongo árabe.

Aunque para John no pasa de ser un tema de encargo —"yo no hubiera podido cantarla", diría— resulta una canción vigorosa, con presencia dominante de las guitarras y la voz de George secundada por los pegadizos "Ooh, Ooh" corales que aportan John y Paul.

AND I LOVE HER

Una de las célebres baladas de Paul, quien contó con la ayuda de John para terminar los ocho compases centrales. McCartney niega que el tema estuviera inspirado por su novia de entonces, Jane Asher, aunque durante mucho tiempo se pensó que era así. "And I Love Her" se convertiría con los años en una de las canciones más versionadas de Los Beatles. Durante la película, los cuatro la interpretaban en un *set* de televisión con Ringo a los bongos, Paul cantando y tocando el bajo, John a la guitarra acústica y George ejecutando un brillante solo con una guitarra "Ramírez" española fabricada en Madrid.

TELL ME WHY

Grabada el 27 de febrero, John la compuso por encargo dado que la película necesitaba otra canción rápida. Los propios Beatles nunca volverían a interpretarla y Lennon asegura que la escribió en muy poco tiempo imitando los ritmos de los grupos vocales de cantantes negras neoyorkinas. A pesar de la poca importancia que le dieron Los Beatles, la influencia de "Tell Me Why" fue decisiva en el tema "La La La Lies" de los Who, donde Keith Moon calca el peculiar estilo de bateria utilizado por Ringo en la canción. En la película, Los Beatles interpretan la canción al inicio de su actuación televisiva, John es guitarra rítmica y voz solista, Paul bajo y segunda voz, George guitarra solista y Ringo batería.

CAN'T BUY ME LOVE

Compuesta por Paul muy probablemente en París, donde Los Beatles actuaban a mediados de enero del 64. Aprovechando también esa estancia, la canción se grabó en los estudios EMI de la capital francesa el 29 de enero, en lugar de los habituales Abbey Road, fue en la misma sesión en que Los Beatles grabaron las versiones en alemán de "She Loves You" y "I Wanna Hold Your Hand", siempre con George Martin como productor. "Can't Buy Me Love" fue lanzada como *single* el 20 de marzo y Richard Lester decidió incluirla en la película en sustitución de la canción de John "I'll Cry Instead" que no terminaba de gustar al director, siendo relegada a la cara B del disco. Sería el primer tema de la historia en ser Número Uno de forma simultánea en Gran Bretaña y en Estados Unidos.

Paul canta y toca el bajo, John se ocupa de la guitarra rítmica, George de la guitarra solista Rickenbaker de 12 cuerdas y Ringo de la batería.

En la película, "Can't Buy Me Love" constituye un claro antecedente de lo que años después serían los *videoclips,* al presentar la canción como fondo de las múltiples imágenes que muestran la escapada del grupo para juguetear en un helipuerto y la persecución de la policía tras Los Beatles por las calles de Londres.

Como tercer LP de Los Beatles, el disco *A Hard Day's Night* contó con una original portada concebida por el fotógrafo Robert Freeman, autor también de todo el trabajo de foto fija del film. Para la cubierta Freeman fotografió en distintos gestos y en blanco y negro el rostro de cada uno de Los Beatles, al estilo del disco anterior, *With The Beatles*, es decir, con jerseys negros de cuello vuelto y sólo la mitad de la cara iluminada, distribuyendo dichas fotos en cuatro filas (una por *beatle),* de cinco imágenes cada una, colocadas sobre fondo azul. En algunos carteles promocionales de la película, entre estas fotos de Los Beatles se camuflaba otra foto de idéntico estilo, pero con la cara de Wilfrid Brambell, el "abuelo de Paul".

El LP *A Hard Day's Night* fue número 1 en Gran Bretaña durante 21 semanas. Con anterioridad a la publicación de la banda sonora oficial, el 26 de junio del 64, United Artist publicó un LP para Estados Unidos también titulado *A Hard Day's Night*. El disco incluye estas siete canciones con el añadido de "I'll Cry Instead". De especial interés son las versiones instrumentales de "I Should Have Known Better", "And I Love Her", "This Boy" (rebautizada como "Ringo's Theme") y "A Hard Day's Night", todas ellas a cargo de la orquesta dirigida por George Martin. El "Tema de Ringo" fue así denominado porque sonaba durante su secuencia en solitario. No se incluye en cambio en el disco una versión orquestal de "I'm Happy Just To Dance With You", que puede escucharse durante unos segundos en la película.

El estreno de *A Hard Day's Night* estuvo precedido de dos tráilers promocionales distribuidos en salas británicas y norteamericanas. También saldría a la calle, en edición de bolsillo, una novela del mismo título, editada por Pan Books y escrita por John Burke a partir del guión de Alun Owen.

La *premiére* de *A Hard Day's Night* tuvo lugar el día 6 de julio de 1964, en el London Pavillion, en pleno centro de Londres. La gala fue patrocinada por la Fundación Cardiaca Variety Club y el Dockland Settlements, con la asistencia de la princesa Margarita y su marido Lord Snowdon y las entradas al precio único de 15 libras con 75 peniques.

Desde primeras horas de la mañana un número creciente de *teenagers* fue congregándose en las calles aledañas a Picadilly Circus hasta que la policía se vió obligada a cerrar la zona al tráfico. Tras un altercado en el que varias *fans* de los de Liverpool y de los Rolling Stones se zurraron de lo lindo, hacia las 19.30, 12.000 vociferantes admiradoras daban la bienvenida a Los Beatles a su llegada al Paladium. Nada más bajar de la limousina, Ringo sería recibido por miles de voces que le cantaban el "Cumpleaños Feliz" en la víspera de su veinticuatro aniversario.

Los trompetistas de la Metropolitan Police Band saludaron la llegada de la princesa Margarita y su esposo con una interpretación del "God Save The Queen". Testigos presenciales aseguran que en aquel momento, mientras el público puesto en pie, entonaba el solemne himno, John Lennon cambiaba la letra para cantar "God Save The Cream" ("Dios Salve A La Crema"). Una vez instalados en su palco los invitados reales, un cortometraje precedió la primera proyección pública de *A Hard Day's Night*. Hora y media después, la película recibió una clamorosa ovación.

En una recepción posterior, la propia princesa Margarita felicitó por el éxito a Brian Epstein y a unos Beatles impecablemente vestidos de *smoking* para la ocasión. De manera imprevista la princesa y Lord Snowdon decidieron sumarse al cóctel posterior al estreno en el Hotel Dorchester, en Park Lane, donde también se celebraría una cena. Según recuerda Walter Shenson, nadie creía que Margarita y Lord Snowdon fueran a asistir dado que tenían otro compromiso para cenar, así que nadie les había invitado pero ambos dijeron que estarían encantados de tomar unas copas con Los Beatles.

Shenson recuerda que se encontraban bebiendo en la antesala, antes de entrar al comedor cuando George Harrison se le acercó para preguntar en voz baja: "¿Cuándo vamos a cenar?". Walter Shenson respondió que no podían empezar hasta que no se marchase la princesa. Si bien ella y Lord Snowdon iban a cenar en otra parte, parecía que se encontraban a gusto departiendo con los invitados y no demostraban muchas ganas de irse. Poco después, George no dudó en aproximarse a la princesa para decirle: "Alteza, estamos muertos de hambre y Walter dice que no podemos cenar hasta que usted se marche". Lejos de incomodarse, la princesa Margarita se echó a reír y le dijo a su esposo: "Vámonos Tony, estamos estorbando".

Tras la cena, a las doce de la noche, Paul se levantó de su silla para dirigirse a la que ocupaban sus familiares y le entregó a su padre un marco con la foto de un caballo. Jim McCartney, quien cumplía 62 años ese 7 de julio, se quedó atónito y preguntó para qué quería él la foto de un caballo de carreras. Paul contestó que no era la foto, sino el propio caballo, su regalo de cumpleaños.

Ya entrada la madrugada, Los Beatles continuaron celebrando el estreno en la Discoteca Ad Lib, en compañía de los miembros de los Rolling Stones Brian Jones y Keith Richards. Allí leyeron también las primeras ediciones de los periódicos que incluían elogios unánimes para *A Hard Day's Night*.

El estreno en Liverpool, cuatro días después, incluyó una recepción municipal encabezada por el alcalde. Según Walter Shenson, Los Beatles se encontraban aquel día especialmente nerviosos y, aunque acababan de actuar con éxito en una gira mundial, no hacían más que repertir "vosotros no sabéis cómo es la gente de allí". Después de aterrizar en el aeropuerto de Speke, viajaron en coche hasta el centro de la ciudad entre calles abarrotadas de *fans* que no pararon de vitorearles durante todo el recorrido. Entre esa multitud Paul reconoció, con incontenible placer, al que fuera su profesor en el instituto, Dusty Durband. Recibidos como héroes locales, Los Beatles salieron al balcón del ayuntamiento para saludar a la multitud que los aclamaba.

Durante el proceso de rodaje de *A Hard Day's Night,* Richard Lester también había filmado metraje adicional en el que se podía ver a Los Beatles en descansos entre toma y toma o grabando en los estudios de EMI, en Abbey Road, diferentes temas de la banda sonora. Tras una pugna legal entre United Artist y la BBC por su propiedad, estas imágenes serían emitidas por la cadena televisiva BBC1 el lunes, 3 de agosto de 1964, en forma de un especial de 28 minutos titulado *Follow The Beatles.* Un completo *making off* del rodaje que incluía una presentación del crítico Robert Robinson, así como once entrevistas con personajes como George Martin, Richard Lester, el productor Walter Shenson, el guionista Alun Owen y algunos de los actores como Wilfrid Brambell o Norman Rossington, quienes describían la experiencia de trabajar con Los Beatles.

En Estados Unidos, *A Hard Day's Night* se estrenó el 13 de agosto de 1964 en el Beacon Theatre de Nueva York. Al día siguiente la película se proyectaba en quinientas salas de todo el país, consiguiendo una recaudación de 1.300.000 de dólares en su primer fin de semana. El griterío provocado en cada sesión era idéntico al de los conciertos en directo.

En todas partes la crítica alabó la innovadora concepción del film, subrayando su humor visual con influencias de Mack Sennet y coincidiendo casi de forma unánime en comparar a Los Beatles con los Hermanos Marx, e incluso, en alguna crítica, estableciendo paralelismos entre Ringo y el mismísimo Charlot, similitudes sin duda exageradas. No hay que olvidar que Los Beatles eran músicos brillantes que hicieron cine de forma ocasional, pero ninguno de los cuatro puede ser seriamente considerado como actor. Según Richard Lester, el propio Groucho Marx acudió a ver *A Hard Day's Night* para comprobar por sí mismo si tanta comparación con él y sus hermanos tenía fundamento: "Me dijo que no le había gustado nada la película", recuerda Lester. "Nosotros éramos personas reales", le dijo Groucho. "Podías ver la diferencia entre Harpo y Zeppo. Pero con ellos no consigo distinguir a uno de otro". Parece que los esfuerzos de Lester y Owen por diferenciar las personalidades de John, Paul, George y Ringo no lograron convencer a uno de los más grandes maestros cómicos de todo el séptimo arte.

En cualquier caso, la histeria que acompañaba a la música y las actuaciones del grupo se trasladó a los cines en aquel verano del 64. El rotativo británico *Daily Mirror* se refirió a la película afirmando que Los Beatles eran descarados, irreverentes, divertidos e irresistibles. La revista estadounidense *Newsweek* resumió el fenómeno fílmico subrayando que "la legitimidad del fenómeno Beatles resulta ineludible" y prestigiosos críticos como el norteamericano Andrew Sarris llegarían a describir *A Hard Day's Night* como el *Ciudadano Kane* del cine musical.

En España, la película se estrenó en Madrid el 14 de septiembre de 1964 en los cines Benlliure, Fuencarral e Imperial, y en Barcelona, en el cine Fémina, el día 22 del mismo mes. Durante años, *A Hard Day's Night* cargaría con la clasificación "Para mayores de catorce años". El título español elegido fue ¡*Qué noche la de aquel día!*, una traducción no estrictamente exacta, pero tampoco desafortunada. Nada comparado con el título francés: *Quatre Garçons Dans Le Vent* y el *Tutti Per Uno,* (mucho más mosquetero) del film en Italia. En el caso de España, al igual que muchas otras películas extranjeras estrenadas en la época, *A Hard Day's Night* se resintió de un lamentable doblaje, con unos diálogos desvirtuados y unas voces que en nada se parecían a las originales de John, Paul, George y Ringo.

En cuanto a Sudamérica, en Argentina y Perú *A Hard Day's Night* fue rebautizada como ¡*Yeah, Yeah, Yeah, Paul, John, George y Ringo!,* en Uruguay muy parecido: *Paul, John, George y Ringo!!!* en Chile *Yeah, Yeah, Yeah,* en México *Yea, Yea, Yea* y en Brasil *Os Reis Do Ié, Ié, Ié.*

En Estados Unidos, *A Hard Day's Night* recibiría dos nominaciones de la Academia de Hollywood, para Alun Owen por el mejor guión original y para George Martin por la banda sonora. En la ceremonia, los Oscars irían a parar a Barnett, Stone y Tarloff por el guión de la película *Father Goose* y a Previn por la banda sonora de *My Fair Lady.*

Cuatro años después de su estreno, ya en julio de 1968, United Artist comenzó a programar *A Hard Day's Night* en algunas cadenas de televisión norteamericanas a pesar de las protestas de un enfurecido Walter Shenson. No sería hasta 1979 cuando Shenson, en virtud del contrato rubricado por Brian Epstein en su día consiguiera todos los derechos sobre la película y pudiera reestrenarla en Estados Unidos en 1981, con sonido estéreo y sistema Dolby.

En España, ¡*Qué noche la de aquel día!* se emitió en la Primera Cadena de Televisión Española el jueves 13 de diciembre de 1973. En 1984 sería comercializada en los mercados británico y norteamericano en formatos de videocasete y *láser-disc,* ambos con el añadido, antes de la propia película, de "I'll Cry Instead", el tema que Richard Lester rechazó para la banda sonora, que suena mientras aparecen una serie de fotografías de Los Beatles en distintos momentos del film. Ediciones videográficas posteriores incluirían el documental *Follow The Beatles* acompañando al largometraje.

Concebida inicialmente por la industria del séptimo arte como rutinaria operación comercial de urgencia para aprovechar el fenómeno *beatle, A Hard Day's Night* aportó un aire renovador que la convertiría en punto de referencia obligado en la historia del cine musical pop. Su éxito animó a otros grupos británicos de la época a dar el salto a la gran pantalla en busca de un estilo similar, así, por citar algunos ejemplos, Gerry And The Pacemakers protagonizaron en 1965 la película *Ferry Across The Mersey* con dirección de Jeremy Summers. El mismo año, Dave Clark Five estrenaban *Having A Wild Weekend,* realizada por John Boorman, y en 1966 The Hermann Hermits hacían lo propio con *Hold On,* a las órdenes de Arthur Lubin. La influencia de *A Hard Day's Night* en el cine musical español quedaría patente en la película de Los Bravos *Los Chicos Con Las Chicas,* dirigida en 1967 por Javier Aguirre.

Con *A Hard Day's Night,* Lester y Los Beatles insuflaron renovada energía a un género desprestigiado. Adaptaron a la gran pantalla la alegría vitalista de la nueva juventud y su rebelión contra los principios de autoridad paternos. Lo hicieron con un nuevo tipo de comedia alocada que incorporaba elementos tradicionales del cine de Mack Sennet y los Hermanos Marx, pero fusionándolos a la perfección con la estética de los *comics books* y el arte pop emergente. Una química equilibrada y perfecta entre celuloide y música que el cuarteto de Liverpool nunca lograría repetir.

¡SOCORRO! 1965
Help!

Dirección: Richard Lester/ Argumento: Marc Behn/ Guión: Marc Behn y Charles Wood/ Fotografía: David Watkin (Eastmancolor)/ Operadores: Jack Atchelor y Paul Wilson/ Efectos Especiales: Cliff Richardson/ Títulos: Robert Freeman/ Música: John Lennon, Paul McCartney y George Harrison/ Dirección Musical: Ken Thorne/ Montaje Musical: Barry Vince/ Sonido: H. L. Bird y Stephen Balby/ Montaje de Sonido: Bill Boundell y John Challis/ Montaje: John Víctor Smith/ Dirección Artística: Ray Simms/ Vestuario: Arthur Newman, Julie Harris y Dinah Greet/ Maquillaje: Fred Williamson/ Peluquería: Betty Glasow/ *Manager* de Producción: John Pellat/ Producción: Walter Shenson para United Artists/ Nacionalidad: Gran Bretaña / Duración: 92 minutos.

Intérpretes: John Lennon/ Paul McCartney/ George Harrison/ Ringo Starr/ Leo McKern/ Eleanor Bron/ Victor Spinetti/ Roy Kinnear/ John Bluthal/ Patryck Cargill/ Peter Copley/ Bruce Lacey/ Warren Mitchell/ Alfie Bass y Mal Evans.

Tras el estreno de *A Hard Day's Night* Los Beatles finalizaron su primera gira mundial con veintiseís conciertos en Estados Unidos a finales de verano y otros tantos en el Reino Unido hasta primeros de noviembre de 1964. Completaban así un calendario que, desde el final del rodaje, también les había llevado a cantar en Dinamarca, Holanda, Hong Kong, Australia y Nueva Zelanda. En todas partes se había repetido la habitual inmersión en las agobiantes mieles de la adoración y la locura colectiva.

Desde hacía algo más de un año cualquier cosa que hacían o decían se propagaba como la pólvora con inusitada repercusión. Musicalmente cada nueva canción de John y Paul se colocaba instantáneamente en el número 1, donde permanecía durante meses hasta que otro éxito *beatle* firmado por Lennon y McCartney tomaba el relevo. El último *single* del 64, editado en noviembre con "I Feel Fine" en la cara A y "She's A Woman", en la B, tampoco fue una excepción.

También alcanzó sin problemas el número 1 el LP *Beatles For Sale,* publicado el 4 de diciembre de cara al mercado navideño. A pesar de repetir éxito, este cuarto álbum pasaría a la historia como uno de los menos interesantes de su discografía. Grabado a toda prisa, el disco incluía seis versiones de temas clásicos de *rock'n'roll* que Los Beatles solían interpretar en sus inicios y tan sólo ocho canciones nuevas porque la frenética actividad de los últimos meses no había dejado tiempo a John y Paul para componer más.

El público estaba hambriento de cualquier novedad relacionada con sus ídolos y si 1964 había sido el año de la conquista, en 1965 no había más que mantener la fórmula: Dos LPs, tres *singles,* conciertos por todo el mundo, apariciones en radio y televisión y un nuevo largometraje que comenzaría a prepararse a mediados del invierno.

Desde del éxito de *A Hard Day's Night,* las oficinas de Brian Epstein no habían parado de recibir guiones de los autores más diversos con ideas para una próxima película. Gran parte de esos borradores se centraban en la historia de un conjunto musical desconocido y sus peripecias hasta alcanzar el éxito, el resto se basaba en mediocres tramas para explotar el humor al estilo de los Hermanos Marx tan celebrado en el film anterior.

Pero si la carrera musical de Los Beatles se basaba en la renovación y la evolución musical constante, su trayectoria cinematográfica no podía ser menos. No tenía ningún sentido repetir un semidocumental como fue *A Hard Day's Night* y Brian Epstein sabía que era obligado sorprender al público con un film muy diferente. Walter Shenson y Richard Lester estaban de acuerdo y United Artists no puso objeciones esta vez en poner todos los medios necesarios al servicio del proyecto.

Lejos del realismo de la anterior, la nueva película sería pura ficción, tendría un presupuesto tres veces superior y se filmaría esta vez en color, un lujo sólo reservado en la época a las producciones británicas más privilegiadas.

Con toda la tensión añadida de superar el éxito de *A Hard Day's Night* y sin la valiosa colaboración de Alun Owen, el nuevo argumento fue un trabajo conjunto del guionista Marc Behm y el dramaturgo Charles Wood.

Los Beatles aprovecharon un hueco en los conciertos entre el 17 de enero y el 14 de febrero de 1965 para componer las nuevas canciones de la película y comenzaron a grabarlas el 15 en los estudios Abbey Road. Como sucediera un año antes tampoco esta vez

Los Beatles disfrutando del sol de Las Bahamas en los inicios del rodaje de *Help!*. *Fuente:* Hulton-Deustch Collection.

fue fácil encontrar un título adecuado para el film. En principio John y Ringo rechazaron "Beatles 2" denominación propuesta por Richard Lester. También se desestimó "The Day The Clowns Collapsed" ("El Día En Que Fallaron Los Payasos"), idea de Walter Shenson. Durante algún tiempo el proyecto conservó el nombre "Eight Arms To Hold You" ("Ocho Brazos Para

Abrazarte") a sugerencia de Ringo, pero las dificultades de John y Paul para componer una canción con esta frase condenarían el título al olvido. No obstante, el 17 de marzo se anunció oficialmente que así se llamaría la película y EMI llegó a imprimir una corta tirada del *single* "Ticket To Ride" con un cartón central donde puede leerse: "Incluido en la película de United Artists 'Eight Arms To Hold You'".

Según Lester, "La película no se iba a llamar *Help!,* lo que pasó fue que tuvimos problemas legales. El título original era 'Help, Help' pero los abogados nos dijeron que ya estaba registrado y no podíamos utilizarlo. Entonces pensamos en 'Beatles 2' y 'Eight Arms To Hold You.' Finalmente, Los Beatles dijeron '¿Qué ocurriría si pasásemos de abogados?'; y todos respondieron '¡Oh, no!.' Pregunté entonces si Help, Help llevaba signo de exclamación y resultó que no. De modo que dije: 'Si pongo una exclamación cambio el título, ¿no?.' Respondieron 'Sí'. Increíblemente, veinticinco minutos más tarde, Lennon y McCartney habían compuesto una canción que encajaba con el título recién inventado".

Bautizada definitivamente como *Help!,* la segunda película de los chicos de Liverpool sería una intrascendente y absurda mezcla de música, cómic, parodias del cine de James Bond, Pop Art y postal turística. Una película "con" Los Beatles más que "de" Los Beatles.

Sorpresivamente, *Help!* comienza en un lejano templo oriental donde el Sumo Sacerdote Clang oficia un sacrificio humano. En el último momento, la ceremonia se suspende porque la víctima no lleva puesto un anillo de rubí imprescindible para llevar a cabo el ritual. Tras comprobar en una actuación televisiva de Los Beatles que Ringo lleva la joya en uno de sus dedos, Clang y sus seguidores, incluida la bella sacerdotisa Ahme, se trasladan a Londres. Allí fracasan en varios intentos de recuperar el rubí que, además, Ringo no consigue sacarse del dedo. Disfrazados de camareros en un restaurante hindú Clang y los suyos atentan contra el batería anunciándole que quien lleve el rubí puesto debe ser sacrificado. Los Beatles escapan y acuden a un joyero para que corte el anillo con una sierra pero descubren que es irrompible. Recurren entonces al profesor Foot, un científico chiflado que trabaja con un tontorrón ayudante llamado Algernon. A pesar de utilizar un sofisticado aparato de rayos láser, Foot tampoco consigue extraer el anillo y a partir de entonces también intenta apoderarse de él, convencido de que sus

Paul y su teclado lleno de tebeos en lugar de partituras. Uno de los juguetes del peculiar hogar de Los Beatles en *Help!*
Fuente: American Graphic System.

extraordinarias propiedades le permitirán dominar el mundo.

Para burlar a sus enemigos Los Beatles huyen a Los Alpes suizos pero tanto Clang como Foot les persiguen hasta allí y les tienden numerosas trampas. El grupo logra escabullirse y regresa a Londres donde solicita la protección de Scotland Yard, llegando a esconderse en el mismísimo Palacio de Buckinham donde, los propios John, Paul y George intentan convencer a Ringo para que se corte el dedo y terminar con el problema.

En una nueva encerrona, Ringo cae a un sótano donde le aguarda un tigre, pero también consigue escapar. Deciden entonces huir a Las Bahamas, también allí les siguen los persistentes Clang y Foot. El científico chiflado rapta a Ringo al que Ahme salva de ser sacrificado. La llegada de Los Beatles y las fuerzas de Scotland Yard aborta una nueva intentona de Clang y da lugar a una multitudinaria batalla final al borde del mar. Después aparece en pantalla una leyenda indicando que el film está dedicado a Elías Howe, el hombre que en 1846 inventó la máquina de coser. Finalmente, podemos ver los créditos sobre imágenes de Los Beatles por separado reflejándose repetidamente en multitud de diminutos espejos deformes mientras se les escucha canturrear *El Barbero de Sevilla* de Rossini. Al tiempo que aparecen los nombres de Lennon y McCartney como autores de las canciones se escucha fugazmente la voz de George puntualizando: *I Need You by George Harrison.* Dichos títulos de crédito fueron filmados por el fotógrafo Robert Freeman a través de una jarra de cerveza.

Para el reparto que acompañaría a Los Beatles se recurrió en esta ocasión a Leo McKern, actor de reconocido prestigio que interpretó al malvado sacerdote Clang. Junto a él, la emergente Eleanor Bron, se encargaba de dar vida a la sacerdotisa Ahme. Aunque Paul y George se la disputaban fugazmente en la película, fue John Lennon quien mantuvo un romance con la actriz fuera de las cámaras. Su nombre sirvió, eso sí, para inspirar a Paul un año más tarde el título de la canción "Eleanor Rigby".

En *Help!* tambien intervino Victor Spinetti, quien después de interpretar al realizador televisivo de *A Hard Day´s* Night incorporaba aquí al pertubado científico Foot. El papel de su ayudante fue para el actor Roy Kinnear, habitual en la cinematografía de Lester, mientras el prestigioso Patrick Cargill interpretaba al alto cargo de Scotland Yard encargado de la protección de Los Beatles. Asimismo el cómico británico Frankie Howerd participó, en el papel de un profesor de teatro, en una secuencia que finalmente no llegaría a incluirse. Un cartel de actores en su mayoría de reconocida profesionalidad que, según declaró Lennon, hizo que Los Beatles se vieran relegados al papel de extras en su propia película.

El indiscutible rol protagonista de Ringo en *Help!* fue consecuencia directa de las alabanzas a su trabajo en A *Hard Day´s* Night, pero redujo a meros secundarios a los demás Beatles, siendo las intervenciones de John, Paul y George completamente irrelevantes.

Por otro lado, aunque en *Help!* Los Beatles también hacen de sí mismos, esta vez sus personalidades se desdibujan. Si en *A Hard Day´s Night* se diferenciaban claramente los caracteres de John, Paul, George y Ringo, aquí los cuatro actúan como una entidad conjunta y sus papeles son prácticamente intercambiables. A falta de un guionista como Alun Owen que trabajase la individualidad fílmica de cada uno, Los Beatles aparecen como un grupo de amigos que incluso viven juntos en una común y peculiar residencia.

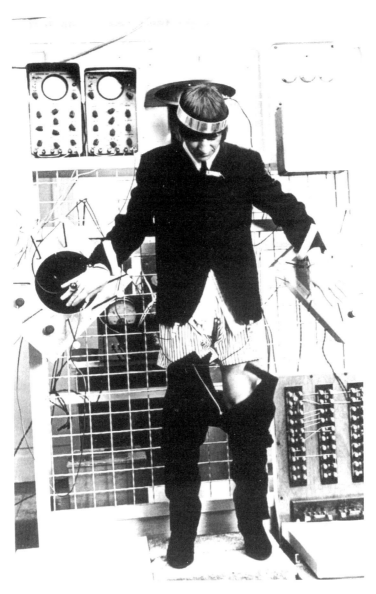

Ringo, con el anillo fatídico en su mano derecha, sufre las bochornosas consecuencias de la alta tecnología. *Fuente:* British Film Institute.

Precisamente la vivienda de Los Beatles da lugar al primero de los muchos *gags* que abarrotan con mayor o menor fortuna la película. Ocurre cuando John, Paul, George y Ringo se bajan de un Rolls Royce y se disponen a entrar en sus respectivos hogares. Hay cuatro puertas consecutivas y cada uno de ellos mete la llave en una. Mientras, unas vecinas comentan que el éxito no les ha cambiado y que siguen siendo unos muchachos sencillos. A continuación un plano interior de la casa nos revela que en realidad se trata de una única vivienda rectangular con una puerta para cada *beatle.*

En el interior de esa casa puede verse, entre otros muchos objetos, una máquina llena de sándwiches en el ala que ocupa Ringo. John tiene una cama a ras del suelo en la que se tumba a leer su segundo libro (*A Spaniard In The Works,* publicado el 24 de junio de 1965) del que hay numerosos ejemplares. Paul emerge del piso tocando un órgano en el que vemos variados cómics en lugar de partituras y George indica a un jardinero que pode una alfombra hecha de verde césped. El jardinero cumple su misión utilizando dos pequeñas dentaduras postizas mecánicas.

En cuanto a los diálogos, *Help!* potenciaba la celebrada similitud cómica entre Los Beatles y los Hermanos Marx, abundando en absurdos juegos de palabras que recuerdan a películas como *A Night At The Opera* (Una Noche en la Ópera, 1937) o *Duck Soup (Sopa de Ganso,* 1935). A veces con frases repetitivas en secuencias como la de Paul bailando con Ahme mientras dicen una y otra vez "Please say no more, I can't say no more" ("Por favor no hables, no puedo decir más"). En un plano más realista algunos diálogos hacen referencia a la verdadera trayectoria de Los Beatles, como cuando Patrick Garhill, en el papel de inspector de Scotland Yard, les pregunta cuánto tiempo creen que les va a durar el éxito. Otra referencia es cuando George sugiere sustituir a Ringo por un batería de Manchester, clara alusión a la gira europea del 64, cuando Jimmy Nicol ocupó temporalmente el lugar de un Ringo recién operado de amígdalas. También es George quien dispara verbalmente contra el batería al preguntarle en el *pub:* "¿Qué tal sabe una cerveza sin amígdalas?".

Richard Lester, quien siempre prefirió *Help!* antes que *A Hard Day's Night,* no estaba en absoluto de acuerdo en que en su segunda película con Los Beatles sus personalidades individuales estuvieran menos trabajadas: "En *Help!* se hizo más específico que Paul era el sexy, John el ingenioso y sarcástico, Ringo el sensible y

George el malvado. Todo lo que George dice en *Help!* tiene que ver con la maldad o el dinero."

En el interminable bombardeo de *gags* que saturan la película tampoco faltan obvios rótulos de situación, así por ejemplo, sobre un plano del Palacio de Buckinham aparece "A Well Known Palace"("Un Palacio Muy Conocido"). En otro momento se recurre a un intermedio durante el cual vemos a John, Paul, George y Ringo en una fugaz imagen haciendo el tonto en un bosque durante unos breves segundos antes de volver a la trama.

Entre otros *gags* visuales, tampoco falta una pequeña intervención del ayudante de Los Beatles, Mal Evans, quien aparece como nadador desorientado perdido, primero en las nieves de Los Alpes y al final en las playas de Las Bahamas, preguntando por dónde se va a Dover.

En otra secuencia, claro homenaje a títulos como *The Shrinking Man (El Increíble Hombre Menguante)* de Jack Arnold, o *Alicia En El País de Las Maravillas,* de Lewis Carroll y el libro favorito de John, Paul quedaba reducido accidentalmente a un tamaño diminuto, teniendo que cubrir su desnudez con el envoltorio de un chicle, antes de esconderse en un cenicero.

Pero sin duda el más surrealista de los *gags* de *Help!* tiene lugar cuando Ringo cae al sótano de un *pub* y se encuentra con un tigre de Bengala. El animal ha sido educado con música y hay que amansarlo a base de cantarle el "Himno A La Alegría", de la *Novena Sinfonía* de Beethoven. Ringo está aterrorizado y no lo recuerda, así que John, Paul y George comienzan a silbarle la música. Continúa haciéndolo la gente del *pub,* luego vemos cantar a la gente que pasa por la calle y la secuencia *in crescendo* termina con las imágenes de todo un estadio repleto de público acompañando, en un efecto de pletórica apoteosis, los célebres compases de Beethoven.

Aunque momentos como éste justifican la afirmación de Lennon según la cual *Help!* se adelantó a su tiempo, el argumento de la película se resintió de una sobredosis de humor incapaz de compensar una trama endeble.

Según recordaría Paul McCartney años después, los propios Beatles participaron directamente en el intrascendente guión y lo hicieron básicamente dando rienda suelta a sus caprichos. Así, encargaron escribir la secuencia de la nieve en Los Alpes porque les apetecía ir allí. Del mismo modo sugirieron las playas de Las Bahamas porque les pareció un buen lugar para pasar unos días.

Sin embargo, el hecho de filmar localizaciones exteriores en Las Bahamas respondía a razones puramente contables. El doctor Walter Strach, asesor fiscal del grupo perteneciente a la firma Bryce-Hamner, consideró que Los Beatles se ahorrarían una considerable cantidad de dinero en sus enormes obligaciones impositivas si fijaban temporalmente su residencia fuera de Inglaterra.

Con el visto bueno de Brian Epstein, Los Beatles financiaron el traslado del doctor Strach a Las Bahamas donde éste solicitó la residencia temporal y montó, con Walter Shenson, una empresa interpuesta denominada Cavalcade Productions, reservándose plenos poderes. El 22 de febrero, John, Paul, George y Ringo, acompañados de un equipo de ochenta personas, volaron a Las Bahamas donde establecieron su residencia en una lujosa mansión de Balmore Club. El mismo día visitaron la casa de un multimillonario de Nassau, donde pasaron la tarde escuchando las canciones grabadas para la película y celebrando el veintidós cumpleaños de George Harrison. Seguirían dos semanas ininterrupidas de trabajo en la isla de Nueva Providencia donde, ante multitud de periodistas y mirones, se filmaron las escenas más superfluas de *Help!*, las correspondientes a los últimos minutos de la película y sin embargo lo primero que se rodó. Más de la mitad de aquel material se eliminaría del montaje, pero serviría para justificar que el grupo estaba trabajando fuera de Inglaterra. Aunque este sistema de reducir impuestos no era muy ortodoxo, Walter Strach insistía en que tampoco era ilegal.

Sin embargo, un pequeño contratiempo daría al traste con todo el plan. En aquellos días, James Isherwood, un alto funcionario de Bryce-Hamner fue acusado de quedarse con parte de los fondos de Woodfall Productions, la firma que había producido la película *Tom Jones*. El escándalo hizo que Brian Epstein tomara precauciones y consultase el caso directamente a Lord Goodman, abogado del Primer Ministro Británico Harold Wilson. Siguiendo su consejo, la sociedad Cavalcade fue fulminantemente disuelta y Los Beatles pagaron religiosamente sus impuestos sin conseguir ahorrar ni un solo penique.

Tras la experiencia de Las Bahamas, John, Paul, George y Ringo regresaron a Londres para viajar luego a Austria y rodar en la ciudad nevada de Obertauern.

Por exigencias de las secuencias sugeridas por Los Beatles, debían aparecer en la película esquiando, una práctica que ignora-

En la nevada Austria, Los Beatles indican a un nadador (Mal Evans) el camino para llegar a Dover. Uno de los innumerables *gags* surrealistas de *Help!*
Fuente: American Graphics System.

ban por completo. Para que pudieran tener al menos unas nociones básicas, Brian Epstein contrató los servicios de una monitora llamada Gloria Mack que había sido Miss Austria el año anterior. Tras las primeras clases y comprobada la torpeza de sus alumnos, se tomó la decisión de utilizar dobles en las escenas de esquí. Serían los austriacos Franz Bogensberger, Herbert Lurzer, Gerhard Griens y Hans Pretscher quienes ocupasen respectivamente los lugares de John, Paul, George y Ringo.

De vuelta a Inglaterra, los exteriores que preceden a la secuencia del *pub* y el sótano con el tigre se filmaron en el barrio londinense de City Barge, en Chiswick, y días después, en Salisbury

Plain, Wiltshire, la secuencia en la que interpretan "I Need You" y "The Night Before".

En cuanto a las escenas de interior, la mayoría se rodaron en los ya familiares estudios de Twickenham y también se utilizó la lujosa mansión de Clividen, en Bershire, para simular la parte del film que transcurre supuestamente en el Palacio de Buckingham. La mayoría de estas tomas se rodaron en la segunda planta de esta impresionante construcción realizada en 1851 gracias al permiso de sus propietarios, Lord y Lady Astor, y mientras Lord Astor se recuperaba, en la tercera planta, de una reciente intervención quirúrgica.

Consideraciones cinematográficas aparte, el rodaje de *Help!* coincide con una época en que Los Beatles disfrutan sin límite de las ventajas que supone estar instalados en la cima del éxito. Según recuerda Paul: "Ni siquiera eché un vistazo al guión hasta el primer día. Pero nos lo pasamos muy bien. Había un montón de chicas estupendas. En 'Another Girl' llevo una en brazos y, básicamente, lo que intentaba era llevármela a la cama. Eso era lo que intentábamos, continuar con nuestras vidas al mismo tiempo que hacíamos la película."

Por otra parte, si en *A Hard Day's Night* Los Beatles entretenían las pausas de rodaje viendo películas porno en los camerinos, en *Help!* se puso de relieve que los chicos habían encontrado un nuevo entretenimiento. Tras haber sido iniciados en la marihuana por Bob Dylan, quien les enseñó a liar canutos durante una visita a Estados Unidos, John, Paul, George y Ringo habían incorporado a su vida cotidiana la costumbre de fumar porros y durante la práctica totalidad del rodaje sus pupilas dilatadas eran tan frecuentes como sus dificultades para contener la risa. Según John: "el mejor material rodado en *Help!* se quedó en el suelo de la sala de montaje, con nosotros entrando violentamente en escena y cayéndonos por todas partes a causa de los efectos de la yerba".

DIARIO DE RODAJE

Martes, 23 febrero:

Por la tarde, al día siguiente de su llegada a Las Bahamas, se inicia la filmación de *Help!* en un muelle cercano a Mackey Street con diversas

Paul y John con Richard Lester durante una pausa del rodaje de *Help!* en Salisbury Plain. *Fuente:* Rex Features.

tomas de Ringo escuchando el mar en unas caracolas. Son algunas de las numerosas escenas que luego serán descartadas en el montaje final. De esta jornada sí se incluirán unas imágenes en las que aparecen bañándose vestidos en el interior de la piscina del Hotel Nassau Beach.

Miércoles, 24 febrero:

Primer día completo de rodaje con un horario de 8.30 de la maña-na a 17.30 de la tarde que será ya habitual. En esta jornada se filman algunas de las escenas en las que se ve a Los Beatles montando en bicicleta en Interfield Road, cerca del aeropuerto.

Jueves, 25 febrero:

Nueva filmación en Interfield Road. Planos de Ringo y John en el estadio de Bahamas Softball Association y de Paul en solitario en diversas zonas rocosas y cuevas próximas a la costa.

Viernes, 26 febrero:

En un día especialmente ajetreado se filma a Ringo en el yate y frente a la Oficina Postal de Bay Street. También a George y Ringo en los jardines del Royal Victoria Hotel y a John corriendo fuera de la Biblioteca Pública mientras grita "Ringo". El resto del equipo también rueda en esta jornada algunas escenas en las que no intervienen Los Beatles, en Lake-Cunningham, concretamente las imágenes correspondientes al campo de prisioneros.

Sábado, 27 febrero:

Los Beatles pasan su primer día de rodaje de fin de semana en la Isla de Balmoral, donde se registra la secuencia en la que cantan "Another Girl".

Domingo, 28 febrero – Lunes, 1 marzo:

Dos días en Cabbage Beach, en Paradise Island, para rodar en un restaurante francés llamado Café Martinique. También el lunes se filman las imágenes en las que Ringo aparece con el Profesor Foot (Victor Spinetti) y Algernon (Roy Kinnear) atrapado en el yate hasta que Ahme (Eleanor Bron), le rescata.

Martes, 2 – Jueves, 4 marzo:

Los Beatles continúan filmando en Cabbage Beach y Victoria Beach. Concretamente el día 3 se registra la secuencia final en la que Ringo está atado en la arena de la playa para ser sacrificado.

Ringo y Ahme (Eleanor Bron) en apuros por culpa del chiflado profesor Foot (Victor Spinetti). *Fuente:* British Film Institute.

Viernes, 5 marzo:

Rodaje de secuencias exteriores en diferentes localizaciones, principalmente las imágenes en las que, por separado, John, Paul y George buscan a gritos a Ringo.

Sábado, 6 marzo:

En el aeropuerto de Nassau se rueda la secuencia en la que John, Paul, George y Ringo descienden del avión haciéndose fotografías los unos a los otros.

Domingo, 7 – Lunes, 8 marzo:

Filmación de escenas en un lugar que en la película aparece como un templo y que en la vida real era un destartalado hospital para niños y ancianos. El lamentable estado de estos pacientes impresionó bastante a Los Beatles.

Martes, 9 marzo:

Regreso a Paradise Island para filmar algunos planos de recurso.

Miércoles, 10 marzo:

Los Beatles vuelan de regreso a Inglaterra, aterrizando en el aeropuerto de Londres a las 7.05 de la madrugada del día 11.

Sábado, 13 marzo:

Dos días después de su regreso de Las Bahamas, todo el equipo de rodaje se traslada a Austria. En menos de una semana, Los Beatles pasan de un clima con temperaturas por encima de los veinte grados a otro donde los termómetros no suben de cinco bajo cero. El grupo despega del aeropuerto de Londres a las 11.00 de la mañana para aterrizar en Salzburgo, donde son recibidos por 2.000 *fans* y cientos de periodistas. Tras una rueda de prensa en un hotel cercano, una limousina Ford traslada a John, Paul, George y Ringo al Hotel Edelweiss en la nevada ciudad de Obertauern, donde el grupo y su séquito permanecen hasta el día 22 ocupando las habitaciones de la 501 a la 507 inclusive.

Domingo, 14 marzo:

Filmación de algunas escenas en la nieve que se utilizarían en la película mientras suena "Ticket To Ride". Comienzan por rodar unas imágenes alrededor de un tobogán que finalmente no serán incluidas. También se filma el plano en el que Los Beatles, cogidos de la mano, se dejan caer de espaldas en la nieve. Este mismo día comienza también el trabajo para los "dobles" de Los Beatles, filmados en un trineo.

Lunes, 15 - Martes, 16 marzo:

Rodaje de numerosas imágenes en el telesilla y en las pistas de esquí. Mientras, en Londres, en los estudios de EMI, el ingeniero Norman Smith completa una nueva mezcla en mono de "Ticket To Ride". Será utilizada como máster para el inminente nuevo single de Los Beatles y también hará uso de ella United Artists en el rodaje.

Miércoles, 17 marzo:

Filmación de la secuencia en la que juegan con los deslizantes y estalla una bomba. Son las imágenes en las que aparece Mal Evans como el nadador que emerge del hueco que deja la explosión en la nieve. También se ruedan algunas imágenes que transcurren entre unos arbustos.

Éste es el día en que se anuncia oficialmente que la película se llamará "Eight Arms To Hold You", título que se mantendrá durante casi un mes.

Jueves, 18 marzo:

En otro día ajetreado se ruedan escenas en unas instalaciones olímpicas de salto, en la montaña y en la estación de esquí.

Viernes, 19 marzo:

Filmación de más planos de recurso en la nieve. Ese día Los Beatles comentan el rodaje en una entrevista telefónica grabada en exclusiva para la BBC, la primera permitida por Brian Epstein en casi tres meses. La charla es con el periodista Brian Matthew. La grabación se efectúa a las 8.00 de la mañana (las 7.00 en Inglaterra) y se emite al día siguiente a las 11.00.

Sábado, 20 marzo:

En el último día de rodaje en Los Alpes, Los Beatles y sus dobles vuelven a las rampas de esquí para tomar más planos destinados a "Ticket To Ride", en su mayoría imágenes en las que aparecen haciendo el tonto en la nieve. Para terminar se rueda una secuencia con Ringo (y su doble) en la entrada de un restaurante pero no será incluida en el montaje final.

Por la tarde, John y Ringo son entrevistados por Chris Denning para su programa semanal sobre Los Beatles en Radio Luxemburgo.

Domingo, 21 marzo:

Aunque Los Beatles permanecen en Obertauern hasta el día siguiente, en esta jornada no participan en el rodaje. Son sus dobles quienes ocupan su lugar en la escena rodada en la estación de Radstat y también en la que se realiza en un túnel camino a Salzburgo. El equipo de rodaje deja Austria ese mismo día.

Lunes, 22 marzo:

Los Beatles abandonan Obertauern y parten a Salzburgo, desde allí un avión les lleva de regreso a Londres, donde aterrizan a última hora de la tarde.

Miércoles, 24 - Viernes, 26 marzo:

De vuelta a casa y tras un día de descanso, Los Beatles regresan a los estudios Twickenham, al oeste de Londres y ya familiares tras el rodaje de *A Hard Day's Night*. Con una jornada diaria similar a la de un año atrás, entre las 8.30 de la mañana y las 5.30 de la tarde, John, Paul, George y Ringo ruedan numerosas secuencias, principalmente de interior, hasta el 9 de mayo, incluyendo algunos interiores pertenecientes a la acción en Las Bahamas y Los Alpes. En estos primeros días se filman las imágenes relativas al interior del templo, incluida la parte en que John, Paul y George se sumergen en el altar del sacrificio para emerger luego en la piscina.

Lunes, 29 marzo:

En el primer día de la segunda semana de trabajo en Twickenham, Los Beatles ruedan secuencias como la del laboratorio con el profesor Foot y Algernon. También esta semana se filman las imágenes localizadas en el interior de una estación de tren.

Martes, 30 marzo - Viernes, 2 abril:

Continúa el rodaje de secuencias de interior y también hay tiempo para el trabajo en Abbey Road. En la tarde del 30, entre las 7.00 y las 10.00, Los Beatles graban varias tomas de la canción "That Means A Lot", tema que finalmente descartan al no estar satisfechos con ninguna de las cinco versiones registradas ese día. En una tarde inusualmente improductiva también graban diversos efectos para "You're Going To Lose That Girl", aunque tampoco llegarán a utilizarse en la versión publicada. El viernes 2, mientras Los Beatles filman en Twickenham, George Martin completa una versión estéreo de esta misma canción que tampoco se utilizará nunca.

Lunes, 5 - Martes, 6 abril:

Estos dos días se ruedan interiores del comedor y la cocina para la secuencia del restaurante "Rajahama", siempre en Twickenham. Aprovechando un descanso del rodaje se hace entrega a Los Beatles del premio "Bell" de Radio Caroline.

Miércoles, 7 abril:

Los cuatro Beatles filman la escenas correspondientes al sótano del *pub,* donde Ringo, tras haber caído por una trampilla, se encuentra con un tigre.

Jueves, 8 abril:

En esta jornada, Los Beatles ruedan la secuencia del lavabo, cuando, en un evidente ataque de Clang, el secador de manos succiona en lugar de soplar y causa diversos destrozos. También se filma otra secuencia de Ringo solo en el cuarto de baño que será eliminada en el montaje.

Viernes, 9 abril:

Rodaje de otra escena de interior que no será utilizada. En ella participan Los Beatles, el superintendente Gluck (Patrick Cargill), 7 policías y 12 seguidores de Clang.

Lunes, 12 - Martes, 13 abril:

Filmación en Twickenham de las imágenes en que Los Beatles, supuestamente en el interior del Buckingham Palace, corren por un pasillo y sufren los efectos de la máquina de "Cadencia Relativa" del Profesor Foot. La escena comienza a rodarse el lunes y se completa el martes.

Después, Los Beatles continúan en Twickenham todo el día para diversas tomas en las que también participan el Profesor Foot, Algernon, Clang y Bhuta (John Bluthal). A continuación, en los mismos estudios, John, Paul, George y Ringo conceden una entrevista en directo a la cadena de radio de la BBC.

También este martes, entre las 7.00 de la tarde y las 11.15 de la noche, Los Beatles graban "Help!" en Abbey Road, una vez decidido que éste será el título definitivo de la película.

Miércoles, 14 abril:

En el barrio residencial de St. Margaret, en la calle Ailsa Ave, muy cerca de Twickenham, Los Beatles filman una de las secuencias iniciales de la película, el momento en que bajan de un Rolls Royce y se disponen a entrar cada uno por una puerta. Ringo en la 5, John en la 7, Paul en la 9 y George en la 11. Mientras, dos mujeres en la calle contemplan la escena y comentan lo sencillos que siguen siendo Los Beatles a pesar del éxito. Esas dos mujeres son Gretchen Franklin y Dandy Nicholas, esta última celebridad televisiva años más tarde con la serie de la BBC *Till Death Us Do Part* .

En la misma calle también se ruedan otras secuencias en las que John y Paul son abordados por Clang.

El día siguiente se ruedan algunas tomas en las que la presencia de Los Beatles no es necesaria, por lo que aprovechan para unas vacaciones de Semana Santa regresando al estudio el día 20.

Domingo, 18 abril:

Entre las 10.00 y las 12.30, en la sala de control número 65 de los estudios Abbey Road, George Martin realiza la mezcla en mono de "Help!" y varias mezclas en estéreo del mismo tema, así como de la canción "The Night Before". (Tiempo después, el 18 de junio se llevan a cabo nuevas mezclas de "Help!", tanto en mono como en estereo.)

Martes, 20 abril:

Regreso a Twickenham para rodar, entre otras, la escena en que los esbirros de Clang atentan contra Ringo cuando echa una carta al buzón de correos y la mano en la que el batería lleva el anillo del sacrificio queda atrapada.

Miércoles, 21 abril:

Filmación de la escena localizada supuestamente en las oficinas de Scotland Yard, donde Los Beatles visitan al superintendente Gluck.

Jueves, 22 abril:

Se rueda una de las primeras secuencias de la película, aquella en que Clang y los suyos (en color) contemplan a Los Beatles, por medio de un proyector casero interpretando "Help!" (en blanco y negro) en una supuesta actuación televisiva. Clang arroja dardos a la pantalla donde aparece el grupo mientras pueden verse también los títulos de crédito.

El hecho de que Los Beatles aparecieran en blanco y negro en la supuesta aparción en la pequeña pantalla se explica porque la televisión en color no llegó a los hogares británicos hasta diciembre de 1967. United Artists suprimió las imágenes de Clang arrojando dardos y utilizó las de Los Beatles cantando "Help!" para un promocional televisivo de la película y la canción. Se emitió en el canal 1 de la BBC en el programa *Top Of The Pops* el 29 de julio y el 19 de agosto. También en el *Thank Your Lucky Stars* (esta vez titulado *Lucky Stars Anniversary Show*) de la cadena ABC, el sábado 17 de julio, así como en *TWW, s Disc A Gogo,* el lunes 26 del mismo mes.

El mismo día, Los Beatles filman una larga secuencia no incluida en el montaje final. En ella aparecen junto al cómico británico Frankie Howerd, quien hace el papel de Sam Ahab, un profesor de arte dramático. También aparece como una de sus alumnas Wendy Richard, en el papel de Lady Machbeth. Esta actriz, entonces desconocida, alcanzaría el éxito en la comedia de situación de la BBC *Are You Being Served?*

Viernes, 23 abril:

Continúa rodándose la secuencia de la escuela de arte dramático con Frankie Howerd y Wendy Richard a los que se unen Clang y Ahme.

Sábado, 24 abril:

Rodaje de la secuencia precedente al encuentro de Ringo con el tigre en el sótano del *pub.* Se filma en una calle de City Barge, próxima al Támesis. Los Beatles escapan corriendo rumbo a una taberna para escapar de los esbirros de Clang que les persiguen disfrazados de miembros de una orquesta de gaitas.

Se refugian dentro de la casa pública de City Barge (interior que se rodará en Twickenham cuatro días más tarde) y, tras caer Ringo en el sótano, huyen de los seguidores de Clang que les acosan en el *pub* saltando a la calle a través de las ventanas.

John y Paul no rodaron nada más este día, George y Ringo participaron en otra escena no incluida y que se situaba en una cabina telefónica en la calle. También se rodaron imágenes en el departamento de alimentación de los almacenes Harrods y también serían finalmente descartadas.

Martes, 27 abril:

Tras descansar el domingo y el lunes, en Twickenham se rueda una de las secuencias más pintorescas de la película. En ella, Los Beatles aparecen disfrazados en una terminal de aeropuerto, justo antes de volar a Las Bahamas. Curiosamente, su aspecto se asemeja bastante al que asumirían en la vida real pocos años después. John aparece con gafas redondas y frondosa barba, similar a su futuro *look* del verano del 69. George lleva raya en medio y bigote, anticipando su aspecto en la época de *Sgt. Pepper's* y Ringo pelo y barba muy a su estilo habitual a mediados de los 70. Paul por su parte usa bigote, gafas y sombrero, al tiempo que porta una cámara, haciéndose pasar por periodista.

También en este día se registra una escena en la que Los Beatles aparecen con Ahme en lo alto de la torreta de un tanque.

Miércoles, 28 abril:

Durante la mañana se completa la filmación de la secuencia luego descartada que tiene lugar en la escuela de arte dramático con Los Beatles, Frankie Howerd, Wendy Richard, Leo McKern y Eleanor Bron.

Siempre en Twickenham, pero ya por la tarde se ruedan las imágenes del interior del *pub* en City Barge.

Mientras trabajan en esta escena reciben la visita del actor Peter Sellers, que les hace entrega de un premio "Grammy" conseguido por *A Hard Day's Night* en la categoría de "Mejor Actuación de

Grupo Vocal". En una intervención con toda seguridad preparada de antemano, John recibe el premio chapurreando frases ininteligibles en francés y los demás continúan la broma. Al final todos, junto con Peter Sellers, cantan parte de la canción "It's A Long Way To Tipperary". Las cámaras de la televisión norteamericana NBC recogen la escena para el programa *The Best On The Record*.

Jueves, 29 abril:

Repetición de la secuencia del secador en el lavabo, inicialmente filmada el día 8. Otra escena registrada el mismo día presenta a Ringo tendido en el suelo con Clang a punto de serrarle el dedo entero y salvado en el último momento por Ahme.

En esta jornada de rodaje, Los Beatles reciben en Twickenham la visita del Disc Jockey de Radio Luxemburgo Chris Denning, responsable de un programa semanal en torno al grupo. Denning graba una entrevista conjunta con John, Paul y George y otra con Ringo cuando éste termina de rodar. En estas charlas, Los Beatles aparecen más bien distraídos y poco interesados.

Viernes, 30 abril:

Todavía en Twickenham, se rueda la secuencia de la joyería Asprey, donde intentan, sin éxito, romper el anillo de Ringo con una sierra. El mismo día se rueda el "Atentado Número 1". En él, Ringo y John están en un ascensor que, súbitamente imanta todos los objetos metálicos que llevan, a excepción del anillo.

Sin embargo, la mayor parte del día se trabaja en filmar el "Atentado Número 5". En la escena, Los Beatles graban "You're Going To Lose That Girl" en un *set* similar a los estudios de EMI. Ringo toca la batería ignorando que alguien está serrando el suelo alrededor de su batería. Finalmente, se hunde y cae en un almacén donde le espera Clang con una sierra, en un momento correspondiente a la escena filmada el día anterior.

Lunes, 3 - Miércoles, 5 mayo:

El equipo se traslada a Salisbury Plain para tres días de rodaje en Knighon Down, Wiltshire. Allí, con permiso expreso del Ejército Británico, filmarán las secuencias en que cantan "The Night

Before" y "I Need You", protegidos por un espectacular desplie-
gue militar.

Los Beatles llegaron a lo que sería su hotel, el Antrobus Arms
de Amesbury, a las 11.20 de la noche del domingo 2 y permanecie-
ron allí hasta la tarde del día 6. Las secuencias contaron con la participación de auténticas tropas reales de la División N° 3, arma-
mento, cañones, un tanque e incluso una batería de artillería a
caballo.

Viernes, 7 mayo:

De vuelta a Twickenham, rodaje de la secuencia en solitario de
Paul. En ella, resulta accidentalmente reducido a un tamaño de unos
diez centímetros al clavarse en su pierna una inyección, justo cuando los esbirros de Clang asaltan la vivienda de Los Beatles.

Domingo, 9 mayo:

Los Beatles aprovechan este domingo para rodar en las calles de
Londres con las menores molestias posibles. Aparecen paseando
junto a un escaparate de relojes suizos en New Bond Street y se
dirigen a la joyería de Asprey.

Después se filman los exteriores correspondientes al
Restaurante Indio "Rajahama", en realidad se trata del Restaurante
Dolphin, en Blanford Street.

Luego, John y Ringo se trasladan a la zona de St. Margaret, muy
cerca de la casa pública de Turks Head que aparecía en algunas
imágenes de *A Hard Day's Night*. Allí ruedan escenas en las que
aparecen paseando juntos por South Western Road y Ringo echa
una carta en un buzón. También se filma a Ringo en solitario en el
"Atentando N° 3", cuando se sube a una báscula y una cuchilla
está a punto de cortarle la mano. Esta escena se rueda en
Winchester Road.

Lunes, 10 - Martes, 12 mayo:

Recta final con dos días de rodaje en la Mansión de Cliveden,
situada en Berkshire, cerca del Támesis. La lujosa residencia servi-
rá para simular las escenas que supuestamente transcurren en el
interior de Buckinham Palace al no haber conseguido Los Beatles

permiso para filmar en la auténtica residencia real. Construida entre 1850 y 1851 y preservada por el Patrimonio Nacional Británico, la mansión pertenecía a Lord y Lady Astor, quienes no tuvieron inconveniente en permitir el rodaje, realizado en la segunda planta al tiempo que Lord Astor se recuperaba de una intervención quirúrgica en la tercera.

Se toman imágenes de Los Beatles jugando a las cartas en el comedor francés y asomándose a la ventana en el ala oeste de la casa. También se filma la breve secuencia del "Intermedio", en Bluebell Wood, parte de los inmensos bosques y jardines adyacentes a la construcción.

Además del último día en Cliveden, el 11 sería también el último en que Los Beatles al completo participasen en el rodaje. Ya el 12, sin que fuera necesaria la participación de John, Paul, George o Ringo, las cámaras registran unos planos exteriores de situación del auténtico Buckingham Palace.

Durante su estancia en Cliveden, Los Beatles fueron desafiados a competir en una carrera alrededor de los espléndidos jardines. Sus rivales serán los electricistas, carpinteros y operadores de cámara del rodaje. Se forman cuatro equipos de seis miembros y el de Los Beatles se completa con su ayudante, Neil Aspinall y el chófer de John, Alfred Bicknell. La prueba fue filmada en 8 milímetros con una cámara doméstica por un miembro del equipo de rodaje de *Help!* y, contra pronóstico, es el equipo de Los Beatles el que gana la carrera.

Martes, 18 mayo:

En Twickenham, últimos toques de postproducción para grabar efectos sonoros, entre ellos Los Beatles registran numerosos ruidos vocales e incoherentes "ho-hos". Para la secuencia filmada el 9 de mayo en la que Ringo y John caminan hacia el buzón de correos se registra un *overdub* del texto "I Sat Belonely", incluido en el primer libro de John, *In His Own Write.*

Miércoles, 16 junio:

Nuevas y finales grabaciones de efectos para el *soundtrack* de *Help!* Es la última contribución de Los Beatles a su segunda película. En total, el rodaje de *Help!* se llevó a cabo durante once semanas de rodaje, tres más que *A Hard Day's Night.*

BANDA SONORA

Siguiendo el mismo patrón de *A Hard Day's Night*, *Help!* daría forma a un nuevo LP que sería el quinto en la carrera de Los Beatles. También en este caso, en la cara A se incluyeron las siete canciones que podían escucharse en la banda sonora de la película.

Durante el rodaje, el 9 de abril de 1965 se publicó el *single* "Ticket To Ride", con "Yes It Is" en la cara B. Tan sólo en Gran Bretaña, el disco vendería en su primera semana setecientos mil ejemplares. El 23 de julio, muy pocos días antes de la *premiere* británica de la película, "Help!" sale al mercado como *single.* Directa al nº 1, la canción permanece en cabeza durante cuatro semanas y vende 900.000 copias.

El álbum del mismo título se publica el 6 de agosto y se mantiene once semanas inamovible en el nº 1 de las listas de ventas. La cara B del disco contenía otras siete canciones: "It's Only Love", "Tell Me What You See", "Yesterday" y "I've Just Seen A Face", compuestas por Lennon y McCartney, y "You Like Me Too Much", escrita por Harrison. Se completaban con una versión de "Act Naturally", el tema popularizado por Buck Owens y escrito por Morrison y Russell y "Dizzy Miss Lizzy", uno de los clásicos del *rock'n'roll* favoritos de John, escrito por Larry Williams.

En las sesiones de *Help!* también se registraron los temas "That Means A Lot" y "If You've Got Troubles", firmadas por John y Paul y que permanecerían inéditas hasta la publicación, en 1996 del volúmen 2 de *Anthology,* si bien podían encontrarse en numerosas grabaciones piratas.

En las mismas fechas se grabaron "Bad Boy", que aparecería en el LP recopilatorio *Oldies But Goldies* y el tema "Wait" que se incluiría en el album *Rubber Soul.*

Como ya era costumbre en la discografía de Los Beatles, la edición americana de *Help!* difería bastante del disco británico. En Estados Unidos la banda sonora se publicó el 13 de agosto de 1965 con una portada diferente y una cubierta doble. Además de las siete canciones de la película, el disco incluía la música incidental de Ken Thorne, interpretada por la orquesta de George Martin, con "The James Bond Theme" "From Me To You Fantasy", "In The Tyrol", "Another Hard Day's Night", "The Bitter End" y "The Chase". Este álbum sería el primero de la historia en ser Disco de Oro debido a pedidos anticipados de un millón de copias.

También en Norteamérica se editó en septiembre una nueva edición de *Help!* que incluía arreglos de George Martin dirigiendo a su orquesta en las siete canciones de la película y en "Auntie Gin's Theme", "That's A Nice Hat (Cap)", "Tell Me What You See" y "Scrambbled Egg". Éstos eran los siete temas que integraron la banda sonora oficial:

HELP!

A principios de abril, avanzado el rodaje, todo el mundo daba por hecho que la nueva película de Los Beatles se llamaría "Eight Arms To Hold You" pero John y Paul no conseguían escribir una canción con tal título. Fue entonces cuando Richard Lester, el único que parecía preocupado por el problema decidió bautizar el film como *Help!*, título, según Paul, nacido de la desesperación.

Igual que ocurriera un año antes con *A Hard Day's Night,* Lennon y McCartney se vieron obligados a escribir cuanto antes un tema con el mismo título de la película. También como la otra vez fue John quien, en su casa de Weybridge, escribió la canción que en la cinta se escucha al principio, durante los títulos de crédito y en la secuencia de la batalla final. Con el tiempo, *Help!* superó su función original de canción de encargo para convertirse en uno de los más grandes temas de la discografía *beatle* y el más sincero testimonio cantado de un Lennon en crisis. Según reconocería John, "aquella era la época en que estaba tan gordo como Elvis, y no había más que ver la película para darse cuenta de que se estaba muy inseguro y completamente perdido. Pidiendo auxilio a gritos desde la misma cima del éxito".

La canción se registró en la tarde noche del día 13 de abril de 1965 en Abbey Road con John a la guitarra acústica, Paul en el bajo y haciendo coros, George con la guitarra solista y también a los coros y Ringo tocando la batería y la pandereta.

"Help!" corresponde a la época en que la influencia de Dylan llevó a John a trabajar más las letras, este aspecto es palpable en todo el texto de la canción, en la que también destaca como novedad la alusión a las drogas en frases como "I opened up the doors" ("He abierto las puertas de par en par"). John demostró mayor inspiración y calidad que McCartney en general en las canciones de la segunda película y por lo que respecta a "Help!" siempre fue una de sus favoritas. Tan sólo lamentaba no haberse atrevido a cantarla en forma de balada, dado que Los Beatles decidieron acelerar el ritmo para hacerla más comercial. Por último, apuntar el rumor según el cual Bob Dylan participó en la grabación de "Help!" tocando la guitarra acústica. Una historia muy poco probable que no pasa de la mera leyenda.

THE NIGHT BEFORE

Escrita por Paul, se grabó en Abbey Road el 17 de febrero de 1965 y en ella destaca la voz enérgica de McCartney sobre una dinámica melodía. Además de Paul al bajo y cantando, Ringo toca la batería. John tocó el piano eléctrico e hizo los coros junto a George a la guitarra solista. En la película, Los Beatles tocan la canción en las praderas de Salisbury.

YOU'VE GOT TO HIDE YOUR LOVE AWAY

John "intentando ser Bob Dylan", según confesión propia, en una canción que, como "Help!", también apunta mayor elaboración de lo habitual en la letra y en una melodía predominantemente acústica. Grabada en Abbey Road el 18 de febrero de 1965, John la escribió en presencia de su amigo de la adolescencia Pette Shotton, quien sugirió los característicos "Heys" del estribillo. El tema incluía el verso "I can't go on, feeling two feet tall" ("No puedo seguir, si me siento como si midiera medio metro de alto"). John se equivocó al cantársela a Paul y dijo "Two feet small"("Medio metro de bajo"). Paró para corregir, se echó a reír y dijo: "Lo dejaremos así, a los puristas les va a encantar".

"You've Got To Hide Your Love Away" es también la primera canción en la que Los Beatles utilizaron músicos de estudio, en este caso para tocar flautas. Por su parte, tanto John como Paul y George tocan guitarras acústicas mientras Ringo toca la pandereta. En la película, Los Beatles cantan la canción en su casa, al tiempo que Paul y George intentan seducir a Ahme, poco antes de ser atacados por la gente de Clang.

I NEED YOU

La única canción escrita por George Harrison incluida en la película. Grabada entre el 15 y 16 de febrero "I Need You" es una agradable balada a medio tiempo, muy probablemente inspirada por Patty. Los Beatles la interpretaban en *Help!* en las praderas de Salisbury. En el disco, George canta (con su voz en toma doble) y toca la guitarra solista, Paul está al bajo y los coros y John a la guitarra acústica y coros. Ringo toca la batería. "I Need You" era la segunda canción firmada por Harrison en un disco de Los Beatles tras su debut como compositor con el tema "Don't Bother Me", incluido en el album *With The Beatles* dos años atrás.

ANOTHER GIRL

También grabada los días 15 y 16 de febrero del 65 es una de las composiciones menos brillantes de McCartney. Lennon y Harrison hacen los coros y tocan la guitarra acústica y solista respectivamente, Ringo está a la batería y Paul canta y toca el bajo, además de un fragmento de guitarra solista al final. En la película, Los Beatles interpretaban la canción acompañados por chicas en biquini y situados en soleadas localizaciones de Balmoral. Una secuencia que hoy podría considerarse por sí sola un *video-clip.*

YOU'RE GOING TO LOSE THAT GIRL

Compuesta por Lennon, se trata de una magnífica canción en la que Los Beatles imitaron el sonido de grupos vocales norteamericanos como Las Shirelles, Chiffons o Ronettes. Grabada el 19 de febrero, destacan los notables coros de Paul y George subrayando en algunos momentos el final de las frases de John y sumándose a su voz en otros. Además de la voz solista, Lennon maneja la guitarra rítmica, Paul está la bajo y el piano, George toca una Fender Stratocaster solista y Ringo la batería y los bongos.

En *Help!,* Los Beatles simulan grabar la canción en el estudio mientras Clang y los suyos sierran el suelo alrededor de Ringo.

TICKET TO RIDE

Escrita por John y también una de sus canciones favoritas. Marcada por un inconfundible *riff* de guitarra inicial seguido de un potente redoble de batería, Lennon la consideraba un antecedente del *heavy-metal.* Grabada en la prolífica jornada del 15 de febrero sería editada como *single* el 9 de abril en Gran Bretaña y el 14 en

Estados Unidos, permaneciendo cinco y nueve semanas respectivamente en lo más alto de las listas. En la grabación, John cantaba además de tocar la guitarra rítmica y la pandereta, Paul estaba a los coros y tocaba el bajo y la guitarra solista Sunburst Epiphone Casino. George también aportó coros y guitarra solista. La canción se escucha durante la secuencia de esquí en Los Alpes. Otro *video-clip* con Los Beatles haciendo el tonto y cayéndose repetidamente en la nieve.

Además de estas canciones, en *Help!* también se escucha "She's A Woman", la cara B del *single* "I Feel Fine", a través de una radio, en la secuencia con los militares en Salisbury Plain. Además, en la secuencia del restaurante el espectador puede percibir una curiosa versión de "A Hard Day's Night" interpretada con instrumentos hindúes. Fue en el plató donde se rodó aquella escena donde George Harrison contempló por vez primera estos instrumentos y quedó fascinado por el sitar de 21 cuerdas hasta tal punto que comenzó a estudiar música hindú. No tardaría en incorporar estos sonidos a algunas de sus canciones, abriendo una nueva dirección a la música de Los Beatles, e influir en temas de otros grupos como el "Paint It Black" de los Rolling Stones. En relación ya más indirecta con la película, la cara B de *Help!* se abre con el tema "Act Naturally", una canción de Russell y Morrison especialmente pensada para la voz de Ringo y la última que se grabó para el álbum. Los Beatles consideraron que era muy adecuada para el batería teniendo en cuenta que la letra habla de un tipo que va a aparecer en las películas y convertirse en una gran estrella. Todo ello "actuando con naturalidad" tal y como dice el título.

En cuanto a la foto del disco, en ella George, John, Paul y Ringo aparecen con sus atuendos de Los Alpes en posturas que, según la señalización internacional de comunicación por banderines, simbolizan "Help Us" ("Ayudadnos"), pero la foto fue impresa al revés y hay que ponerla ante un espejo para que aparezcan las letras: LPUS.

El estreno de *Help!* estuvo precedido por dos tráilers promocionales, así como un libro de bolsillo de 157 páginas titulado *The Beatles in Help!,* adaptado por Al-Hine y editado por Mayflower-Dell.

Tras descartar numerosas escenas en la mesa de montaje, Richard Lester redujo la película a noventa minutos para su exhibición en salas comerciales. Como ya hiciera con *A Hard Day's*

Night, la publicación musical norteamericana *16s* dedicó a *Help!* su número de septiembre con un amplio reportaje en el que aparecen fragmentos del guión y fotografías de escenas deshechadas. Algunos de estos documentos revelan datos de la trama desconocidos para el espectador. Por ejemplo, nos enteramos que Ringo posee el anillo porque le llegó por medio de un pájaro oriental. También descubrimos que Ahme traiciona a Clang y ayuda a Los Beatles porque la víctima del sacrificio no es otra que su hermana.

Como un año atrás, la *premiere* de *Help!* tuvo lugar en el London Pavillion de Londres, el 29 de julio de 1965, de nuevo con asistencia de la princesa Margarita y su marido, Lord Snowdon. La aglomeración de *fans* en el lugar del estreno desde doce horas antes hizo necesaria la intervención de ambulancias para atender a numerosas chicas que sufrieron mareos y desmayos. El alboroto retrasó el "Rolls-Royce" de John Lennon, que llegó veinte minutos tarde. Patrocinado por el Variety Club de Gran Bretaña y la fundación cardiaca del mismo nombre, el acontecimiento tuvo carácter benéfico y sirvió para recaudar 6.000 libras.

En Estados Unidos, el estreno fue el 11 de agosto de 1965, simultáneamente en 250 salas. En España, la película no llegó hasta el 7 de febrero de 1966, en los cines Fuencarral y Lope de Vega de Madrid, y el 28 en las salas Montecarlo y Niza de Barcelona, siempre en versión original. En Italia se estrenó con el título "Aiuto!".

En Latinoamérica, la película ganó el primer premio del Festival de Cine de Río de Janeiro en 1965 y en Argentina llegó a las pantallas en 1966, reestrenándose dos años después en salas de Buenos Aires y de la población de Ramos Mejía.

Con el doble de tiempo de rodaje que *A Hard Day's Night* y tres veces más cara, *Help!* apenas consiguió un tercio del aplauso de la crítica y no logró ninguna nominación a los Oscars. La revista norteamericana *Time* la definía como una "producción Beatle" más que una película de Los Beatles. *The Reviewer* hacía hincapié en la escasa relevancia de los papeles de John, Paul y George ensombrecidos por Ringo. *The Spectator* encabezaba su crónica con la frase "Los Beatles siguen la pista a James Bond" y desde del *Daily Express,* Clive Barnes afirmaba que "Los Beatles son lo más parecido a los Hermanos Marx desde los Hermanos Marx".

Por su parte, John, Paul, George y Ringo se sintieron decepcionados al contemplarse en aquella disparatada comedia totalmente opuesta a la verdadera personalidad del grupo. Lennon llegó a tachar el film de "montón de basura", mientras McCartney, siempre más comedido, defendió la película como "divertida, con un gran sentido del humor y sin otra pretensión que entretener durante hora y media". Si bien Los Beatles procuraron guardarse las críticas mientras duró la promoción, los cuatro estuvieron de acuerdo en no dejarse involucrar nunca más en un proyecto cinematográfico semejante.

Además del adiós a un cierto tipo de cine pensado sólo para explotar el fenómeno *beatle, Help!* también marcó la última colaboración entre el cuarteto como tal y Richard Lester. También en 1965, Lester filmó *The Knack* y luego sería responsable de títulos como *How I Won The War* (1966) en la que intervino John Lennon, *Golfus de Roma* (1966), *Petulia* (1968), su film más intimista, y *The Bed-Sittting Room* (1969), ganándose un hueco en el movimiento del *Free-cinema* británico. Después de los 60 su estrella decae, es entonces cuando abandona United Artists y dirige superproducciones como *The Three Musketeers* (1973), *The Four Musketeers* (1974), *Juggernaut* (1974), *Royal Flash* (1975) y *Robin And Marian* (1976), uno de sus filmes más interesantes, con un crepuscular Robin Hood interpretado por Sean Connery. El mismo año rueda *The Ritz* (1976), *Butch And Sundance, The Early Days* (1978) y *Cuba* (1979). En los 80, tras fallidos intentos de regresar a su peculiar y desenfadado estilo original, el declive de Lester se hace tangible con el rodaje de *Superman 2* (1981), *Superman 3* (1983), *Finder Keepers* (1984), *The Return Of The Musketeers* (1989) y el documental sobre la gira 1989-90 de Paul McCartney que llevaría por título *Get Back* (1991). La irregular trayectoria de Lester configura una filmografía por debajo de las expectativas pero siempre formará parte de la historia del cine como el hombre que trasladó la "Beatlemanía" a la gran pantalla.

Muchos años después del estreno, Richard Lester sigue considerando *Help!* como una de sus películas preferidas y un auténtico desafío: "Dijeron que no era su película, que se sintieron todo el tiempo como estrellas invitadas y creo que tenían razón. Pero había que hacer algo así si no queríamos repetirnos. Para hacer una película sobre la vida real de Los Beatles habría que volver a contar su trabajo, los conciertos, las actuaciones de televisión. Tampoco podíamos meternos en sus intimidades y mostrarlos bebiendo o fumando marihuana. Eso era impensable. No puedes hacer un documental en color acerca de cuatro personas cuando no puedes hablar de su trabajo o sus vidas privadas ¿Qué se podía hacer? Tampoco podrías esperar que Ringo hiciese de d'Artagnan. Ellos no iban a interpretar papeles, al menos no durante la "Beatlemanía", por eso tuvimos que crear esa fantasía barroca.

"Estoy muy orgulloso de *Help!* porque funciona tan bien como *A Hard Day's Night* en cuanto a que presenta a los cuatro ante el público de una manera enormemente atractiva. Hemos olvidado lo que fueron los años 64 y 65. Era posible reír, concentrar todas las energías en crear maravillosas y positivas imágenes de exhuberancia. Y Los Beatles eran parte de todo aquello."

El sábado 12 de junio de 1965, un mes después de concluir el rodaje, se publica la concesión a Los Beatles de la medalla que les convierte en Miembros del Imperio Británico. Ese día, John, Paul, George y Ringo conceden una entrevista a la BBC desde los estudios Twickenham, donde se encuentran visionando un primer pase privado de *Help!* Cuarenta y ocho horas después, Paul McCartney se mete en los estudios de Abbey Road para grabar "Yesterday", la canción más versionada de todos los tiempos, acompañado de un cuarteto de cuerda y por vez primera sin los otros tres, acontecimiento que desencadena los primeros rumores de separación, comentarios infundados en aquel entonces, si bien es cierto que cada uno de Los Beatles comenzaba a sentir la necesidad de hacer cosas en solitario.

Tras una nueva gira europea, que les trae a Madrid y Barcelona por primera y última vez, Los Beatles emprenden un nuevo *tour* por Estados Unidos. El año 1965 culmina con la edición de un nuevo y triunfal LP: *Rubber Soul,* el 1 de diciembre, y el no menos exitoso *single* "Day Tripper/We Can Work It Out", publicado dos días después. A estos nuevos discos seguiría otra gira por Gran Bretaña. Sería la última que Los Beatles realizasen en su país, aunque a fines de 1965 nadie lo imaginaba.

En el mismo mes de diciembre, según el selectivo criterio que el grupo se había autoimpuesto en materia cinematográfica, John Lennon rechaza por inapropiado el guión de lo que iba a ser el tercer largometraje de Los Beatles. El proyecto, que Walter Shenson y Brian Epstein venían gestando desde el principio del rodaje de *Help!,* llevaba por título *A Talent For Loving (Facilidad Para Amar),* y era un "western" escrito por Richard Condon en el que Los Beatles interpretaban a cuatro *cowboys* en busca de una hermosa muchacha. Un mes antes, en noviembre, Brian Epstein también había descartado otra comedia, encargada por Shenson al guionista Max Wilk y que se titulaba *Here Come The British (Aquí Llegan Los Ingleses)*. Los Beatles continuarían rechazando otras ofertas de Shenson. Proyectos que iban desde refritos de *A Hard Day's Night* con escasas variaciones, hasta una descabellada versión de *Los Tres Mosqueteros,* pasando por títulos tan disparatados como *The Beatles Meet Elvis (Los Beatles Se Encuentran Con Elvis)*.

En el capítulo de despropósitos merece especial mención el rumoreado proyecto de una película en España que reuniría a Los Beatles y el Cordobés. El torero, también en la cima a mediados de los 60, era a menudo tachado de "ye-yé" por su peinado a flequillo. Afortunadamente, en su visita a Madrid el 2 de julio de 1965, Los Beatles desmintieron tan absurda noticia.

MAGICAL MYSTERY TOUR

Dirección: Los Beatles/ Guión: Los Beatles/ Director de Fotografía: Richard Starkey/ Operadores: Audrey Dewar, Tony Brusbidge, Daniel Lacamose y Mike Saraon/ Música: John Lennon, Paul McCartney, George Harrison y Richard Starkey/ Sonido: Michael Lax/ Montaje de Sonido: Gordon Daniel/ Montaje: Roy Benson/ Ayudante de dirección: Andrew Burkin/ Diseño: Roger Graham y Keith Liddiard/ Producción: Los Beatles, Dennis O'Dell y Garvick Losey para NEMS Enterprises/ Nacionalidad: Gran Bretaña/ Duración: 52 minutos. Color.

Intérpretes: Paul McCartney, Ringo Starr, John Lennon, George Harrison, George Claydon, Ivor Cutler, Shelley Evans, Nat Jackley, Nicola Hale, Jessie Robins, Dereck Royle, Victor Spinetti, Mandy Weet, Maggie Wright y Malcom Evans.

En 1966, Los Beatles decidieron frenar. Hacía diez años que habían empezado siendo un grupo de amigos que tocaba *rock'n'roll* y desde hacía tres se habían transformado en el centro de un huracán de magnitudes insospechadas. Sin pretenderlo, habían rebasado el concepto de la fama y el éxito pop para liderar un fenómeno socio-lógico universal que amenazaba con devorarles como individuos. Si un año atrás John Lennon había dado la voz de alarma pidiendo socorro al cantar frases como: "Mi independencia parece desvane-cerse en la bruma", en 1966 varios acontecimientos hicieron urgen-te poner fin a una presión que adquiría dimensiones de pesadilla.

A finales de junio, mes y medio antes de la publicación de su nuevo álbum *Revolver,* Los Beatles inician una gira que les lleva a Japón y Filipinas. El 3 de julio en Manila son recibidos por 50.000 *fans* y al día siguiente actúan en el Araneta Coliseum ante 100.000 espectadores, la mayor audiencia de su carrera. Sin embargo, la negativa del grupo a asistir a una recepción ofrecida por Imelda Marcos, esposa del presidente, es interpretada como un desaire diplomático y Los Beatles son "escoltados" por las autoridades fili-pinas hasta el aeropuerto. Allí la policía les deja a merced de una multitud que les abuchea y golpea. Es ese día, en el avión, cuando John, Paul, George y Ringo comunican a Brian Epstein su decisión de terminar para siempre con las actuaciones en directo.

El mismo mes, el día 31, la revista *Datebook* publica las declaraciones de John Lennon en las que afirma que "Los Beatles somos más populares que Jesucristo". Inmediatamente, bajo el liderazgo del Ku Klux Klan, se desencadena una campaña con incineraciones públicas de discos y fotografías del cuarteto a lo largo y ancho de Estados Unidos, todo ello en vísperas de lo que sería su gira americana. El temor de Brian Epstein a que la seguridad del grupo corriera peligro hace que el *tour* esté a punto de suspenderse, pero deciden seguir adelante. En una forzada conferencia de prensa en Chicago el día 12, un John Lennon enojado y acosado asegura que sus palabras fueron malinterpretadas y pide disculpas públicamente. Dos semanas después, Los Beatles actúan en el Clandestick Park de San Francisco. Sus *fans* no lo saben, pero será la última vez que vean a sus ídolos sobre un escenario.

En otoño de ese 1966, por vez primera, cada uno de Los Beatles emprende un rumbo distinto de búsqueda individual. John se convierte en el primer *beatle* que hace cine sin los otros tres al aceptar un papel secundario en la película de Richard Lester *How I Won The War (Cómo Gané La Guerra),* rodada en España. Ringo se entrega a la vida nocturna londinense y a gastar dinero en costosos automóviles. Paul se traslada a Kenya de vacaciones y escribe la banda sonora de la película de los hermanos Boulting *The Family Way (Esperando Familia)* y George viaja a la India para tomar lecciones con el maestro de sitar Raví Shankar.

Entre crecientes rumores de separación, en noviembre comienzan las primeras sesiones de lo que muchos meses después se convertirá en *Sgt. Pepper's Lonely Hearts Club Band.* Por vez primera en años, las navidades llegan sin un nuevo álbum de Los Beatles en las tiendas. En su lugar se publica el LP de grandes éxitos *Oldies But Goldies.* Paul despide 1966 con unas declaraciones en la revista *New Musical Express* donde afirma: "Nuestro punto de vista sobre la vida está cambiando porque las circunstancias han cambiado a nuestro alrededor".

A principios de 1967, en enero, Walter Shenson intenta de nuevo poner al grupo ante las cámaras en una película que iba a titularse *Shades Of Personality (Las Sombras De La Personalidad).* El guión, escrito por Joe Orton, describía una historia en la que John tenía tres personalidades más y eran Paul, George y Ringo quienes asumían cada una de ellas. La respuesta de John y Paul es contundente: Los Beatles no están interesados en hacer más cine y

El autobús de la discordia camino del primer fracaso en la carrera de Los Beatles. *Fuente:* Hulton-Deustch Collection.

prefieren dedicar todos sus esfuerzos a componer y grabar nuevas canciones.

Inasequible al desaliento, Joe Orton contraatacó presentando a Brian Epstein un nuevo guión titulado *Up Against It (Al Ataque),* otra oferta que sería rechazada sin contemplaciones. En una posterior edición como novela muchos años después, en 1979, *Up Against It* se reveló como una surrealista trama de política, sexo y violencia.

En febrero de 1967, Los Beatles editan el *single* "Penny Lane/Strawberry Fields Forever". Es el primero que no llega al número 1 de las listas. Tal vez porque sus seguidores ya sabían que no volverían a ver nunca a sus ídolos en directo. A finales de mayo, en una entrevista a *Melody Maker,* John declara: "No más giras, no más *shows*. Nunca podíamos oírnos tocar a nosotros mismos de forma adecuada ¿Qué más podemos hacer después de haber actuado en directo para 56.000 personas? ¿Qué sigue ahora? ¿Más fama? ¿Más dinero? Hemos viajado por todo el mundo y ni siquiera podíamos movernos de nuestro hotel".

Pero mientras los periódicos más sensacionalistas proclaman que Los Beatles no tienen ya nada que ofrecer y que su momento ha pasado, *Sgt. Pepper's Lonely Hearts Club Band* sacude de nuevo la escena musical y sociológica. El día 1 de junio, fecha de salida al mercado del álbum, cientos de personas hacen cola en las tiendas para conseguir un ejemplar del disco que marcaría la cumbre del pop, el auge del LSD y la psicodelia, el movimiento *hippy* y el verano de las flores.

Veinticinco días después, 400.000 millones de televidentes en todo el planeta los contemplan cantando en directo en el programa *Our World*. "All You Need Is Love", el esperanzado mensaje de amor de Los Beatles para el mundo, es el tema especialmente compuesto por John Lennon para la ocasión.

A finales de agosto, arrastrados por la euforia espiritual de George, Los Beatles y sus esposas viajan a Bangor, en Gales, para asistir a un curso de Meditación Trascendental impartido por el Maharishi Mahesh Yogi. Es allí donde reciben la inesperada noticia de la muerte de Brian Epstein ocurrida el día 27. A la edad de 32 años, el descubridor de Los Beatles aparecía tendido sin vida en su cama, a causa, según la versión oficial, de una sobredosis accidental de drogas y alcohol. La desaparición del guía tutelar que siempre veló por la unidad del grupo supondrá el principio de la deriva y el fin. Sin Brian los egos de John y Paul y, en menor medida, los de George y Ringo comenzarán a desbordarse hacia un individualismo que culminará en la ruptura. Es entonces, justo después de la muerte de Brian Epstein cuando Los Beatles se embarcan en la producción de *Magical Mystery Tour*. Un proyecto que Brian jamás habría autorizado.

La idea, enteramente de Paul, se le había ocurrido el 11 de abril en un avión volando a Londres desde Los Ángeles, tras visitar Denver para celebrar el vigesimoprimer cumpleaños de su novia Jane Asher. En el vuelo estuvo leyendo el libro *The Merry Pranksters*, un relato de Ken Kesey (autor de *Alguien Voló Sobre El Nido Del Cuco*. La trama contaba la historia de una *troupe* que viajaba en autobús por recónditos parajes californianos consumiendo un refresco llamado *Kool-Aid* en el que disolvían LSD. A modo de crónica se detallaban, entre otras peripecias, las imágenes psicodélicas contempladas por los Pranksters durante una actuación de Los Beatles en Los Ángeles. Dicho viaje inspiró a McCartney la idea de una serie de pequeños autocares que partían rumbo a "giras misteriosas" por diversas localizaciones de las costas británicas.

A partir de ahí a Paul se le vinieron a la cabeza distintas imágenes de enanos y mujeres gordas, que iría anotando en una hoja de papel

15 de septiembre de 1967. Un alto para comer en el "Fish and Chips" en los Smedley. *Fuente:* Hulton-Deustch Collection.

durante el vuelo. También se le ocurrió el título *Magical Mystery Tour* y la primera línea de la canción e, incluso, el 25 de abril Los Beatles se metieron en el estudio para grabar un esbozo de la misma. Después, el proyecto quedaría archivado durante casi cinco meses.

Con numerosos candidatos acechantes deseosos de suceder a Brian y la prensa preguntándose cómo seguirían adelante tras su muerte, Los Beatles decidieron que nadie iba a sustituir a su *manager* y que de ahí en adelante serían ellos mismos los encargados de representarse.

La reacción inmediata de Paul fue emprender cuanto antes un proyecto nuevo para volver a asombrar al mundo y demostrar que podían seguir solos. En aquellos días no hacía más que decir: "No perdamos un solo minuto, hagamos algo, no podemos dejar que nos vean estancados". Con esta obsesión, el 1 de septiembre, pasados tan sólo cuatro días desde la muerte de Epstein, se reunió con John, George y Ringo y les mostró la hoja de papel donde meses antes había esbozado lo que debía ser *Magical Mystery Tour*.

Aparte del título, el folio no contenía más que el dibujo de un círculo dividido en ocho partes. Alrededor aparecían escritas anotaciones como "Primer Viaje", "Sueños", "Maratón", "Comida" o "Canción Final". A pesar de la escasa solidez del proyecto McCartney consiguió persuadir a sus amigos para que fueran ellos mismos quienes escribieran, produjeran, protagonizasen, dirigiesen y montasen la película. Paul deseaba hacer todo esto en el plazo de un mes.

La idea de producir una película totalmente diferente a las anteriores y sin que las decisiones dependieran de otras personas no tardó en seducir a Ringo, George se guardó sus reservas y tan sólo John expuso que no había motivos para tanta prisa y que preferiría esperar hasta conseguir un guión cuidado y reunir nuevas canciones, pero Paul no le hizo ningún caso. Más tarde, Lennon declararía: "Supe entonces que estábamos en aprietos, yo no tenía ninguna duda sobre nuestra incapacidad para hacer cualquier otra cosa que no fuese música y pensé: 'La hemos jodido', 'Mierda, yo nunca he hecho una película. ¿Qué quiere decir él con escribir un guión...' George y yo refunfuñábamos pero también sentíamos que le debíamos al público hacer estas cosas".

Con McCartney al mando y la ayuda del asistente de Brian, Tony Barrow, comenzaron por hacer una lista de todo lo que necesitarían. Alquilar un autocar, buscar escenarios, conseguir actores... De John partió la idea de llamar a Victor Spinetti, su amigo de *A Hard Day's Night* y *Help!,* mientras Ringo creyó oportuno incluir en el reparto a la presidenta del *club* de *fans* de Los Beatles, Freda Kelly.

Barrow consiguió convencer a Paul de que retrasase una semana el comienzo del rodaje previsto para el 4 de septiembre. Gracias a este margen Los Beatles pudieron grabar en Abbey Road las canciones de la película, a excepción de "Magical Mystery Tour" y "Your Mother Should Know", ya registradas. También emplearon parte de ese tiempo en trabajar sobre el guión, en cualquier caso descuidado ya que la idea principal consistía en viajar sin una ruta predeterminada, dejarse llevar por el azar y la aventura y filmar todo lo que ocurriese sobre la marcha. Lo malo es que no les ocurrió nada.

DIARIO DE RODAJE

Lunes, 11 septiembre:

El primer día de las dos semanas de filmación previstas, a las 10,45, McCartney y su variada *troupe* de actores, amigos, conocidos, secretarias de club de *fans* y equipo de rodaje se dieron cita en

John en la piscina del hotel Atlantic, debutando como director en una escena que no llegaría a incluirse en la película. *Fuente:* Hulton-Deustch Collection.

Allsop Place, cerca de la estación de metro de Baker Street. Paul había elegido este lugar porque era punto de partida habitual de los grupos pop que salían de gira a principios de los sesenta y también porque estaba muy cerca de su casa en St. John's Wood.

Allí iban a subir a bordo del autocar azul y amarillo matrícula "URO 913 E", decorado con chillones rótulos laterales en *technicolor* donde podía leerse "Magical Mystery Tour". El primer contratiempo sobrevino cuando supieron que la compañía Fox Of Hayes, encargada de decorar el vehículo no había terminado su trabajo hasta esa misma mañana, con lo que la llegada del autocar se retrasó hasta las 13.00. Tiempo de sobra para congregar en la calle a multitud de periodistas y curiosos.

Los turistas que hacían cola a la entrada del Planetarium, sito al otro lado de la calle, también advirtieron el alboroto y cuando descubrieron el rostro de Paul McCartney entre la muchedumbre no dudaron en abalanzarse sobre él.

Antes de partir, el propio Paul y Mal Evans tuvieron que darse una vuelta por el Soho y adquirir los uniformes del guía y la azafata, vestuario que nadie se había acordado de comprar.

Tras este desastroso inicio y con el conductor Alf Manders al volante, el autocar salió de Londres mientras Neil Aspinall repartía un billete de cinco libras a cada pasajero para pagarse la comida durante el viaje. Como John, George y Ringo vivían en las afueras de Londres, lo primero que hizo el autocar fue tomar la carretera A-30 para recogerles en Virginia Water, Surrey. Los tres célebres pasajeros tuvieron que acomodarse en los asientos traseros del vehículo y ponerse allí la ropa que iban a lucir en la película y que tendrían que llevar puesta los siguientes cinco días. Paul anunció también al resto de los actores que debían permanecer siempre en los mismos asientos y no cambiar su vestimenta, puesto que pensaba filmar numerosas escenas de interior. De momento, las primeras imágenes rodadas dentro del autocar coincidieron con el inicio de una fuerte lluvia sobre la campiña inglesa.

En Winchester Road, Hampshire, se detuvieron para comer en el restaurante "Pied Piper" donde también hicieron algunas tomas. Ya de noche, después de recorrer 183 millas, el autocar llegó a Teignmouth, Devon, donde se encontraron con que al menos cuatrocientas admiradoras y numerosos periodistas les esperaban bajo la lluvia. Con toda probabilidad habían conocido la supuesta "ruta secreta" de sus ídolos gracias a alguna filtración de las secretarias del club de *fans* que formaban parte del rodaje, dado que el itinerario no se había decidido hasta el viernes anterior ni confirmado hasta la misma mañana del lunes.

Paul ofreció una improvisada rueda de prensa y luego tuvo que ocuparse, junto con Neil Aspinall, de encontrar habitación para los cuarenta y tres pasajeros, cosa que tampoco nadie se había ocupado de prever. Neil recordó que en vida de Brian no había que preocuparse por este tipo de problemas logísticos. Finalmente, consiguieron alojamiento en el Royal Hotel, un establecimiento de tres estrellas.

Tras la cena, John y Paul conversaron con el director técnico de la película, Peter Theobalds, para decidir el itinerario del siguiente día. Ni un solo fotograma del material filmado en la primera jornada de rodaje se utilizó en la película, pero después de la conversación con Theobalds comenzó lo que Tony Barrow recuerda como "una de las más desenfrenadas noches de orgía de Los Beatles desde sus días de gira por Estados Unidos".

Martes, 12 septiembre:

Bajo un verdadero diluvio matinal el autocar inició la segunda jornada rumbo a Widdicombe después del desayuno y sin haber filmado ni una sola imagen en Teignmouth. El equipo se dirigió al pintoresco enclave de Dartmoor Village, en Widecombe. La localidad celebraba sus fiestas y Los Beatles pensaron que sería un buen lugar para rodar algunas escenas. Al poco de iniciar la marcha, el vehículo quedó atrapado en una curva muy cerrada sobre un estrecho puente. El atasco obligó a retroceder media milla y también tuvieron que hacerlo la veintena larga de coches llenos de *fans* y periodistas que había decidido seguirles. En un arrebato de cólera, un furioso John Lennon ordenó parar el autocar, bajó y arrancó los rótulos laterales. "Tendríamos que haber filmado esto" observó Neil Aspinall. Ninguna de las escasas imágenes captadas durante el camino llegaría a utilizarse.

Tras el incidente, Los Beatles decidieron cambiar de ruta (frustrando sin saberlo los planes de numerosas *fans* que les esperaban en Widecombe advertidas de que sus ídolos irían allí) y tomaron la carretera A-38 camino de Plymouth, donde pararon a comer en el Hotel Grand. El establecimiento estaba situado en el famoso Hoe, donde, en 1588, Sir Francis Drake solía jugar a los bolos mientras recibía noticias sobre los movimientos de la Armada Española.

En un intento de contentar a fotógrafos y periodistas, Los Beatles posaron allí ante las cámaras y John y Paul concedieron una entrevista al reportero de la BBC Hugh Scully. La conversación sería emitida en la tarde del día siguiente en el programa local de noticias *Spotling South West* de la BBC1.

De vuelta a la A-38, el autocar hizo tres paradas más antes de llegar a Newquay. Una fue en Liskeard, donde (al parecer) no se filmó nada. Luego, se detendrían en otras dos ocasiones en Bodmin, localidad famosa por ser el escenario de las novelas de Daphne Du Maurier, autora de *Rebeca.*

La primera localización fue en Higher Bore Street, donde Mr. DG Medland vendía helados y frutas a Los Beatles y los demás pasajeros. Una secuencia que se perdería en el montaje. La segunda parada fue en Paul Road, donde Jolly Jimmy Johnson, el Guía, personaje interpretado por Derek Royle, subía al autocar y se frotaba las manos con júbilo dando la bienvenida a todos los pasajeros del "Magical Mystery Tour".

Ya de noche, llegaron a Newquay, donde, de nuevo sobre la marcha, reservaron cuatro plantas en el Hotel Atlantic, de tres estrellas, para alojar a todo el equipo. La intención era quedarse allí tan sólo una noche, pero a estas alturas el cansancio comenzaba a hacer mella y algunos pasajeros se opusieron a que Los Beatles les trasladasen de hotel en hotel y noche tras noche. Tras una agria discusión se decidió utilizar el Atlantic como centro de operaciones hasta el jueves.

Miércoles, 13 septiembre:

Con un sol radiante y en una jornada de trabajo inusualmente aprovechada, Los Beatles y algunos de los actores comenzaron a rodar a última hora de la mañana, en la carretera B-3276 al norte, cerca de Watergate Bay. Primero se filmó a cada uno de Los Beatles mirando a través de un telescopio en otra escena que se perdería. Luego se rodó una escena de amor entre Tía Jessie y el "Señor Buster Vasosanguíneo", personaje interpretado por Ivor Cutler, en una localización de Tregurrian Beach. Una encantadora secuencia que, por razones desconocidas, la BBC decidió censurar. Habría que esperar doce años, hasta 1979, para que la cadena exhibiese *Magical Mystery Tour* incluyendo estas imágenes.

Por la tarde, Los Beatles y sus operadores de cámara regresaron al Atlantic, y se dividieron en dos grupos de trabajo. George permaneció en el hotel y también John, aunque luego se trasladó a Holywell, al sur de Newquay, donde supervisó el rodaje de algunas escenas. Por su parte, Paul y Ringo subieron al autocar con la mayoría de sus pasajeros camino de Watergate Bay, donde se detuvieron para filmar en el puerto.

John debutó como director en una secuencia que él mismo había escrito y que mostraba al veterano cómico Nat Jackley en el papel de "Nat El Feliz El Hombre De Goma" persiguiendo a una docena de chicas. Primero en los exteriores de Hotel Atlantic, principalmente en la piscina donde, a pesar del frío, las extras tuvieron que aparecer en biquini, y después en el acantilado de Holywell. El trabajo no sirvió para nada porque la secuencia tampoco llegó a formar parte de la película.

Entretanto, George pasó la tarde en el hotel grabando una larga entrevista con la periodista Miranda Ward para un nuevo programa denominado *Scene And Heard* destinado a Radio 1, la nueva cadena pop de la BBC.

Camino del puerto, Paul y Ringo filmaron una secuencia en la que el batería y su oronda tía Jessie mantenían una histriónica discusión destinada a las primeros momentos de la película. Ya en el puerto, a última hora de la tarde, Paul dirigió otra escena en la que

Paul y su ayudante de cámara, preparan un plano en la playa durante el accidentado rodaje de *Magical Mystery Tour*.
Fuente: Hulton-Deustch Collection.

él mismo aparecía con George Claydon, el actor enano que interpretaba el papel de "Pequeño George El Fotógrafo", montando en una bicicleta tándem cerca del mar.

Jueves, 14 septiembre:

A lo largo de la mañana, Los Beatles y su equipo buscaron una explanada en la que poder filmar sin molestias. Cuando encontraron una cerca de Newquay se hizo necesaria la intervención de la policía local para dispersar a los curiosos y periodistas que les habían seguido hasta allí causando un considerable embotellamiento.

A continuación se filmó una escena en la que George aparecía sentado en el campo, meditando con las piernas cruzadas y vestido con gafas de sol, sombrero y una amplia chaqueta bajo la que esconde los brazos. La escena no sería incluida en el film. También se rodaron imágenes en las que aparecían en fila los propios Beatles, el resto de los pasajeros y "Tiger", el perro de Ringo, introduciéndose en una pequeña tienda de campaña.

A las 14.00, de regreso al Atlantic, filmaron el almuerzo, con todos los pasajeros sentados en una mesa en forma de "T" y acompañados por la música de la orquesta que tocaba habitualmente en el hotel. Tampoco esta escena sería finalmente incluida.

Esa noche, Paul, Ringo, Neil Aspinall y la periodista de la BBC Miranda Wards, entre otros, visitaron un *pub* en Perranporth donde coincidieron con Spencer Davis, líder de Spencer Davis Group, su esposa Pauline y sus hijos, quienes se encontraban allí de vacaciones. Rápidamente fueron invitados a unirse a la *troupe* del *Magical Mystery Tour,* oferta que aceptaron sin pensárselo dos veces. Durante aquella velada, Paul se sentó al piano e improvisó una actuación que duró hasta las 2.00 de la mañana y en la que interpretó un amplio repertorio de "típicas canciones de bar". Lamentablemente no había cámaras para recoger el momento.

Viernes, 15 septiembre:

Después del desayuno se rodó una escena frente al hotel en la que Los Beatles, actores, actrices, pasajeros todos juntos y con el autocar de fondo, sonrieron y saludaron a la cámara. A continuación, la comitiva abandonó Newquay para dirigirse a Londres. De nuevo aprovecharon un alto en el camino para comer y filmar algunos planos en un local de "fish and chips" en Roman Road, Somerset, regentado por James y Amy Smedley. Los Beatles fueron captados por la cámara desde detrás del mostrador, haciendo cola para ser atendidos y luego en la zona central del establecimiento devorando sus raciones de comida rápida. La señora Smedley confesaría a los periodistas: "Ha sido maravilloso. Los Beatles son unos chicos estupendos. Han estado hablando con mi marido y conmigo como si nos conociésemos de siempre. Todavía me cuesta creer que hayan estado aquí, comiendo mi pescado y mis patatas fritas". Ninguna de estas imágenes se incluiría tampoco en el montaje definitivo, aunque en del doble EP que salió al mercado con las can-

Los Beatles cantando "I Am The Walrus" en la base aérea de West Malling. *Fuente:* Hulton-Deustch Collection.

ciones de *Magical Mystery Tour,* el libreto interior incluía una fotografía de Los Beatles comiendo.

Todavía de regreso a Londres, pararon de nuevo para rodar otra secuencia en una cantina "Hall & Woodhouse" cuyo enclave exacto se desconoce. A bordo del autocar se rodaron las imágenes en que la acordeonista Shirley Evans amenizaba el viaje interpretando los temas "Toot Toot Tootsie", "When Irish Eyes Are Smiling", "When The Red Red Robin Comes Bob, Bob, Bobbin' Along" y el "Can Can" del *Orfeo* de Offenbach.

A última hora de la tarde, el autocar devolvió a John, George y Ringo a Virginia Water mientras Paul continuaba con el resto de los pasajeros hasta Allsop Place, el céntrico punto de Londres donde cuatro días atrás había dado comienzo la caótica expedición.

Lunes, 18 septiembre:

Tras el fin de semana, el equipo de rodaje se trasladó al "Paul Raymond's Revue Bar" en el Soho londinense. Allí se rodó la secuencia en que John y George, en compañía de una representación masculina de los pasajeros, disfrutan del *strip-tease* de la *vedette* Jan Carson. En el montaje, Los Beatles colocaron estratégicamente la palabra "CENSURADO" sobre los pechos desnudos de la *vedette* para evitar problemas con la BBC. Lo que sí eludió curiosamente la censura fueron los significativos gestos del "Señor Buster Vasosanguíneo" mientras se limpiaba las gafas al tiempo que Jan Carson se desnuda. Durante el *strip-tease* se escucha el tema "Death Cab For Cutie", interpretada por la Bonzo Dog Doo-Dah Band. La canción, atribuida erróneamente a Los Beatles según algunas fuentes, era en realidad un tema compuesto por Stanshall e Innes, dos miembros de este grupo que participó en la película gracias a su amistad con Michael, el hermano de Paul McCartney.

Martes, 19 - Domingo, 24 septiembre:

Las prisas de Paul por rodar hicieron imposible reservar con tiempo cualquier estudio cinematográfico en Londres o sus alrededores. Todo estaba ocupado y la única solución fue alquilar durante una semana la base aérea de West Malling, en Kent. Situado a veintiocho millas de Londres y utilizado durante la Segunda Guerra Mundial, West Malling era ahora un aeródromo abandonado en el que había treinta y dos muros de grandes dimensiones construidos para absorber el impacto de las bombas alemanas. Los Beatles se alojaron en un hotel cercano y trabajaron intensamente en West Malling cada día, desde las 9.00 para rodar numerosas escenas de exterior e interior.

La mayoría de las escenas interiores se filmaron en un enorme hangar que años atrás había servido de cobijo a aviones "Spitfire" y "Hurricane" de las Fuerzas Aéreas Británicas. El recinto se convirtió en el laboratorio en que los magos John, Paul, George, Ringo y Mal Evans decidían, mediante hechizos, la dirección y destino del autocar. También se rodó allí la escena del sueño de Jessie. Escrita y dirigida por John Lennon, presentaba a la tía de Ringo devorando montañas de *spaghettis* que el propio John servía ininterrumpidamente con una pala. Mientras, el "Señor Buster Vasosanguíneo" no paraba de extraer pañuelos de sus bolsillos para que Jessie secase sus lágrimas.

Otra secuencia rodada en el hangar es aquella en la que George Harrison está pidiendo limosna sentado con las piernas cruzadas,

18 de septiembre del 67. Un desinteresado George cabecea junto a John en la secuencia del "Striptease" de *Magical Mystery Tour*. *Fuente:* Apple.

al tiempo que simula tocar un teclado pintado con tiza en el suelo y suena su canción "Blue Jay Way".

El viernes 22 el equipo de filmación se dio cuenta de que les faltaba una escena para completar la secuencia inicial del film y tuvieron que acercarse al pueblecito de Madistone. En el número 90 de High Street procedieron a rodar las imágenes en las que John, disfrazado con jersey de cuello alto, sombrero y bigote, vende a Ringo dos billetes para el viaje mientras suena la canción principal. Aquel fue uno de los dos días en que George tuvo que quedarse en cama aquejado de un fuerte resfriado y no pudo participar en el rodaje.

De vuelta a West Malling, el domingo 24 se instaló en el hangar un inmenso decorado que simulaba un salón de baile destinado a las últimas escenas de la película, donde Los Beatles bailaban "Your Mother Should Know" al estilo de los grandes musicales americanos de Bubsby Berkeley. Después de numerosos ensayos, John, Paul, George y Ringo se vistieron con trajes blancos de etiqueta y bajaron una larga escalera bailando al compás de la canción. A su alrededor también bailaban 160 bailarinas de la compañía de Peggy Spencer, el resto del reparto, diez o doce bebés y dos docenas de cadetes procedentes de la Real Base Aérea de Mujeres de West Malling. El mismo día se filmó la secuencia final en que el numeroso reparto, incluido Mal Evans y los propios Beatles disfrazados de magos, pasan ante la cámara al tiempo que aparecen los títulos de crédito.

La única secuencia de interior que no se rodó en el hangar es aquella que reúne a Paul McCartney y Victor Spinetti en los papeles del Mayor McCartney y el Sargento respectivamente. Las imágenes se recogieron en una de las oficinas de la base aérea. Spinetti incorporaba a un recio militar que berreaba constantemente a Ringo, tía Jessie y a algunos de los pasajeros, retando taurinamente a una vaca de cartón al final de la secuencia. Aunque Los Beatles querían para Spinetti un papel de mayor peso dentro de la película (habían pensado en él para interpretar al guía), sus obligaciones teatrales en Londres, donde representaba la obra *Oh, What A Lovely War,* impidieron una colaboración más estrecha.

Otra secuencia filmada aquella semana fue la "Marathon", rodada en la carretera principal que rodeaba la vieja base aérea. En estas imágenes un grupo de personajes, incluido Neil Aspinall, Mal Evans y una docena de niños, aunque no Los Beatles, eran objetivo de la cámara de "Pequeño George El Fotógrafo". El día 24 también se filmó una secuencia en la que el "Señor Buster Vasosanguíneo" interpretaba una canción en un órgano blanco acompañado por los cuatro Beatles y los pasajeros del autocar. Pero quizás las imágenes más memorables de *Magical Mystery Tour* son las filmadas el día 24 y que corresponden al momento en que Los Beatles, vestidos con psicodélicos atuendos multicolores, interpretan "I Am The Walrus". La secuencia se rodó en dos de las pistas de West Malling destacando la presencia de los grandes muros "anti-explosiones" sobre los cuales aparecían cuatro agentes de policía cogidos de la mano.

En doce días Los Beatles habían rodado más de diez horas de metraje. A partir del 25 de septiembre se procedió a ordenar y montar aquel material en una pequeña oficina de los estudios Norman's Films Productions, sitas en el Soho londinense. El proceso se prolongó durante once semanas con Roy Benson como montador y bajo la supervisión de Paul McCartney, en sesiones de trabajo que duraban desde las 10.00 hasta las 18.00 horas.

Según Tony Bramwell, responsable de prensa de Apple, la película pasó por numerosas y variadas versiones antes del montaje definitivo: "Paul llegaba por la mañana y montaba las secuencias. Por la tarde John retocaba todo lo que Paul había hecho. Después llegaba Ringo, y así sucesivamente". En uno de esos retoques, a principios de noviembre, John incluyó su voz como narrador mientras se deshecharon otras ideas como la de insertar unas imágenes del grupo Traffic interpretando su tema "Here We Go Round The Mulberry Bush". Según Hunter Davies, biógrafo oficial de Los Beatles, en los descansos de estas dubitativas sesiones, John, Paul, George y Ringo hicieron amistad con un vagabundo borracho del Soho con el que mataban el tiempo cantando canciones.

Cuando llevaban más de un mes tratando de completar el montaje, se dieron cuenta de que faltaban algunas secuencias necesarias para hacer coherente la película, por lo que hubo que reunir de nuevo al equipo de filmación y rodar durante seis días más.

Domingo, 29 octubre:

Por la mañana, en el distrito de Battersea, al sur de Londres, se filma la secuencia en la que se ve a Ringo y su tía Jessie subir por la calle de Acanthus Road, torcer a la derecha rumbo Lavender Hill y llegar hasta el autocar, siendo recibidos por el guía del *tour,* Jolly Jimmy Johnson, y por Miss Wendy Winters.

Lunes, 30 - Martes, 31 octubre:

Tras terminar el día 20 la grabación de "The Fool On The Hill", Paul McCartney decidió que la canción debería tener más relieve dentro de *Magical Mystery Tour.* Le pareció buena idea añadir a la película algunas imágenes de él mismo sentado en una colina mientras sonaba el tema. Sin decir nada a nadie, Paul y el cámara Aubrey Dewar volaron hasta Niza, en Francia. Allí, en la convergencia de unos valles que descienden de los Alpes-Loup, Var y Paillon, McCartney encontró lo que calificó como "la colina perfecta" para sus propósitos. Sin embargo, el *beatle* y su cámara se dieron cuenta de que no podían llevar a cabo la filmación porque no se habían llevado las lentes adecuadas. Paul tuvo entonces que telefonear al asesor de Los Beatles, Peter Brown, solicitando el material óptico y algo de dinero. Brown se quedó perplejo cuando se enteró de que Paul se había ido a Niza en secreto, no tenía ni idea de sus intenciones de rodar allí y sobre todo le sorprendía que McCartney hubiera logrado salir del país sin su pasaporte, dado que este documento estaba en poder del propio Brown.

Por teléfono, Paul le contó su idea sobre "The Fool On The Hill" y le explicó que en el aeropuerto de Heathrow había logrado burlar a las autoridades inglesas diciendo que su pasaporte estaba en Francia. Una vez en Niza dijo a los funcionarios franceses que el pasaporte se había demorado y que lo recibiría más tarde por medio de mensajero. Teniendo en cuenta que McCartney era una celebridad mundial, las autoridades galas no pusieron pegas para extender una autorización momentánea de entrada al país hasta que llegase su pasaporte, olvido que Mal Evans se encargó de arreglar enviando de inmediato el documento. En total, el coste de la escapada de Paul para rodar unas cuantas imágenes en Niza ascendió nada menos que a cuatro mil libras.

Viernes, 3 noviembre:

La filmación de *Magical Mystery Tour* se da por concluida con una serie de nuevos insertos para la canción de George "Blue Jay Way". El rodaje se efectúa en el jardín trasero de la casa de Ringo, en Weybridge, donde Los Beatles aparecen jugueteando y tocando cada uno de ellos un violonchelo blanco y se ve a John balanceándose en un caballito de juguete, todo ello un poco al estilo de las escenas de *A Hard Day's Night,* cuando sonaba "Can't Buy Me Love" en el helipuerto.

También se filmó a algunos niños jugando en el jardín por cuyas escalinatas descendía George. Otras imágenes recogían además uno de los violonchelos sobre el fondo de unos fuegos artificiales. Para terminar, en el interior de la casa se rodó a Mal Evans mientras se proyectaban sobre su pecho desnudo algunas imágenes de George, rodadas en West Malling, cantando "Blue Jay Way".

BANDA SONORA

Las seis nuevas canciones que Los Beatles compusieron para *Magical Mystery Tour* no eran suficientes para un nuevo LP, así que se publicaron en forma de doble EP, con tres canciones por disco, el 8 de diciembre de 1967 antes de que la película se emitiera por televisión.

La carpeta se abría como un libro en cuyo interior había veintiocho páginas que incluían fotos en color y blanco y negro, obra de John Kelly, un resumen de la película en atractivas viñetas dibujadas por Bob Gibson y las letras de las canciones. Tony Barrow fue el responsable de esta curiosa edición en la que también participaron Paul McCartney y Neil Aspinall. La impresión del disco corrió a cargo de Garrod & Lofhouse y, debido a que su diseño se completó antes que el titubeante montaje, algunos de los dibujos corresponden a escenas que luego ni siquiera se incluirían en la película.

El disco *Magical Mystery Tour* tan sólo llegó hasta el nº 2 de las listas porque en el 1 estaba el *single* de Los Beatles "Hello Goodbye", publicado el 24 de noviembre. Aún así, el doble EP sigue siendo el más vendido de la historia en Gran Bretaña tras alcanzar las seiscientas mil copias en sólo un mes.

MAGICAL MYSTERY TOUR

Escrita por Paul, John ayudó en parte de la letra. Cuando Los Beatles comenzaron a grabarla, el 25 de abril de 1967, mucho antes de poner en marcha la película, tan sólo estaba claro el título, el verso "Roll up, roll up" y un breve fragmento de música. En este primer ensayo, Paul se sentó al piano tocando los primeros compases y diciendo "flash, flash" mientras gesticulaba con las manos intentando explicar a los demás que la canción debía sonar como un inmenso anuncio luminoso. Mal Evans tomaba nota de todas las sugerencias de McCartney, quien también le ordenó apuntar los primeros acordes "Re-La-Mi" e indicó que haría falta una fanfarria de trompetas para iniciar la canción. Un par de horas después, Los Beatles ya habían grabado una primera pista base compuesta de piano, batería y dos guitarras.

Después, Paul se dirigió a la sala de control para dar instrucciones a los técnicos en busca del sonido que quería. John se distrajo tocando el piano, George se puso a dibujar con unos lápices que sacó de su chaqueta y Ringo comenzó a encender un cigarrillo tras otro.

Tras dar el visto bueno a la pista base, Paul animó a los demás a aportar ideas a la letra. Los Beatles comenzaron entonces a gritar frases como "Diversión asegurada" o "El viaje de mi vida", que Mal anotaba sin cesar. No tardaron en cansarse y decidieron improvisar el resto. McCartney decidió entonces añadir más instrumentos y grabó una pista de bajo. Propuso a los otros (incluidos Mal Evans y Neil Aspinall) coger instrumentos al azar, como maracas, cencerros y panderetas y tocar sobre la cinta base que escuchaban mediante auriculares. Además se recurrió al almacén de efectos sonoros de Abbey Road, concretamente al "Volumen 36: Ruidos de tráfico en estéreo", para preparar una cinta llena de ruidos de tráfico por si hacía falta.

En total, ese día se grabaron ocho tomas que se convertirían en nueve en la jornada siguiente, esta última dedicada a mezclas y grabación de coros.

Ya el día 27, se añadieron nuevas pistas vocales y se hicieron algunas mezclas en mono. El 3 de mayo, los músicos de estudio David Mason, Elgar Howarth, Roys Copestake y John Wilbraham aportaron las fanfarrias de trompetas que Paul quería, cobrando por la sesión 30 libras cada uno. En la mezcla final, además de cantar, Paul tocó bajo y piano con efectos de eco. John hizo voces y tocó la guitarra acústica. George tocó la guitarra solista y también aportó voces y Ringo tocó batería y pandereta.

YOUR MOTHER SHOULD KNOW

También obra de Paul, se grabó los días 22 y 23 de agosto, no en Abbey Road, sino en los Chapell Recording Studios de Londres, aunque sería retocada posteriormente en EMI el 29 de septiembre. Tema bastante sencillo, McCartney se inspiró para la melodía en las canciones de los años 20 que tanto gustaban a su padre e incluso la letra alude a tiempos pasados en versos como "Bailemos una canción que fue un éxito antes que tu madre naciese". Grabada en dos sesiones vespertinas se completó en la toma nueve el día 23, en lo que sería la última sesión de estudio de Los Beatles antes de la muerte de Brian Epstein.

El día 16 de septiembre, en Abbey Road, se grabó una nueva versión con sonido más agresivo, que no llegaría a ser utilizada. Paul abandonó entonces la canción sin saber muy bien qué hacer con ella hasta que el día 29 John y él se quedaron hasta bien entrada la madrugada para completarla. Redujeron las mezclas a tres e incorporaron pistas de John tocando el órgano y Paul el bajo. En la mezcla definitiva, Paul era voz solista, coros, bajo y piano; John, coros y órgano; George, coros, pandereta, tabla y voces, y Ringo batería.

La canción servía para poner punto final a la película con la imagen de Los Beatles bailando con trajes de etiqueta blancos. Mientras John, George y Ringo lucían claveles rojos en la solapa, el de Paul era negro porque según dijo: "Se habían terminado los rojos". En 1969 aquel clavel negro luto sería interpretado por la prensa sensacionalista como una de las pistas que indicaban que McCartney había muerto y un doble ocupaba su lugar.

I AM THE WALRUS

Sin duda, una de las composiciones más brillantes y complejas de la historia del *rock,* "I Am The Walrus" constituye un variado puzzle de imaginería lennoniana donde podemos apreciar desde psicodélicas influencias de las drogas hasta su fervor por *Alicia En El País De Las Maravillas,* pasando por el surrealismo y su afición adolescente a los juegos de palabras.

Lennon se inspiró para el ritmo en una sirena de policía que escuchó desde su casa. De ahí la línea inicial compuesta tan sólo por dos notas, una alta y otra baja que se repiten. Según recordaría John, escribió el primer verso en un viaje de ácido durante un fin de semana y el segundo en las mismas condiciones al siguiente, hasta que terminó la canción cuando ya conocía a Yoko.

Lennon confirmó que el título se le ocurrió a partir del pasaje "La Morsa Y El Carpintero" de *Alicia En El País De Las Maravillas* de Lewis Carroll: "Era un poema muy hermoso. Más tarde me di cuenta de que la morsa era la mala y el carpintero el bueno. Me dije: 'Mierda, he cogido al tío equivocado'. Tendría que haber dicho: 'Yo soy el carpintero', pero no habría sido lo mismo".

En cambio, su amigo Pete Shotton afirma que la canción nació cuando él y Lennon leyeron la carta de un admirador que estudiaba en Quarry Bank, la escuela donde ellos habían compartido curso. La carta decía que ahora en clase de literatura les hacían analizar las canciones de Los Beatles. A partir de ahí Lennon y Shotton recordaron las canciones que cantaban camino del colegio, en particular una que decía: "Yellow matter custard, green slop pie/All mixed together with a dead dog's eye" ("Sustancia amarillenta, pastel de lodo verde/ Todo mezclado con el ojo de un perro muerto"). Shotton recuerda que así surgió el verso "Yellow matter custard, dripping from a dead dog's eye" ("Sustancia amarillenta y viscosa, goteando del ojo de un perro muerto"). Luego,

John comenzó a buscar imágenes como "semolina pilchard" ("semolina" es una receta de puré insípido y "pilchard" un tipo de sardina para gatos). Lo que deseaba era confundir a todos aquellos que desmenuzaban las letras de Los Beatles en busca de variados significados.

El tema comenzó a grabarse en la tarde del 5 de septiembre del 67, con dieciseis tomas de la pista rítmica sobre la que se irían añadiendo múltiples elementos. Al día siguiente, Paul aportó una pista de bajo en *overdub,* Ringo la batería y John la memorable pista vocal.

Metidos de lleno en el rodaje de *Magical Mystery Tour* Los Beatles no volvieron a ocuparse de la canción hasta el día 27 de septiembre, en que le dedicaron una larga jornada de trabajo. Ese día, en el Estudio 1 de Abbey Road, se completó la toma 17, con una orquesta de 16 músicos supervisados por George Martin. Al violín estaban Sidney Sax, Jack Rothstein, Ralph Elman, Andrew McGee, Jack Greene, Louis Stevens, John Lezzard y Jack Richards. A los celos, Lionel Ross, Eldon Fox, Bram Martin y Tery Weil. Gordon Lewin tocó el clarinete y Neil Sanders, Tony Tunstall y Morris Miller se ocuparon de las trompas.

Luego, en el Estudio 3, Los Beatles dieron instrucciones precisas a los dieciseis componentes (ocho chicos y ocho chicas) del grupo Mike Sammes Singers. Se les pidió que cantasen cosas como "Ho-ho-ho, hee-hee-hee, ha-ha-ha", "Got one, got one, everybody got one" o "Oompah, oompah, stick it up jumper!", además de variados y penetrantes sonidos nasales, hasta alcanzar la toma 25 del tema, siendo la 20 la que se consideró mejor para la orquesta. Las solistas del Mike Sammes Singers eran Peggy Allen, Wendy Horan, Pata Whitmore, Jill Utting, June Day, Sylvia King, Irene King y G. Mallen y los cantantes Fred Lucas, Mike Redway, John O,Neill, F. Dachtler, Allan Grant, D. Griffiths, J. Smith y J. Fraser.

El día 28 de septiembre se ultimaron 17 mezclas en mono de "I Am The Walrus". Ya el 29, se mezclaron los mejores fragmentos de cada una de las grabaciones. Así, de la toma 10 se aprovechó hasta la línea "Sitting in an English garden". La otra mitad se construyó con un fragmento recogido por John durante una emisión de teatro clásico de la BBC, en un programa de 190 minutos grabado el 24 de agosto de *El Rey Lear* de William Shakespeare. Protagonizada por John Gielguld el fragmento corresponde al Acto IV, Escena VI. Se puede escuchar con claridad en el disco el comienzo del diálogo entre Glocucester y Edgar: "Now good Sir, what are you?" ("Buen caballero, ¿quién sois vos?"), y luego "A most poor man, made tame by fortune's blows" ("Un hombre muy pobre a quien han hecho manso los reveses de la fortuna"). La representación shakesperiana se hace particularmente evidente al final de la mezcla, reproduciendo claramente la pelea entre Edgar y Oswald, en la que este último dice: "If ever thou will thrive, bury my body" ("Si quieres prosperar dame sepultura") hasta el "Sit you down, father; rest you" ("Sentaos padre, descansad") que pone punto final a la canción. John tardaría años en descubrir de qué obra se trataba y se desconoce si los actores Mark Dignam (Gloucester), Philip Guard (Edgard) y John Bryning (Oswald) llegaron a enterarse de su participación en uno de los grandes clásicos de Los Beatles.

Junto a estos versos de Shakespeare, arreglos orquestales y grupos corales, Paul también hizo voces en la canción y tocó el bajo, George aportó pandereta y voces y Ringo su habitual batería. Al principio del tema también se escucha el mellotrón de John acompañando su voz.

En la película, Los Beatles interpretan la canción a los pies de los enormes muros de West Malling, vestidos con atuendos psicodélicos y disfrazados de hipopótamo, conejo, pájaro y morsa, tal y como aparecen en la cubierta del disco.

"I Am The Walrus" se editó como cara B del *single* "Hello Goodbye" en el Reino Unido el 24 de noviembre del 67 y tres días más tarde en Estados Unidos. Tan sólo llegó al número 56 de la lista de los 100 más vendidos. Las versiones inglesa y norteamericana de la canción difieren. En el LP norteamericano *Rarities* apareció una versión diferente, con unos compases extra en mitad de la canción, con lo que la frase introductoria se repite seis veces en lugar de cuatro.

THE FOOL ON THE HILL

Según especifica la biografía de Hunter Davies, Paul McCartney tocó por vez primera esta canción para John Lennon mientras trabajaban en "With A Little Help From My Friends". Entonces el tema apenas tenía letra y John le sugirió que la escribiera cuanto antes para no olvidar la melodía.

La grabación comenzó el 25 de septiembre, el mismo día que se iniciaba el montaje de la película y a partir de una *demo* grabada por McCartney el día 6.

Se grabaron tres pistas básicas que incluían a John y George tocando armónicas, batería y la voz de Paul añadida en la toma cuarta.

El día 26 se grabó otra versión, la quinta, en la que se aportaron efectos de *overdub* para algunos instrumentos, sería en la toma 6 cuando añadiesen bajo y voces. George Martin no pudo asistir a esta sesión y Los Beatles contaron con la ayuda de un nuevo ingeniero de sonido llamado Ken Scott. "The Fool On The Hill" no se completaría hasta el día 20 de octubre con las flautas de Jack Ellory y de los hermanos Christopher y Richard Taylor. Paul tocó el piano, John armónica y maracas, George guitarra solista y armónica y Ringo los platillos digitales. En la película, Paul aparecía sobre las colinas de Niza mientras se escuchaba la canción.

En aquella costosa escapada francesa para rodar "The Fool On The Hill", Paul filmó e incluyó en la película un fugaz fotograma en el que se apreciaba su pene. Habría que esperar a la edición en vídeo de *Magical Mystery Tour* y servirse del botón de pausa para constatar esta broma de colegial que pasa prácticamente imperceptible para el ojo humano.

FLYING

La primera composición de Los Beatles firmada por Harrison, Lennon, McCartney y Starr (como alfabéticamente detallan los créditos del disco) y durante muchos años el único tema instrumental del grupo editado oficialmente por EMI.

Bautizada hasta noviembre como "Aerial Tour Instrumental", la grabación comenzó el 8 de septiembre pero la versión que aparecería en el disco diferiría considerablemente de las primeras tomas. Las seis primeras grabadas esa tarde incluían entre otras cosas un solo de saxofón al más puro estilo *jazz* que ponía punto final a la canción. La toma 6 incorporaba la introducción de tres órganos grabados y separados en pistas diferentes. Esta toma sería reducida en la 7 y 8 (calificada esta última como "la mejor"), sobre la cual John añadió la pista de mellotrón y los cuatro *beatles* añadieron una cantinela. La sesión concluyó con cuatro mezclas en mono y, ya en la tarde del 28 de septiembre, se incorporaron *overdubs* a la toma 8 y varios efectos electrónicos de *loops* de cinta incorporados por John y Ringo. Además de participar todos en los coros, Paul y George tocan guitarras, John el mellotrón y Ringo la batería y las maracas. Curiosamente, las escenas que acompañan a

"Flying" en la película están compuestas por algunos descartes de la película firmada por Stanley Kubrick en 1963, *Dr. Strangelove (¿Teléfono Rojo? Volamos Hacia Moscú)*.

BLUE JAY WAY

Escrita el 1 de agosto de 1967, es la única canción de George Harrison en la película y surgió a raíz de un episodio con su amigo y responsable de prensa de Los Beatles, Derek Taylor. Según recuerda George, acababa de llegar a Los Ángeles con Patti y había alquilado una casa en Blue Jay Way, Hollywood Hills: "Derek llamó para decir que se retrasaría. Le di la dirección y dijo que ya la encontraría o si no preguntaría a un policía. Esperé y esperé. Estaba destrozado por el vuelo, pero no quería irme a dormir hasta que no llegara. Había neblina y se iba haciendo más tarde cada vez. En una esquina de la casa había un pequeño órgano Hammond que no había visto. Para mantenerme despierto y matar el rato escribí una canción acerca de estar esperando a mis amigos en Blue Jay Way. Empecé a tocar y salió la canción".

George escribió la letra en papel con membrete de la firma de Los Ángeles Robert Fitzpatrick Associates. Entrada la noche del 6 de septiembre del 67, en Abbey Road se grabó la primera pista de ritmo y el día 7 Los Beatles dedicaron todo el día a trabajar en la canción, principalmente añadiendo *overdubs* vocales en la pista 2, (resultante de la 1) y terminando la 3 a la que añadieron más voces. La voz, el órgano y la batería recibieron un tratamiento de "filtro". Los sonidos originales se registraron en dos magnetófonos y se reprodujeron con una ligera alteración en la sincronía para crear un efecto de remolino y también se incluyeron sonidos electrónicos y otros efectos de estudio.

El día 6 de octubre completaron la canción grabando sobre esa pista un celo y una pandereta que tocó John. Se desconoce la identidad del profesional que tocó el celo, pero según las facturas de EMI cobró 27 libras por la sesión. "Blue Jay Way" sería mezclada en mono y editada el día 12.

George toca el órgano Hammond y su voz está doblada, Ringo toca la batería y Paul, además de tocar el bajo, se unió a George en las voces. En *Magical Mystery Tour* el tema suena dentro de un cine al que los pasajeros del autocar han llegado entrando por una pequeña tienda de campaña.

Además de estas canciones, *Magical Mystery Tour* incluía otros temas musicales grabados durante las sesiones del disco y que no se incluyeron en la banda sonora, aunque sí se escuchan en la película:

JESSIE'S DREAM

Marcada por el sonido de un piano discordante, la canción lleva la firma de McCartney, Starkey, Harrison y Lennon, se escucha mientras vemos a John servir *spaghettis* con una pala a la tía de Ringo. Dura 3,33 minutos y no se grabó en Abbey Road. Todo parece indicar que John la registró en su casa Weybridge.

THE BUS

Así titulada en numerosas ediciones no oficiales, se trata de un fragmento de cincuenta segundos que se escucha en la película y pertenece a la primera versión de "Flying", grabada por Los Beatles el 28 de septiembre y cuya duración supera los nueve minutos.

SHIRLEY'S WILD ACCORDION

Tema instrumental de Lennon y McCartney no incluido finalmente en la película, se grabó en Abbey Road el 12 de octubre de 1967 con producción del propio Lennon. John y Paul tuvieron que tararearla y silbar a Mike Leander la melodía para que él pudiera escribir la música en una partitura. Posteriormente, Shirley Evans la interpretó con su acordeón. Se grabaron quince tomas y la décima fue considerada la mejor, así que Shirley aportó más pistas de acordeón a la misma. Al final de la sesión se incorporó la batería de Ringo y unas maracas utilizadas por Paul.

Aunque la canción quedó fuera de la película, sí puede verse a Shirley tocando para los pasajeros del autocar en la escena rodada el 15 de septiembre.

En Estados Unidos, *Magical Mystery Tour* se editó en forma de LP el 27 de noviembre de 1967 (curiosamente antes que en Gran Bretaña) añadiendo los *singles* de Los Beatles editados durante 1967, es decir, los temas "Hello Goodbye", "Strawberry Fields Forever", "Penny Lane", "Baby You're A Rich Man" y "All You Need Is Love". El álbum también contenía el libreto interior de la edición inglesa y recaudó ocho millones de dólares brutos en sus diez primeros días de venta. Esta versión americana aparecería oficialmente en el Reino Unido en noviembre de 1976, terminando para siempre con las ediciones del doble EP, y sería editada en formato CD en octubre el 87.

Tras el largo e indeciso proceso de montaje, *Magical Mystery Tour* quedó como sigue: Con la canción del título sonando de fondo, la película comienza cuando Ringo y su tía Jessie se deciden a embarcar en el autocar rumbo a un viaje mágico y misterioso. Tras comprar dos billetes al vendedor interpretado por John Lennon, suben a bordo y les da la bienvenida el guía y la azafata. A continuación se escucha "The Fool On The Hill", ilustrada con las imágenes de Paul en las colinas de Niza. Volvemos al interior del autocar mientras suena el tema "The Bus" y pasamos a la escena en que Paul y Victor Spinetti, con atuendos militares pasan revista a algunos de los pasajeros. Tras el momento en que Spinetti torea a la vaca de cartón, sin ningún tipo de continuidad, y mientras una banda de música interpreta "She Loves You", contemplamos a diversos viajeros prepararse para una carrera de maratón. Entre ellos aparecen cuatro curas que juegan a la gallina ciega, cuatro hombres con las extremidades enormemente desarrolladas haciendo lucha grecorromana y cuatro chicas en una carrera de sacos, además de algunos niños también jugando. La maratón comienza y los variados participantes corren a pie, con *sidecars,* coches o bicicletas. El vencedor de la prueba es Ringo, que conduce el autocar. De nuevo en el interior del mismo, el espectador escucha "Flying" mientras aparecen las surrealistas imágenes que acompañan a la canción. Después aparecen los magos (John, Paul, George, Ringo y Mal Evans) que desde su laboratorio hechizan el autocar para que los viajeros vivan asombrosas aventuras. Pasamos a continuación a la escena de amor entre tía Jessie y el "Señor Buster Vasosanguíneo" originalmente censurada por la BBC. Como fondo se escucha a la orquesta de George Martin en una versión de "All My Loving". Luego, Los Beatles interpretan "I Am The Walrus" junto a los muros de West Malling y volvemos al interior del autocar, para ver a John que juega con la pequeña Nicola. Sigue el sueño en que la tía Jessie debe comer toneladas de *spaghettis* servidos por John en el papel del camarero Pirandello mientras suena "Jessie's Dream". Seguidamente, los pasajeros sin fin entran en una pequeña tienda de campaña plantada en una explanada que les lleva hasta un cine donde se proyectan imágenes de George cantando "Blue Jay Way". De vuelta al autocar, Shirley Evans interpreta canciones para los pasajeros con su acordeón, mientras se intercalan escenas en las que Paul, acompañado por uno de los hombres con extremidades desproporcionadas, monta en bicicleta en la playa de Porth. Luego, los pasajeros masculinos abandonan el autobús para no perderse el *strip-tease* de Jan Carson. El número del salón de baile con Los Beatles cantando "Your Mother Should Know" nos lleva hasta el final de la película mientras aparecen los títulos de crédito y se escucha el final de "Magical Mystery Tour" y "Hello Goodbye".

En total fueron cincuenta y dos minutos de duración que costaron cien mil dólares. Lo que John llegaría a calificar como "la película casera más cara de la historia".

Magical Mystery Tour fue proyectada en público por vez primera el 17 de diciembre durante una fiesta ofrecida por Los Beatles en el "Hannover Grand" y que tuvo como invitadas a cuarenta secretarias de clubs de *fans* británicos. Una sesión en la que también se proyectó la filmación del concierto del Shea Stadium, en Nueva York, el 15 de agosto de 1965.

Posteriormente, Los Beatles organizaron otro pase privado para que sus amigos vieran el film. Al terminar la proyección, Peter Brown intentó convencer a Paul de que no comercializasen la película, pero fue inútil: McCartney se obstinaba en que *Magical Mystery Tour* tendría tan buena acogida como los dos anteriores largometrajes del grupo.

La BBC1 pagó veinte mil libras para emitir *Magical Mystery Tour* dos veces. El estreno fue el 26 de diciembre, día festivo, a las 20.35 horas, en plenas fechas navideñas y en blanco y negro, a pesar de haber sido filmada en color.

Millones de televidentes que esperaban ansiosos el nuevo trabajo de Los Beatles encendieron sus receptores para encontrarse a los antaño adorables chicos de Liverpool sumergidos en una inconexa mezcla de situaciones incongruentes y personajes absurdos.

Al día siguiente, la prensa vertió toda su bilis contra la película. La crítica del *Daily Express* la definió como: "La basura más espantosa nunca vista. Una película llena de tonterías de mal gusto". Al otro lado del charco, el *Daily Variety* de Los Ángeles se refería a la emisión de *Magical Mystery Tour* con este titular: "Críticos y espectadores abuchean: Los Beatles fracasan por vez primera con la película de Pascuas". El hecho de coincidir este primer revés con la primera decisión que tomaban sin la tutela de Brian Epstein hacía mucho más duro el golpe.

El ensañamiento de la prensa fue tan desmedido que por vez primera en la historia del espectáculo, un artista se vió obligado a pedir disculpas públicamente por su obra. Un día después, la portada del *Evening Standard* reproducía una foto de Paul, con suéter y chaqueta de punto hablando por teléfono con el periodista Ray Connolly: "Hemos metido la pata", decía el titular. En la entrevista añadía: "Ha sido como recibir un golpe en la cara y la próxima vez no cometeremos el mismo error. Algunas personas se enojan porque nos metemos en profundidades sin saber realmente cómo son las cosas. Supongo que si se mira *Magical Mystery Tour* desde la perspectiva de un entretenimiento de vacaciones, realmente hemos metido la pata". El mismo día, las explicaciones de Paul tratando de defender la película continuaron en *The Frost Programme,* de la BBC, cadena que cumplió con la segunda emisión estipulada de *Magical Mystery Tour* el 5 de enero de 1968, programando la película por la BBC2 esta vez en color.

En Alemania, la emisión fue el 10 de febrero de 1968 y en abril se pasó por la televisión japonesa. La catastrófica acogida hizo que *Magical Mystery Tour* fuera rechazada por todas las cadenas televisivas norteamericanas con las consiguientes pérdidas económicas, pero se estrenó en las salas de cine estadounidenses en mayo del 68, cosechando sorprendentemente las únicas críticas favorables. En nuestro país, el UHF no emitió *Magical Mystery Tour* hasta el 31 de enero de 1969.

A pesar del fracaso sin paliativos y según recogió la revista *Time,* la película recaudó dos millones de dólares como resultado de las ventas a centros educacionales en Estados Unidos, suma a la que hay que añadir las nada despreciables cifras alcanzadas por la banda sonora.

Tras numerosas ediciones ilegales, *Magical Mystery Tour* fue editada en vídeo en Estados Unidos el 26 de octubre de 1988 y en Europa el 26 de marzo de 1990.

En la biografía oficial de Los Beatles escrita por Hunter Davies, George se refería a la experiencia de *Magical Mystery Tour* en los siguientes términos: "No valió gran cosa, pero demostramos que se puede hacer. En realidad sólo hemos empezado a hacer películas. Cualquiera puede hacerlas, no hay necesidad de andar buscando por ahí alguien que te respalde, ni compañías, ni centenares de técnicos, ni guiones acabados hasta la última palabra. Probablemente haremos una o dos películas al año, sin necesidad de que tengamos que salir nosotros. Alquilaremos a nuestros estudios y nuestra gente a cualquiera que los necesite. Prestaremos también dinero y si alguna vez tenemos que buscar a alguien que nos respalde procuraremos que no tenga mucha influencia. Será un movimiento continuo, haciendo películas y probando cosas nuevas. Después de las películas haremos algo más. El qué no lo sé. Tampoco sabíamos que íbamos a hacer películas cuando comenzamos a grabar discos."

Por su parte, Paul se justificaba así: "Sabíamos desde el primer momento que estábamos practicando. Sabíamos que lo estábamos haciendo deprisa y de cualquier forma. Pero cuando se pasa mucho tiempo haciendo algo, aunque no sea bueno, a lo mejor empiezas a pensar que sí lo es. En realidad me alegra que no cuajase. Si la hubiésemos colocado habría sido algo peor. Ahora estamos obligados a hacer algo como es debido.

Inasequible al desaliento, la experiencia de *Magical Mystery Tour* animó a Paul durante algún tiempo a pensar en temas para largometrajes. Tras ir a ver títulos como *A Man For All Seasons*, se le pasó por la cabeza una gran película de amor. También llegó a considerar McCartney hacer una incursión en el realismo con un argumento que evocase el Liverpool de la depresión. Por fortuna todo quedó en una fiebre pasajera.

EL SUBMARINO AMARILLO. 1968

Yellow submarine

Dirección: George Dunning/ Dirección de Secuencias Adicionales: Erich Padge/ Argumento: Lee Minoff (inspirado en la canción "Yellow Submarine") / Guión: Lee Minoff, Al Brodax, Jack Mendelson y Erich Segal/ Fotografía: John Williams/ Secuencias Especiales: Charles Jenkins/ Dirección de Animación: Jack Strokes y Robert Balser/ Dirección de Secuencias Animadas: Dennis Abbey/ Animación: Alan Bal, Peg Lodge, Tom Hasley, Dave Liesey y Duane Cowter/ Música. John Lennon, Paul McCartney, George Harrison y George Martin/ Dirección Musical: George Martin/ Montaje: Brian J. Bishop/ Diseño: Fred Wolff, Dennis Rich y Bob Balser/ Dirección Artística: Heinz Eddelman/ Productor Asociado: Mary Elen Stewart/ Supervisor de Producción: John Coaster/ Coordinador de Producción: Abe Goodman/ Producción: Al Brodax, para King Features Sindicate/ Distribución: Apple por United Artist/ Nacionalidad: Gran Bretaña/ Duración: 85 minutos. Color.

A comienzos de 1967, casi dos años después del rodaje de *Help!* Los Beatles todavía estaban obligados por contrato a una tercera película para United Artist pero no mostraban el menor interés en volver a ponerse ante una cámara de cine. La poco gratificante experiencia de su segundo largometraje con Richard Lester y el deseo de volcarse en su música, ya sin el agobio de las giras ni de la beatlemanía, les hacía mirar con prevención cualquier proyecto relacionado con el celuloide. No querían ser otra vez un juguete para la gran pantalla y menos caer en la trampa de amontonar películas tan mediocres como las que venía protagonizando Elvis Presley desde 1960.

Los altos niveles de exigencia autoimpuestos les llevaron a desestimar nuevas propuestas del incansable Walter Shenson y tan sólo un proyecto para llevar al cine *El Señor De Los Anillos,* la obra de J.R.R. Tolkien lograría despertar el interés de John Lennon. Lamentablemente, los contactos con el escritor y con Stanley Kubrick con quien querían realizar la película no llegaron a fructificar.

En vista de la poca disposición de sus muchachos, Brian Epstein pensó que tal vez un largometraje de dibujos animados sirviese para cumplir lo pactado con United Artist. A finales de 1966, el productor de origen húngaro Al Brodax, responsable de la norteamericana American´s King Features Syndicate le había propuesto la idea de incluir a Los Beatles como protagonistas de un film de tales características. Brodax había participado en series televisivas de animación como *Popeye El Marino,* además de escribir y producir buena parte de la serie de dibujos basada en los propios Beatles que la cadena norteamericana ABC venía emitiendo los fines de semana, en su programación matinal, desde el 25 de septiembre de 1965.

En estos dibujos animados, unos Beatles de trazo sencillo se veían metidos en diversas y disparatadas aventuras (muy al estilo de *Help!). Cada emisión constaba de un par de episodios y una sección en la que enseñaban las canciones a la audiencia infantil. Brian consideró que el currículum de Brodax le hacía el más indicado para llevar adelante el proyecto, pero sobre todo le convenció que la película supondría un respiro para Los Beatles puesto que no tendrían que participar en el guión, ni siquiera doblar sus propias voces. Según el contrato que les ligaba a United Artists, el cuarteto sólo estaba obligado a aportar cuatro nuevas canciones a la banda sonora.

Con un presupuesto total de 250.000 libras, Brodax puso en marcha *Yellow Submarine* contratando como director al canadiense George Dunning. Nacido en Toronto en 1920, Dunning se había labrado una sólida reputación como realizador de dibujos animados no sólo en su país, sino también en Estados Unidos y Gran Bretaña. En su haber tenía largos, cortos y un buen número de *spots* publicitarios de animación que apuntaban señas de identidad surrealista poco habituales en el género.

En la primavera de 1967, George Dunning incluyó en el proyecto al checo Heinz Edelmann (quien muchos años después diseñaría a "Curro", la mascota de la Exposición Universal de Sevilla'92). Sus llamativos carteles publicitarios le convertían en el artista más idóneo para crear un diseño gráfico innovador. En sólo dos semanas, Edelmann y Dunning elaboraron un episodio experimental de dos minutos inspirado en escenas de George Harrison sobre su canción "Love You To". Después, Dunning reclutó a un amplio equipo de animadores encargando a Fred Wolf el movimiento, a Bob Balser el diseño de las figuras de Los Beatles y a Dennis Rich el submarino y la mayoría de fondos y paisajes psico-

Los dibujos animados de Los Beatles cantan "Nowhere Man" en medio de la borrachera psicodélica de *Yellow Submarine.*
Fuente: King Features Syndicate.

délicos y en ocasiones alucinógenos que pueblan la película. No se escatimaron medios para que el nutrido equipo de animadores crease un llamativo y deslumbrante universo colorista que aglutina influencias, entre otros, del Arte Pop, el Surrealismo, el Dadá o el *Art Nouveau,* con resonancias de artistas como Toulouse Lautrec, Magritte, Klimt o Dalí, pero no son estas las únicas influencias. También hay referencias a personajes del cómic como "Mandrake, El Mago" y "Spirit", de Will Eisner.

Aparecen sagrados "totems" cinematográficos como Marilyn y King Kong, El Séptimo de Caballería y Frankenstein y referencias televisivas a la serie *Los Vengadores,* mientras la puesta en escena de "Lucy In The Sky With Diamonds" es un imaginativo homenaje al cine musical. El hecho de disponer de un presupuesto desahogado permitió al equipo de Dunning y Edelmann dar rienda suelta a su imaginación en un deslumbrante ejercicio de eclecticismo donde lo mismo se recurre a fotografías coloreadas que se inunda la pantalla de infinitos agujeros o se evoca el celuloide de principios de siglo.

La minuciosa dirección artística, apoyada en la vertiginosa sucesión de secuencias, salva de cualquier atisbo de tedio a la película y dinamiza a unos personajes que por sí solos, sin ese ritmo visual, podrían haber llegado a caer en la noñería. Se dice que para conseguir tal abundancia de imágenes fueron necesarias un total de cinco millones de viñetas, dibujos que luego serían vendidos, uno por uno, a los *fans* norteamericanos de Los Beatles.

En cuanto al guión, fue un trabajo de Lee Minoff, asistido por Jack Mendelson, Erich Segal (reputado autor poco después del best-seller *Love Story*) y con participación del propio Al Brodax. El equipo llegó a elaborar más de una veintena de posibles argumentos para la película. Responsable de gran parte de la historia definitiva fue Roger McCough, miembro del grupo Scaffold del que formaba parte Michael, el hermano menor de Paul McCartney. McCough percibió 500 dólares por su trabajo pero su nombre no figura en los créditos del film.

Es destacable que a pesar de la primacía de la imagen y la música, los diálogos de *Yellow Submarine* no se descuidaron en absoluto. Verbalmente, el guión es rico en juegos de palabras y en las palabrerías absurdas con reminiscencias de Joyce que tanto gustaban a John Lennon.

La importancia de la palabra queda patente en determinadas triquiñuelas retóricas y en especial cuando las palabras que salen de la boca de John al cantar "All You Need Is Love" se transforman en conceptos escritos ("Saber", "Ahora", "Amor") y llegan a vencer a los Blue Meanies y al Guante Volador en la batalla final. Lamentablemente, muchos de estos juegos de palabras perderían vigor a causa del deficiente subtitulado español.

Aunque a excepción de las nuevas canciones Los Beatles se desentendieron por completo de *Yellow Submarine,* John Lennon aportó su grano de arena al argumento cuando una noche, a las tres de la mañana, telefoneó a Al Brodax para sugerirle que "sería genial ver en la película a Ringo seguido por la calle por un submarino amarillo". Brodax tomó buena nota de la idea, que se convertiría luego en una de las primeras secuencias de la película.

Cabe destacar que el equipo de *Yellow Submarine* llevó a cabo una exhaustiva labor de documentación en la que estudiaron al detalle desde la discografía de Los Beatles hasta imágenes de entrevistas y actuaciones televisivas para trasladar con rigor al dibujo animado la personalidad de cada uno de los miembros de la banda.

El almirante Fred, George y John, a bordo del ingenio amarillo rumbo a Pepperland. *Fuente:* King Features Syndicate.

John aparecía como el ingenioso e inteligente, Paul educado y amable, George era el místico aficionado a los coches deportivos y Ringo volvía a ser, como en *A Hard Day's Night,* el más tierno y sentimental de todos.

En cuanto a los malos de la película, los enemigos de Los Beatles serían los "Blue Meanies", ("Malvados Azules") unos amargados seres que odiaban la música y tenían prohibida en su vocabulario la palabra "Sí". El guión también se enriqueció con otras creaciones como "El Guante Volador", el erudito "Nowhere Man" y Fred, el Almirante.

Técnicamente, la película retomó el sistema de polarización de imágenes y rotoscopia utilizado por Disney en sus primeras producciones de los años 30 y que aquí emplearía Charles Jenkins, animador fundamental en las escenas correspondientes a las canciones "Eleanor Rigby", "Only A Northern Song" y "It's All Too Much". En cuanto a los actores que doblaron a Los Beatles, John Clive puso la voz a John, Geoff Hugues a Paul, Peter Batten a George y Paul Angelis a Ringo. Ninguno de ellos tenían siquiera físicamente nada que ver con Los Beatles. Algunos aspectos de interés en la elaboración del film quedaron reflejados en el reportaje *Mod Odyssey,* de 1968, en el que se incluyen imágenes poco conocidas de la película, así como en el documental *The Man Who Moved The Beatles* dirigido por Paul Madden en 1991 y que profundiza en la labor de George Dunning en el film.

Definida por el director artístico Heinz Edelmann como "una amalgama de estilos que van desde el *Pop Art* al *Art Nouveau, Yellow Submarine* comienza con las palabras "Érase una vez (o quizás dos) un paraíso situado a dieciocho mil leguas bajo el mar, llamado Pepperland". De inmediato, el espectador se sumerge en un lugar fantástico donde reina la paz y el amor. Un país donde la música del Sargento Pepper y La Banda de Los Corazones Solitarios es parte fundamental de la armonía. Un estado idílico que termina cuando bajan de las montañas los Blue Meanies e invaden Pepperland para acabar con la música que tanto odian. En el ataque cuentan con un sofisticado ejército en el que destacan el terrorífico Guante Volador, soldados turcos con barrigas en forma de enormes bocas dentadas y criminales payasos. Sin olvidar a unos personajes de elevada estatura que dejan caer sobre sus víctimas enormes manzanas (en alusión a "Apple", la compañía creada por Los Beatles).

Los Blue Meanies consiguen petrificar a todos los habitantes de Pepperland, a excepción de Fred, que logra escapar en busca de ayuda a bordo del Submarino Amarillo, momento en que suena la canción que da título a la película y aparecen los créditos.

Fred llega a un Liverpool gris y triste al tiempo que se escucha "Eleanor Rigby". Sigue a un solitario Ringo por la calle hasta la mansión de Los Beatles, a los que pide socorro mediante embarulladas explicaciones y citando entre sus palabras parte del texto de la canción "Help!".

A pesar del confuso parlamento de Fred, John, Paul, George y Ringo aceptan viajar a Pepperland y se inicia un largo periplo lleno de aventuras y peligros. Así por ejemplo, mientras atraviesan el "Mar del Tiempo" todos envejecen y se vuelven luego bebés a los sones de "When I'm Sixty Four". En el Mar de Los Monstruos una extraña criatura con larga trompa engulle ante el espectador todo lo que la rodea, incluido el Submarino y todo el campo visual, dejando la imagen en blanco antes de tragarse a sí misma.

Posteriormente, Fred y Los Beatles alcanzan el "Mar de La Nada", donde conocen a Jeremy, un sabio al que falta tiempo para estudiar

Uno de los Blue Meanies, los irritables "Malvados azules" alérgicos a la música. *Fuente:* Hulton-Deustch Collection.

tanto como hay por aprender. Este personaje, también llamado Bob, Hillary y Ph.D les arregla el motor averiado del Submarino. Los Beatles le identifican como "Nowhere Man" e interpretan la canción del mismo título llevándole con él rumbo a Pepperland.

La expedición sigue su camino atravesando el "Mar de La Ciencia", el "Mar de Los Agujeros", el "Mar Verde" y "La Tierra de Las Cabezas" antes de llegar a Pepperland, convertida ahora en un paraje abandonado y triste. Fred y Los Beatles consiguen reanimar al alcalde, quien de inmediato se da cuenta del parecido que el cuarteto tiene con la Banda del Sargento Pepper. Deciden esperar a que llegue la noche para asaltar el lugar donde los Blue Meanies han guardado los instrumentos musicales robados y, una vez consiguen recuperarlos, interpretan con ellos canciones que hacen despertar de su hechizo a los habitantes de Pepperland. Pero los Blue Meanies no están dispuestos a dejarse vencer y liberan al "Guante Volador". En la batalla final, Los Beatles consiguen la victoria cantando "All You Need Is Love". Sigue un final feliz en el que los Blue Meanies terminan por amar la música y la paz y se integran en Pepperland, en una impresionante apoteosis final con todos juntos al ritmo de "It's All Too Much". Como epílogo, Los Beatles en carne y hueso hacen una brevísima aparición rememorando la aventura e invitando a cantar "All Togheter Now". Este cameo era un cebo para asegurar que los *fans* acudiesen a los cines a ver a sus ídolos, aunque fuera en una breve secuencia, y también tenía como objetivo convencer al público de que Los Beatles se habían involucrado en la película más de lo que lo habían hecho en realidad. La aparición de Los Beatles se rodó en los estudios Twickenham en la tarde del martes, 25 de enero de 1968.

BANDA SONORA

Poco antes del estreno de la película, Paul declaró: "Lo que he visto me gusta, pero no somos nosotros; no diremos que somos los responsables aunque llegue a ser un bombazo".

Este poco interés de Los Beatles en *Yellow Submarine* quedó patente en la banda sonora, sin duda el álbum más flojo de todos dentro de su discografía oficial. Editado el 17 de enero de 1969, seis meses después del estreno de la película y dos meses después del *Album Blanco*, al que Los Beatles dieron absoluta prioridad. *Yellow Submarine* entró en el número 9 en las listas y luego subió al 3, donde permaneció dos semanas mientras aquél ocupaba el primer puesto. Curiosamente, las notas de contraportada escritas en el LP por Derek Taylor y Tony Palmer se dedicaban a alabar el doble *Album Blanco* recientemente publicado, sin hacer la menor referencia a la banda sonora que el comprador tenía entre sus manos. El disco superó el millón de ejemplares vendidos y alcanzó el número 2 en las listas norteamericanas. Su publicación en formato CD estéreo data del 21 de septiembre de 1987.

La mitad de los casi cuarenta minutos de duración del LP *Yellow Submarine* estaban ocupadas por orquestaciones de George Martin compuestas para la película. En cuanto a la aportación de Los Beatles, propiamente dicha, se había incluido el tema que daba títu-

Jeremy con Paul. Arreglando en un abrir y cerrar de ojos el motor de *El Submarino Amarillo. Fuente:* King Features Syndicate.

lo al film y "All You Need Is Love", ambas canciones ya sobradamente conocidas. Las novedades se reducían a cuatro temas de escasa relevancia registrados meses antes de la grabación del *Album Blanco.*

Paul firmaba "All Together Now", una ligera canción propia de fuego de campamento, mientras la aportación de John se reducía a "Hey Bulldog", un *rock* nada despreciable, pero grabado sin mucho interés y a toda prisa durante la filmación de un *videoclip* promocional para otra canción. Por su parte, Harrison incluía dos composiciones, la mediocre "Only A Norther Song" y "It's All Too Much", una canción de resonancias psicodélicas propias de la época y que queda como "lo menos malo" de un disco que, según el propio Harrison: "No valía nada".

Las cuatro canciones se grabaron en ratos libres entre el 13 de febrero de 1967 y el 11 de febrero de 1968 en los estudios de Abbey Road y De Lane Lea.

Tal y como recuerda George Martin: "cuando registrábamos canciones para futuros álbumes, al final de la sesión grababan algunas tonterías, si eran moderadamente buenas, decían: 'Vale. Sirve para la película, que lo metan'."

Las orquestaciones dirigidas por George Martin que componen la mitad del álbum son "Pepperland", "Sea Of Time", "Sea Of

Holes", "Sea Of Monsters", "March Of The Meanies", "Pepperland Laid Waste" y "Yellow Submarine In Pepperland", y se completaron simultáneamente a la animación de la película.

Estas piezas fueron grabadas en los estudios Olympic Sound, con el apoyo de los ingenieros de sonido Keith Grantz y George Chkiantz. Insatisfecho del resultado, Martin repitió la grabación el 22 y 23 de octubre de 1968, dirigiendo en el estudio 1 de Abbey Road a su propia orquesta de 41 músicos.

Las canciones viejas y nuevas que integraron la banda sonora oficial fueron las siguientes:

YELLOW SUBMARINE

Incluida originalmente en el álbum *Revolver,* editado el 5 de agosto de 1966, "Yellow Submarine" fue escrita por Paul "en la cama, una noche. Era como un cuento para niños. Luego pensamos que estaría bien que la cantara Ringo".

John afirma que el tema "es una criatura de Paul, aunque yo también ayudé con la letra".

En la película, el tema se escucha al principio, sobre los títulos de crédito.

Lennon afirma que "Yellow Submarine" se grabó prácticamente en directo en Abbey Road, fue el 26 de mayo de 1966 y el 1 de junio se añadieron efectos especiales en uno de los procesos de grabación más experimentales de Los Beatles hasta la fecha.

Según George Martin: "siempre era divertido probar cosas distintas y 'Yellow Submarine' fue el caso más notable, con los ruidos de burbujas en recipientes, cadenas y ese tipo de cosas y todo eso lo hicimos todo en el estudio. John trajo uno de esos pequeños micros manuales, lo conectó a su amplificador y comenzó a hablar. Todo aquello se grabó en directo al tiempo que la voz solista y todos nos reímos mucho".

La instrumentación de "Yellow Submarine" incluye a Paul y John a las guitarras acústicas y voces. George, pandereta y voces, y Ringo batería y voz solista.

El 26 de mayo, entre las 19,00 y la 1.00 se grabaron las pistas de voz en un total de cinco tomas. Como anécdota decir que fue el ingeniero Geoff Emerick el asistente en esta sesión al encontrarse George Martin convaleciente de una intoxicación.

La sesión del 1 de junio duró 12 horas (de 14.30 a 2.30) y en ella se grabó a George removiendo agua en un cubo. John hizo burbu-

La aparición estelar de Los Beatles al final de *El Submarino Amarillo*.
Fuente: Transworld Features.

jas con una pajita en el mismo cubo metido en la cámara de eco del estudio 2 , exclamando de vez en cuando frases como "Full steam ahead" ("A toda máquina").

John y Paul prestaron la voz a "la tripulación del submarino" que habla en mitad de la canción.

La sesión también contó con la participación de Brian Jones, Marianne Faithfull, Pattie Harrison, George Martin, Neil Aspinall y Mal Evans y los miembros del personal de Abbey Road John Skinner y Terry Condon. Todos ellos hicieron ruidos y participaron en los coros que se incrementan al final de la canción. Después de la sesión, Mal Evans desfiló por todo el estudio tocando un enorme bombo, con todos los demás tras él, en el más puro estilo conga cantando "We all live in a yellow submarine".

El hecho de que la expresión "Yellow Submarine" también fuera la denominación de una píldora estupefaciente dio pie a todo tipo de comentarios de doble sentido. "Yo sabía que se relacionaría con drogas" – dijo Paul— "Pero realmente se trataba de una canción para niños. Me encantaba la idea de cruzarme algún día con unos chavales que la estuviesen cantando, pensaba que si ocurría, lo habría conseguido. Por eso tenía que ser una letra muy sencilla. No hay ni una sola palabra difícil. Los chavales la entienden mejor que los adultos."

ONLY A NORTHERN SONG

Referencia al sello editorial "Northern Songs", encargado de publicar las canciones principalmente de John y Paul, al parecer, George Harrison la escribió a toda prisa y por encargo del productor de la película, quien insistió, un día a las dos de la mañana, en que hacía falta una canción más. George se ofreció voluntario y la completó al cabo de una hora mientras una orquesta esperaba para grabarla. Otras fuentes indican que "Only A Northern Song" fue registrada inicialmente para "Sgt. Pepper" pero desestimada por su escasa calidad.

En su libro *I Me Mine,* George define "Only A Northern Song" como "una broma sobre Liverpool, la ciudad sagrada del norte de Inglaterra. Además, fue editada bajo un sello de publicaciones (Norther Songs Ltd.) que no me pertenece". La poco trabajada letra incluía el pataleo de Harrison contra la editora musical del grupo en frases como: "No importan los acordes que toco, lo que canto, o qué hora del día es, porque es sólo una canción Northern".

El 13 de febrero de 1967 se grabaron nueve pistas de ritmo siendo la tercera de ellas la que se dio por buena para añadir al día siguiente las voces solistas y completándose la canción con algunos añadidos el 20 de abril. Paul tocó el bajo, John el piano, George el órgano y Ringo la batería, además de servirse los cuatro de variados instrumentos no especificados que reproducían sonidos discordantes. La canción se completó con algunos músicos de estudio que aportaron acompañamiento de metales y en la película durante la travesía del submarino por el "Mar De La Ciencia" rumbo a Pepperland.

ALL TOGETHER NOW

Escrita por McCartney, John solía decir que le gustaba cuando la gente cantaba "All Together Now" en los partidos de fútbol. Grabada el 12 de mayo de 1967, Los Beatles completaron la canción en una sola sesión entre las 7.00 de la tarde y las 12,30 de la noche, sin George Martin y con Geoff Emerick a los controles.

"All Together Now" se grabó en nueve tomas de ritmo, añadiéndose *overdubs* en la última de ellas. El título se repite 48 veces y a pesar de su apariencia ingenua Paul incluyó en la letra un "Can I bring my friend to bed?" ("¿Puedo llevarme a mi amiga a la cama?") decididamente atrevido para la época.

Paul se encargó del bajo, la guitarra acústica y la voz solista. John tocó el banjo, George la armónica y Ringo aportó su batería y los platillos de dedos. Los cuatro hicieron coros. La canción sonaba al final de *Yellow Submarine,* con los títulos de crédito y con la aparición (en carne y hueso) de Los Beatles.

HEY BULLDOG

Registrada el 11 de febrero de 1967, fue una de las más rápidamente grabadas, completándose en menos de un día. También fue la última antes de su viaje a la India con el Maharishi.

Los Beatles tenían que trasladarse al estudio para rodar un film de promoción para "Lady Madonna" con el director Tony Bramwell y a Paul se le ocurrió aprovechar las horas de estudio grabando una nueva canción. Llamó a John por si tenía algo y éste se trajo una letra a medias que tenía por casa, entre los cuatro la terminaron en el estudio. Lennon dijo cómo quería que fuera y tocaron tres pistas de ritmo para la canción mientras eran captados por la cámara. "Hey Bullgog" se completó después de las 2.00 de la mañana, al término de la filmación del *clip*.

El verso original, "Measured out in news" ("Se mide en noticias") se cambió por "Measured out in you" ("Se mide en ti") porque Paul se equivocó al leer la letra manuscrita de John y ambos estuvieron de acuerdo en que así era mejor.

También cambiaron el título de la canción, originalmente llamada "Hey Bullfrog" ("Eh, Ranatoro"). Al final de la grabación, Paul comenzó a ladrar para hacer reír a John. Decidieron conservar el ladrido y llamar a la canción "Hey Bulldog", aunque la letra no haga referencia alguna a tal animal.

Propuesta en lugar de la inacabada "You Know My Name", inicialmente destinada a la película, "Hey Bulldog" no fue del agrado de Al Brodax, quien decidió no incluirla en la versión americana de *Yellow Submarine*. Tampoco aparece en los posteriores reestrenos españoles de la película ni en la versión comercializada inicialmente en vídeo. En la versión británica, "Hey Bulldog" suena durante la batalla contra los Blue Meanies mientras se ve a un fiero perro de cuatro cabezas que persigue a Los Beatles.

Como curiosidad, ésta fue la primera sesión de grabación de Los Beatles a la que John se llevó a Yoko Ono. Lennon declaró años después que sintió vergüenza de grabar algo tan "ligero" y "tontito" en esa primera de visita de Yoko al estudio.

Aquel día John tocó el piano y la guitarra solista, además de cantar. Paul hizo la segunda voz y tocó el bajo y George se encargó de la guitarra solista y la pandereta. Como era habitual, Ringo tocó la batería.

John diría que "Hey Bulldog" era un tema que "sonaba bien y no significaba nada". Sin embargo, el coguionista de *Yellow Submarine* y autor de *Love Story,* Erich Segal, se declaró convencido de que Los Beatles habían compuesto esta canción para él, tomando como modelo el bulldog de la mascota de la Universidad de Yale donde era catedrático.

IT'S ALL TOO MUCH

George afirma que escribió este tema "de modo infantil, a partir de cosas que comprendí durante y después de viajes con LSD y que después me confirmaría la meditación". Inspirada en parte en su mujer, Patti, Harrison incluyó el verso "With your long blonde hair and your eyes of blue" ("Con tu largo cabello rubio y tus ojos azules"), extraído de "Sorrow", un tema del grupo de Liverpool The Merseys que había llegado al n° 1 de las listas británicas en abril de 1966.

Grabada en los estudios londinenses De Lane Lea, sitos en los sótanos de un edificio de oficinas cerca del metro de Holborn y titulada provisionalmente "Too Much", la canción dura más de seis minutos aunque en la película tan sólo se escuchan poco más de tres, en la secuencia final que sigue a la derrota de los Blue Meanies. La grabación iniciada el 25 de mayo de 1967 tampoco contó con la presencia de George Martin, siendo el ingeniero David Siddle quien estuvo en la mesa de sonido, asistido por Mike Weighell. Después de grabar cuatro pistas de ritmo, en la tarde del día 31 y todavía sin George Martin, se incluyeron las pistas vocales de George y los coros de John y Paul, además de algunas palmas y percusiones adicionales. Ringo tocó la batería y la pandereta, Paul el bajo, John la guitarra solista y George la guitarra solista y el órgano. También intervinieron dos trompetistas de estudio cuya identidad se desconoce.

ALL YOU NEED IS LOVE

John compuso esta canción a finales de mayo del 67 para que Los Beatles la interpretasen en directo en el espectáculo televisivo *Our World*. Este espacio, emitido el 25 de junio con una duración de seis horas, fue el primer programa retransmitido vía satélite a todo el mundo de forma simultánea, contenía actuaciones en directo de veinticuatro países que serían vistas por una audiencia estimada en cuatrocientos millones de personas y se pensó que la mejor aportación que podía hacer Gran Bretaña era mostrar a Los Beatles grabando una canción.

La grabación empezó en realidad el 14 de junio de 1967 en los Olimpic Studios. Se grabaron 33 tomas de la pista básica de ritmo y algunas voces entre las 10.30 y las 3.45 horas. George Martin contó como asistente con el ingeniero de sonido Eddie Kramer.

De la sesión salió una pista base que es la que se utilizó durante la emisión de *Our World,* con Los Beatles cantando y tocando en directo sobre ella.

Según Martin, "la canción tenía que mantenerse en gran secreto, porque la idea era que los telespectadores vieran verdaderamente a Los Beatles trabajando en su nuevo *single* aunque, siendo lo que es un proceso de grabación, obviamente no lo podíamos hacer de verdad, por eso pusimos una pista base".

"Escribí un arreglo bastante arbitrario para la canción, ya que disponíamos de muy poco tiempo. La mezcla que me salió se basó en 'La Marsellesa', una invención en dos partes de Bach, el tema 'Greensleeves' y un pequeño fragmento de 'In The Mood' de Glenn Miller. Entrelacé los cuatro temas con tempos algo alterados para que se mantuvieran como entidades distintas."

Paul añade que "George Martin tuvo problemas con 'All You Need Is Love' porque el fragmento de 'In The Mood' ya estaba registrado. Habíamos pensado en fragmentos muy conocidos porque íbamos a ponerlos de forma aleatoria. Fue una sesión a toda prisa y no nos importó que lo hiciera él, le dijimos: 'Aquí tienes el final, queremos que siga sin parar'".

Para Martin otro problema surgió cuando George Harrison se había apropiado de un violín y se empeñaba en tocarlo sin importarle no tener ni idea de cómo hacerlo.

De hecho, en "All You Need Is Love", Los Beatles probaron instrumentos normalmente asociados a músicos de sesión. Si George se salió con la suya tocando el violín, John probó un clave alquilado a los estudios Olimpic por diez guineas y Paul se atrevió a tocar con arco un contrabajo. Debido a la importancia de la batería, Ringo se mantuvo en su habitual papel.

La toma 10, conseguida entre las 3.00 y las 3.45 fue considerada la mejor. Sus diez minutos serían luego reducidos a seis y se sacó una mezcla en mono entre las 3.45 y las 4.00 de la madrugada.

En la pista añadida en Abbey Road, el 24 de junio, Paul tocó el bajo, George la guitarra y Ringo la batería, encargándose John tan sólo de la voz solista. George Martin aportó piano junto a diversos músicos de estudio, en total dos trompetas, dos trombones, dos saxofones, un acordeón, cuatro violines y dos violonchelos.

Al día siguiente, en la actuación en directo en *Our World* Paul y George aportaron los coros a la voz de John. A esos coros se unieron ilustres invitados como Mick Jagger, Gary Leeds, Keith Richards, Marianne Faithfull, Jane Asher, Patti Harrison, Keith Moon y Graham Nash. Al fundirse la canción, McCartney, masticando chicle y ataviado con una camisa pintada la noche anterior por él mismo, cantó el estribillo de "She Loves You".

Editada como *single* el 7 de julio en el Reino Unido, el mensaje de amor universal de "All You Need Is Love" constituía la mejor arma para vencer al mal en una película eminentemente *hippy* como *Yelllow Submarine,* de hecho, es literalmente la letra de la canción, saliendo de la boca de John quien derrota, verso a verso a las hordas de los Blue Meanies en la gran batalla final.

El estreno de *Yellow Submarine* tuvo lugar el 17 de julio de 1968 en el London Pavillion de Londres, la misma sala que acogió en su día las *premieres* de *A Hard Day's Night* y *Help!.* Esta presentación sería también el debut público de un producto cinematográfico bajo el sello "Apple", creado por Los Beatles. Como en los mejores tiempos de la beatlemanía, 10.000 *fans* colapsaron los alredededores de Picadilly Circus esperando la llegada de Los Beatles y haciendo necesaria la intervención de la policía.

Ringo fue el primero en llegar en compañía de su mujer, Maureen Cox. Posteriormente, llegaron George y Pattie y finalmente un reluciente "Rolls-Royce" dejó a John, Paul y Yoko a las puertas del cine. Era una de las primeras apariciones públicas de John en compañía de Yoko y también la primera vez en años que Paul se presentaba solo y sin Jane Asher, con la que acababa de romper.

El acontecimiento contó con la presencia de numerosas celebridades que llegaban en lujosas *limousines,* entre ellas el guitarrista de los Rolling Stone Keith Richards y su novia Anita Pallenberg, P.J. Proby, la modelo Twiggy, George Alexander del grupo Grapefruit, la cantante Sandie Shaw y Donovan. Todos ellos con atuendos alegres y psicodélicos, acordes con la atmósfera desenfadada del Londres del 68 y con el espíritu de la película.

Tampoco faltaron enormes muñecos de los Blue Meanies y otros personajes del film apostados en la entrada del cine para dar la bienvenida a los ilustres invitados.

Tras la proyección, *Yellow Submarine* recibió una ovación que sorprendió a los propios Beatles. En especial John y Paul quedaron gratamente impresionados por la película que tanto habían subestimado. John comentó a Tony Barrow que lamentaba sus recelos y expresó su deseo de escribir personalmente el guión para una próxima película de Los Beatles en dibujos animados. El éxito se celebró después con una fiesta en el Hotel Royal Lancaster, en

Bayswater. Dentro del recinto esa noche quedó inaugurada la discoteca "Yellow Submarine".

En Nueva York, el estreno tuvo lugar el 13 de noviembre de 1968.

Aunque no unánimes, las críticas sí fueron predominantemente favorables a la propuesta innovadora que suponía la película. Según el *Daily Telegraph, Yellow Submarine* era la película con mayor encanto desde *Blancanieves y los siete enanitos* de Disney. Por su parte, el *Daily Mirror* alababa el derroche de imaginación en la primera parte del film, sus impresionantes técnicas en el uso del color y el inevitable magnetismo de la música de Los Beatles, pero también advertía que "a los tres cuartos de hora de proyección, el submarino se hunde". Para el *Times* la película era un resumen de lo que cada suplemento dominical había venido haciendo en dos años de psicodelia.

En el *Evening Standard,* Alexander Walker escribió. "Es la película de la era *beatle* y simboliza un viaje a través de la mitología contemporánea". En el *New York Times,* Renata Adler sugirió sutilmente que la película se disfrutaba con mayor intensidad si el espectador la contemplaba "colocado". El *The Hollywood Reporter* señaló como defecto que la parte final de la cinta pecaba de ser un poco larga.

Pero a pesar del respaldo de la crítica, *Yellow Submarine* no funcionó comercialmente. La posibilidad de pagar una entrada para ver a sus ídolos convertidos en muñecos de trazo psicodélico no terminó de convencer a los *fans* y a primeros de agosto, el film comenzó a desaparecer de los cines londinenses.

Como ocurriera con las películas de Los Beatles con Lester, el lanzamiento de la nueva cinta sirvió también para que la editorial New English Library comercializase en agosto un libro de bolsillo del mismo título con 126 páginas basadas en el film. En Estados Unidos, la editorial Signet publicó *The Beatles in Yellow Submarine,* un volumen que incluía lujosas ilustraciones. En México tuvo gran éxito una colección de cómics basados en el film.

Las peculiares características de la cinta y el ir dirigida a un amplio público potencial que incluía *fans* de Los Beatles, *hippies* ávidos de psicodelia y hasta niños, favoreció un amplio *merchandasing* y King Features llenó sus arcas vendiendo licencias a docenas de empresas que comercializaron todo tipo de objetos: tarjetas, pósters, naipes, calendarios, llaveros, almohadas, pegatinas, juguetes y un interminable etcétera, hoy día convertidos en verdaderos fetiches en cualquier subasta de material *beatle*.

En España, la película se estrenó en V.O. en el cine Balmes de Barcelona con más de un año de retraso, el día 22 de diciembre de 1969, y en Madrid no se proyectó hasta el 27 de febrero de 1970 en el cine Rex y también en versión original. El 20 de agosto de 1989, La Primera de TVE la emitió por vez primera.

Si bien la Academia de Hollywood no la incluyó entre sus nominadas, en 1978, diez años después de su estreno, *Yellow Submarine* se presentó con éxito en los festivales de cine de San Francisco, Cambridge y Locarno, recibiendo en este último una mención especial.

Producto emblemático de su tiempo, los orígenes de *Yellow Submarine* hay que buscarlos en la contracultura norteamericana consolidada en San Francisco a partir del "Verano de las flores" de 1967. El argumento es un canto al optimismo *hippy* frente al horror de la guerra de Vietnam, una propuesta en la que el amor y la música son capaces, más que de aplastar, de seducir a un enemigo militarizado. En este aspecto se puede entender Pepperland como edulcorado reflejo de la Inglaterra victoriana y a los Blue Meanies como los dueños del aparato de la destrucción causante de todo mal.

El misticismo *hippy* se trasluce por medio de un mundo mágico donde la realidad está sujeta a cambios y así sucede con la escena en la que el coche conducido por George cambia constantemente de color y Harrison advierte que "Todo está en la mente".

También es propia del idealismo de la época la buena disposición de Los Beatles para combatir al enemigo, dejándose guiar más por el instinto y las buenas vibraciones que les transmite Fred antes que por sus enrevesadas explicaciones. Luego, en el viaje atraviesan, entre otros, un paraje poblado de cabezas llenas de ideas contradictorias que nuestros héroes se ingenian para esquivar. También hay una notable simbología cuando se enfrentan al monstruo que todo lo engulle, hasta comerse a sí mismo y que no representa otra cosa que la voraz sociedad de consumo.

El 28 de agosto de 1987, Warner Home Video lanzó *Yellow Submarine* en videocasete sin las imágenes correspondientes a "Hey Bulldog". Dos años después, el 27 de septiembre de 1989, la misma firma comercializó la película con nuevas mezclas digitales y en sonido estéreo.

Yellow Submarine supuso un verdadero revulsivo frente al anquilosamiento del cine de Walt Disney y de hecho propició el reestreno del film *Fantasía,* una reposición aderezada con una campaña publicitaria destinada a un potencial público consumidor de alucinógenos al que se esperaba seducir con el lema "la experiencia visual definitiva". A pesar de los aceptables resultados, el cine de Disney no escogería ese camino para evolucionar. Sí recogieron el testigo otras películas menos ingenuas y más atrevidas como *Fritz, The Cat (El Gato Caliente)* de 1971 y posteriormente *El Señor De Los Anillos,* dirigida por Ralph Basky en 1977. En resumen, *Yellow Submarine* sacó al cine de animación del estancamiento y monopolio de la omnipotente pero ya rancia factoría Disney.

En 1999, *Yellow Submarine* fue objeto de un relanzamiento audiovisual con la edición el 14 de septiembre de la cinta en formato vídeo y DVD tras un procesado digital de las imágenes fotograma a fotograma. "Una renovación, más que una restauración", según declaró el responsable de los estudios MGM, Bruce Markoe. La renovación también incorporaba el sistema "Surroundsound 5.1", una innovadora tecnología ideada para potenciar los matices envolventes de todos los elementos sonoros del film.

El proceso costó más de 1.500 millones de pesetas, superó los cinco años de trabajo y en él participaron 200 artistas. En dicha reedición se alteraron mínimamente algunos diálogos para introducir adecuadamente la secuencia de "Hey Bulldog" tantos años suprimida.

En la misma fecha, Apple puso a la venta un disco conteniendo el *songtrack* de la película, esto es, no la banda sonora original, sino las canciones que el espectador podía escuchar durante la proyección, es decir: "Yellow Submarine"/ "Nowhere Man"/ "Eleanor Rigby"/ "Love You To"/ "All Together Now"/ "Lucy In The Sky With Diamonds"/ "Think For Yourself"/ "Sgt. Pepper's Lonely Hearts Club Band"/ "With A Little Help From My Friends"/ "Baby, You're A Rich Man"/ "Only A Northern Song"/ "All You Need Is Love"/ "When I'm Sixty Four" y "It's All Too Much".

Todos los temas fueron remasterizados, según declaró Harrison, "con una mezcla más clara que separa las pistas originales de guitarra, bajo y batería." El *songtrack* no incluye lo que fue la cara B del LP original, es decir, las piezas orquestales que George

Martin compuso, orquestó y grabó para la banda sonora. Coincidiendo con la reedición, Harrison mencionó el doblaje como el aspecto más negativo en la realización de *Yellow Submarine,* refiriéndose a las voces con marcado acento de Liverpool que, sin embargo, no salieron de la garganta de ningún *beatle,* "y aún no sabemos por qué".

Por su parte, Paul, quien en 1967 pensó que *Yellow Submarine* sería un mero subproducto infantil, reconocía treinta y un años después que la cinta era todo un clásico: "La primera vez que oímos hablar de ella sonaba como una bonita historia. Ir debajo del agua, ver todas aquellas cosas y conocer a toda esa gente, vivir allí... Pero de forma repentina nos vimos inmersos en un ambiente psicodélico que nos sorprendió a todos. Hoy la veo y me parece muy interesante".

Pasada la prueba del tiempo, George también se deshizo en elogios hacia la película: "Aún me parece una maravilla la escena en que mi personaje aparece por vez primera. Me veo y efectivamente soy yo, meditando en lo alto de esa montaña de la que creo que nunca bajé". Por su parte, Ringo también aprovechó el reestreno para mostrarse a gusto con su caricatura: "Sí, soy yo. Melancólico, aturdido, un sentimental. Y también se ve mi otra faceta, la de curioso y atrevido. Si me subo a un submarino y veo un botón tengo que apretarlo antes de preguntar para qué sirve".

El nuevo *Yellow Submarine* en DVD añade además como *bonus track* el breve documental *A Mod Oddysey,* con imágenes poco conocidas del film.

También se distribuyó un *videoclip* realizado por Neil Aspinall a partir de un nuevo montaje de las imágenes filmadas originalmente para el *clip* de "Lady Madonna" durante la grabación de "Hey Bulldog" con la canción sobre ellas. Con ocasión del lanzamiento se pusieron en circulación en el Reino Unido una serie de sellos y una réplica del submarino navegó por el puerto de Sydney.

La presentación de la película se celebró con una masiva proyección en el Philarmonic Hall de Liverpool el 30 de agosto de 1999. El acto estuvo precedido de un concierto en el que diversos grupos interpretaron canciones de Los Beatles y que reunió en Matthew Street a 250.000 personas. La rumorología sobre una posible actuación, esta vez acústica de Paul, George y Ringo juntos para celebrar el acontecimiento volvió a desencadenarse una vez más. Y también una vez más sin ningún fundamento.

En España, la versión remasterizada de *Yellow Submarine* se estrenó en el cine Inciarte de Barcelona el 19 de noviembre de 1999.

Como producto de un tiempo y una ideología claramente *hippy,* y en el mismo año del mayo francés y la primavera de Praga, *Yellow Submarine* mantiene su valor como fábula satirizadora de la opresión. Su apuesta por la victoria del amor y la felicidad sobre el mal o el positivismo del "SÍ" frente al "NO" de los Blue Meanies, son dos claros ejemplos de un tiempo en el que todavía existía la ilusión de cambiar el mundo. Un mensaje que, pasados los años, puede parecer ingenuo, pero que conserva un innegable valor tes-·timonial de lo que fueron los revolucionarios sesenta.

Incluso algunos, en la fecha de su estreno llegaron a vislumbrar mucho más: El reverendo Jim Smith, de la Holy Trinity Church de Lancashire, en Londres, alentó a sus parroquianos a ver *Yellow Submarine* como una auténtica experiencia religiosa. "Puedo ver en la película" —dijo— "el equivalente *beatle* a la caída del Jardín del Edén. La perdición del Hombre y la llegada del Salvador". Y una curiosa paradoja: a pesar del ideal de igualdad y libertad que transmite el film, ni una sola de las escasas figuras femeninas que aparecen en *Yellow Submarine* llega a articular ni una sola palabra.

LET IT BE. 1969

Dirección: Michael Lindsay-Hogg/ Fotografía-Cámaras: Tony Richmond, Les Parrot y Paul Bond/ Sonido: Peter Sutton, Ken Reynolds y Roy Mingalle/ Productor de Sonido: Glyn Johns/ Montaje: Tony Lenny y Graham Guilding/ Producción Ejecutiva: Los Beatles/ Productor: Neil Aspinall/ Nacionalidad: Gran Bretaña/ Duración: 88 minutos. Color.

Intérpretes: John Lennon, Paul McCartney, George Harrison, Ringo Starr, Billy Preston, George Martin, Yoko Ono, Maureen Starkey, Linda Eastman, Mal Evans y Peter Brown.

A finales de 1968, Los Beatles se encontraban al borde de la bancarrota. Apple Corps., la compañía que habían creado en abril para controlar sus finanzas y ahorrar impuestos no hacía más que perder dinero a raudales. Aunque el éxito de la división musical Apple Records estaba asegurado, al contar entre su catálogo con sus propios e ilustres fundadores, la inexperiencia de Los Beatles en cuestiones de negocios hizo que el resto de los proyectos promovidos por el sello terminaran en desastre.

En octubre del 68, seis meses después de su creación, Apple Press aún no había logrado publicar un solo libro, Apple Films tampoco había rodado ninguna película y Apple Retail, la división dedicada a moda, tenía sentenciada su existencia tras el cierre, a finales de julio, de la *boutique* psicodélica que Los Beatles habían abierto en Baker Street en diciembre de 1967 con el dúo de creadores vanguardistas The Fool al frente. Había sido el primer proyecto puesto en marcha por Apple y las raquíticas ventas llevaron a la inevitable liquidación del negocio por el simple sistema de regalar la ropa a los amigos. Pero lo peor de todo era la Fundación Apple para la protección de las Artes. Sin pensar en las consecuencias, Los Beatles habían ofrecido apoyo financiero a todos los creadores que tuviesen algo interesante que expresar y ahora la oficina del n° 3 de Savile Row estaba llena de solicitudes de artistas con variadas propuestas y todas pidiendo dinero.

Cuando se descubrió que Apple había engullido ya el millón de libras destinado a su creación, las cuentas también revelaron que la compañía había devorado 400.000 libras más, el segundo pago de las 800.000 que Los Beatles recibieron tras venderse a sí mismos su propia empresa. Ahora los cuatro debían dinero a su cuenta conjunta.

Era necesario tomar medidas urgentes, así que Los Beatles decidieron contratar los servicios de Allen Klein, un tiburón financiero que había hecho ganar un montón de dinero a los Rolling Stones. Famoso por su falta de escrúpulos y para algunos no siempre estrictamente legal en sus métodos, Klein había intentado dirigir la carrera de Los Beatles desde 1964 y por fin parecía que su momento había llegado. Pero cuando John, George y Ringo apoyaron decididamente la candidatura de Allen Klein como el único hombre capaz de salvarlos de la bancarrota y remontar la crisis, Paul se opuso y se mostró partidario de que fuera su futuro suegro, Lee Eastman, el que tomase las riendas. Era el principio de una larga serie de encarnizadas batallas legales que terminarían con la disolución del grupo. En los preliminares de aquella crisis final se rodó *Let It Be,* el testamento fílmico y musical de Los Beatles.

Concebida inicialmente como un documental sobre el trabajo creativo del grupo, la película terminó por convertirse en una amarga crónica en torno a la desintegración artística de unos músicos cansados de lo que hacían y de cuatro amigos que estaban dejando de serlo.

Rodada en enero de 1969 y estrenada en mayo de 1970, un mes después de la disolución de la banda, *Let It Be* estuvo plagada de complicaciones en su mayoría derivadas de la desgana reinante.

La idea inicial de la película surgió en noviembre de 1968. En aquellas fechas, Los Beatles pensaban que *Yellow Submarine* era suficiente para zanjar el contrato firmado por Brian Epstein con United Artists en octubre de 1963 y que les obligaba a realizar tres filmes para la compañía. Pero no fue así y la distribuidora dejó claro que una cinta de dibujos animados, en la que John, Paul, George y Ringo tan sólo aparecían realmente en el minuto final no podía considerarse una película de Los Beatles, por mucho que incluyera su música en una banda sonora que además aportaba escasas novedades.

Forzados a entregar un nuevo film, la alternativa más fácil parecía consistir en mostrar el trabajo diario del grupo en un documental carente de guión donde aparecieran en el estudio, ensayando y grabando. Los Beatles decidieron entonces aprovechar el proyecto no sólo para el cine o la televisión, sino también para lanzar simul-

La sombra de John: Yoko Ono en medio de Los Beatles en los primeros días de rodaje de *Let It Be,* en Twickenham. *Fuente:* Apple.

táneamente un nuevo disco e incluso un libro que podrían estar en el mercado en la primavera de 1969.

En su calidad de productores ejecutivos John, Paul, George y Ringo contrataron al neoyorquino Michael Lindsay Hogg como director. Conocido como productor del programa musical *Ready, Steady, Go!,* emitido los viernes noche por la ITV y en el que los de Liverpool habían actuado en cuatro ocasiones, Lindsay Hogg había dirigido ya para ellos los filmes promocionales de "Paperback Writer", "Rain", "Hey Jude" y "Revolution". En 1968 había dirigido el "Rock' n' Roll Circus" de Los Rolling Stones, un especial para televisión que permanecería inédito hasta 1996 y que contó entre otros con John como invitado para interpretar junto a los Stones y Eric Clapton una versión de "Yer Blues".

Muchos años más tarde y cambiando por completo de registro, Lindsay Hogg se anotaría un importante éxito televisivo con la serie *Retorno A Brideshead* producida por Thames TV a finales de los setenta. A instancias de Paul se contrataron también los servicios de Glyn Johns como supervisor del sonido. A pesar de los muchos años transcurridos, permanece todavía sin aclarar el papel concreto que tuvo George Martin en lo que terminaría por ser *Let It Be.*

Los Beatles estaban de acuerdo en que la película y el disco deberían servir ante todo para recuperar la frescura y la espontaneidad de los primeros años. Con esta consigna procurarían prescindir de los complejos artificios técnicos de sus últimas grabaciones, alternarían canciones nuevas y viejas y hasta versionarían algunos clásicos del *rock'n'roll,* volviendo a ser un grupo instrumentalmente sencillo compuesto por dos guitarras, bajo y batería. Tal y como recuerda George Martin: "Me dijeron que querían llegar directamente al fondo, a lo elemental, no querían utilizar ningún tipo de doblaje, cantarían las canciones como les salieran".

Decidieron que el proyecto llevaría por título *Get Back,* como reflejo inequívoco de su honesta vuelta a los orígenes. John Lennon pensó que estaría bien plasmar aquel espíritu de regreso desde la misma portada del disco y para ello se le ocurrió repetir, en el mismo lugar, la fotografía que había servido como cubierta del primer álbum, *Please Please Me* seis años atrás, aquella donde unos principiantes chicos de Liverpool aparecían asomados desde las escaleras de las oficinas londinenses de EMI, en Manchester Square.

Fue incluso el mismo fotógrafo de entonces, Angus McBean, el encargado de captar a Los Beatles en la misma posición y casi idéntico ángulo pero esta vez con el cabello mucho más largo y consagrados como estrellas pop mundiales. Un simpático guiño al pasado que lamentablemente no llegaría a utilizarse en el álbum previsto pero sí en las recopilaciones *The Beatles 1962-1966* y *The Beatles 1967-1970*, lanzadas en 1973.

Pero además de un regreso a las raíces, *Get Back* iba a dar a Paul la oportunidad de saciar en parte sus ansias de actuar en directo. Al contrario que George y John, McCartney necesitaba el aplauso del público tanto como el aire para respirar desde que el 29 de agosto de 1966, los Beatles se despidieron de la actuaciones con el concierto en el Candlestick Park de San Francisco. A partir de entonces, Paul no había dejado de aprovechar cualquier mínima oportunidad que se le presentase para tocar y cantar en pequeños círculos siempre que fuera posible. Lo había hecho durante el rodaje de *Magical Mystery Tour* sentándose al piano en un pequeño *pub* de Perranporth, también hizo lo mismo en otro *pub* de Bedforshire aprovechando un alto en el camino durante un viaje en coche con Derek Taylor. Algunas noches, desde la ventana de su casa, interpretaba en voz baja a la guitarra temas como

John y George poniendo buena cara durante las tediosas sesiones de *Let it be* en los estudios Twickenham. *Fuente:* Apple.

"Blackbird", para deleite de las *fans* que montaban guardia constante junto a la verja de su jardín. A finales de 1968, durante una semana en Portugal con Hunter Davies, autor de la biografía oficial de Los Beatles, el matrimonio Davies pudo comprobar la obsesión de Paul por cantar con la guitarra, llegando a aprovechar algunas ocasiones para tocar en el cuarto de baño, igual que hacía en sus días de adolescente, en su casa de Forhlin Road.

McCartney estaba convencido de que Los Beatles habían traicionado la responsabilidad que tenían con su público al abandonar los conciertos en directo para dedicarse sólo a grabar discos y después del *White Album* no paraba de insistir a los demás en que tenían que volver a la carretera con una nueva gira. Después de todo, en sus inicios la grandeza de Los Beatles residía en ser un pequeño gran grupo de directo y tan sólo había que vencer el miedo que imponía volver a presentarse ante sus *fans*.

En una de sus numerosas arengas, Paul llegó a poner el ejemplo del concierto que dieron de vuelta a casa en Leicester, al principio de su carrera y después de muchos meses tocando en Hamburgo. A pesar del temor a un posible olvido, el público reunido en el Monfort Hall de Liverpool estuvo entregado desde que salieron al escenario y la actuación fue un éxito. Estaba convencido de que lo mismo pasaría ahora si volvían a actuar.

Aunque John y Ringo estuvieron a punto de ceder, George no podía soportar la idea de resucitar en lo más mínimo el agobio que supuso la beatlemanía. Paul pensaba que no haría falta volver a aquellos extremos y que se trataba de retomar el contacto con la gente aunque fuera por una sola vez. Decidieron entonces que si iban a hacer un único concierto, éste debería ser algo verdaderamente fuera de lo común y filmarse como espectacular culminación de la película. Con el apoyo del director Lindsay-Hogg, un entusiasta McCartney sugirió varias ideas, a su entender impactantes, para llevar a cabo el proyecto, entre ellas tocar en un hospital o hacerlo en Gibraltar. Otra propuesta consistía en grabar la actuación a bordo de un transatlántico en alta mar y, la más descabellada de todas, tocar en la sala principal del Parlamento Británico hasta que la policía los desalojase. En algún momento de la conversación, John afirmó que "podríamos hacerlo en un asilo". George, por su parte, descartó todas y cada una de las propuestas y calificó la idea del transatlántico como "cara y estúpida".

Durante algunos días, Lindsay-Hogg llegó a convencerles para llevar a cabo el concierto en un anfiteatro romano sito en la ciudad de Trípoli. Estaba previsto que Mal Evans volase destino África el lunes 13 de enero para estudiar los detalles pero la idea se descartó cuando, el viernes 10, George Harrison anunció que abandonaba a Los Beatles, decisión que poco después rectificaría.

Convenido que *Get Back* constaría de dos partes, la primera dedicada a mostrar a Los Beatles ensayando y la segunda actuando en directo, el rodaje comenzó el 2 de enero de 1969 en los estudios de Twickenham. El equipo de Michael Lindsay-Hogg rodó en 16 mm con tres cámaras denominadas A, B y C, mientras el sonido era registrado en dos magnetófonos portátiles "Nagra", de dos pistas y con cintas de cuarto de pulgada en lugar de utilizar un equipo completo de grabación. La razón era que la música que se estaba registrando era considerada como ensayos de Los Beatles y no como canciones propiamente dichas.

McCartney al piano secundado por un apático Ringo Starr en otro momento del rodaje. *Fuente:* Apple.

Excluyendo los fines de semana (días 4, 5, 11 y 12 de enero), Los Beatles se reunían cada día en el estudio nº 1 de Twickenham a eso de las 11.00 horas y permanecían tocando hasta las 13.00 aproximadamente. Desde el primer día se puso de relieve que las condiciones de trabajo no eran las más adecuadas. Además de la mala acústica, Los Beatles se habían acostumbrado a trabajar en los estudios de Abbey Road en sesiones nocturnas. El poco acogedor plató de Twickenham en pleno invierno británico y el horario matinal no favorecían en lo más mínimo la inspiración: "No lográbamos ponernos en situación", recordaría John, "era espantoso, estar en los estudios de Twickenham, siendo filmados constantemente. No se podía hacer música a las ocho de la mañana, o a las diez, o a la hora que fuera, con gente filmándonos y luces de colores".

Por otra parte, nadie se había molestado en decidir un reperto-rio concreto para interpretar en aquellas sesiones. Tras el lanza-miento tres meses atrás del *White Album,* la mayoría de las nuevas canciones de John y Paul no eran más que bocetos inacabados, asi que lo habitual era que se pusiesen a tocar en cada momento lo pri-mero que se les pasaba por la cabeza. Con las cintas grabando Los Beatles charlaban, se quejaban, hacían alguna broma, repetían can-ciones o tocaban fragmentos o bien se dejaban llevar por la música improvisando largas *jam-sessions* que luego EMI tendría grandes dificultades en catalogar como "tomas" concretas.

Entre las sesiones de Twickenham y las de Apple llegaron a eje-cutar más de un centenar de temas. A veces canciones completas y a veces tan sólo breves fragmentos. Muchos de ellos de forma improvisada, casi siempre con escasa convicción y en más de una ocasión con las voces fuera de tono.

Una larga lista que llegó a incluir desde clásicos tradicionales infantiles ("Baa, Baa, Black Sheep"), antiguos temas propios ("Help", "Love Me Do", "I'm Only Sleeping"), *standards* del *rock'n'roll* ("Roll Over Beethoven", "All Shook Up"), canciones de futuros discos en solitario ("Back Seat Of My Car", "All Things Must Pass", "Give Me Some Truth", "Maybe I'm Amazed"), jugueteos sin sentido ("Chopsticks") y composiciones práctica-mente improvisadas para el film y posteriormente registradas a efectos de derechos de autor, concretamente "Suzy Parker", firma-da por Lennon-McCartney-Harrison-Starkey, "Paul Piano Intro" (Lennon-McCartney) y "Piano Boogie" (McCartney-Starkey).

Tal y como puede observarse en la película, Los Beatles inter-pretan las canciones de modo mecánico y desapasionado, siendo palpable la tensión creciente entre los cuatro. Como máximo impulsor del proyecto, es McCartney quien se hace con el mando. Sus esfuerzos por poner orden y a la vez lograr que sus compañe-ros recuperen el entusiasmo perdido terminan por traducirse en un autoritarismo que empeora las cosas: "Lo de *Let It Be* fue similar a *Magical Mystery Tour* —declararía John en 1970—. "A Paul se le ocurrió hacernos ensayar para hacer un disco nuevo. Terminamos unas cuantas canciones, pero sin ningún interés por parte de nadie. Él lo dispuso todo y comenzaron las discusiones sobre lo que había que hacer. Yo me limitaba a decir a todo que sí porque ya estaba con Yoko y el resto me importaba un pito. No movía un dedo y ni a mí ni a nadie le importaba lo más mínimo."

En un momento de *Let It Be* la cámara recoge un plano de John, quien escucha totalmente impasible un largo parlamento de Paul. En tono entusiasta, McCartney deplora la actitud negativa de Harrison, e intenta convencer a su viejo camarada de la necesidad de volver a las actuaciones en directo. Lennon ni siquiera se molesta en abrir la boca. Las imágenes corresponden a la toma 423, que en la película se sitúa después de la interpretación de "Dig It". El enrarecimiento también es palpable cuando de nuevo McCartney, antes de cantar "Bésame Mucho" saca el tema del Maharshi: "Anoche ví la película que filmamos durante esos días y hay un plano en el que apareces tú, John, caminando junto a él... y es muy malo".

Por el contrario, en otro instante, John y Paul logran revivir la antigua energía vitalista de los adolescentes Quarrymen al cantar juntos una desmadrada versión del "Two Of Us", pero el entusiasmo es fugaz. La mayor parte del tiempo Lennon permanece desinteresado, limitándose a cumplir lo que le mandan. Casi siempre sentado tras su guitarra y flanqueado por Yoko, que permanece durante toda la película como una sombra inseparable e indiferente a lo que ocurre a su alrededor.

Aún más negativo que John se muestra George Harrison. Desanimado cuando interpreta composiciones propias como "I Me Mine" y protagonista del momento más tenso del film, cuando discute abiertamente con Paul, quien intenta decirle cómo debe tocar la guitarra.

Desde la distancia que impone el parapeto de su batería, Ringo parece igualmente hastiado. Encendiendo un cigarrillo tras otro y esperando a que acaben las discusiones para que alguien le indique cuál será la siguiente canción. Ringo había llegado a dejar el grupo en agosto durante once días y ahora tan sólo esperaba la llegada del 3 de febrero, fecha en que debía incorporarse al rodaje de la película *The Magic Christian,* en la que compartiría reparto con Peter Sellers.

La tensión llegaría a su punto más álgido el 10 de enero, cuando un colérico George Harrison también anuncia que abandona a Los Beatles. La crisis dura cinco días y sirve para poner punto final al rodaje en Twickenham por exigencia de George y trasladar el escenario a los estudios de Apple, en el nº 3 de Savile Row.

El primer día de trabajo en Apple debía haber sido el lunes 20 de enero, pero no se pudo empezar hasta el miércoles 22 debido a que el nuevo estudio no estaba terminado. De hecho, ni siquiera estaba construido. Dicho estudio había sido encargado al amigo griego de Los Beatles, Alex Mardas. Apodado "El Mago", Mardas era un inventor de dudosa reputación experto en construir juguetes electrónicos entretenidos e inútiles. Suya era una caja de luces que se encendían aleatoriamente y que mantenía a John Lennon entretenido durante horas intentando averiguar cual sería la siguiente bombilla en destellar.

Alex Mardas había prometido poner a punto un maravilloso estudio para Los Beatles, dotado de los últimos adelantos técnicos y con una mesa de grabación de 72 pistas, pero lo cierto es que lo que hizo ni siquiera podía considerarse un estudio. Al llegar a Apple, Los Beatles descubrieron no sólo que no había mesa de grabación de 72 pistas sino que no existía mesa de grabación alguna. Para empeorar las cosas a Alex ni siquiera se le había ocurrido instalar un intercomunicador, fundamental para transmitir órdenes entre el estudio y la sala de control. Por si fuera poco, en un rincón de la sala no paraba de zumbar ruidosamente el generador de aire acondicionado del edificio.

Los Beatles tan sólo pudieron comenzar el trabajo después de perder dos días en silenciar el aparato y pedir prestada a EMI una mesa de grabación de ocho pistas. Solventados los problemas, a las sesiones en Apple se sumó el teclista Billy Preston, reclutado por Harrison y que logrará con Los Beatles una inesperada y meritoria conjunción musical si tenemos en cuenta las delicadas relaciones entre los miembros del grupo.

John, Paul, George y Ringo conocían a Billy Preston desde 1962, cuando formaba parte del grupo vocal que acompañaba a Little Richard y éste coincidió con Los Beatles en algunas actuaciones en el "Star Club" de Hamburgo. Preston percibió 500 libras por participar en la práctica totalidad de estas sesiones, además de firmar un contrato con Apple Records.

En Apple, obligados por la disciplina del rodaje, Los Beatles y Preston trabajaron en sesiones que comenzaban a las 10.00 de la mañana y se prolongaban hasta las 17.00, a excepción de un par de días en que trabajaron hasta pasadas las 10.00 de la noche.

El día 30 se celebraría el prometido último concierto que finalmente no tendría como escenario ni un anfiteatro de Trípoli ni el Parlamento Británico, sino la azotea de las oficinas de Apple, en el nº 3 de Savile Row y de forma casi improvisada. Un día después

Billy Preston, acompañando a los teclados a Los Beatles en los estudios de Apple. *Fuente:* Apple.

de esa actuación, el 31 de enero de 1969, Los Beatles dan por terminado el rodaje de lo que luego sería *Let It Be.* En total habían registrado veintinueve horas de cinta con ensayos y noventa y seis horas de película, reducidas luego a ochenta y ocho minutos para su exhibición comercial en la gran pantalla.

Era el resumen de un triste período que John Lennon resumió como: "Un infierno. Ni siquiera el mayor *fan* de Los Beatles hubiera soportado aquellas cuatro semanas de miseria".

DIARIO DE RODAJE

Jueves, 2 enero:

En esta primera jornada se rodaron, entre otras, las imágenes con las que da comienzo *Let It Be* y en las que puede verse a Mal Evans y un ayudante instalando el equipo musical de Los Beatles en el todavía vacío y gélido estudio nº 1 de Twickenham.

Las cámaras también recogieron (aunque no incluyeron en el montaje) la llegada de John y George a las 11.00 de la mañana y cómo tras enchufar sus guitarras ambos comienzan a tocar "Don't Let Me Down", una nueva canción de John, todavía a medio componer. Diez minutos después hacía su aparición Ringo, quien, tras felicitar el Año Nuevo se les une a la batería.

Paul se retrasó hasta pasadas las 12.30, tras encontrarse en un atasco a bordo del autobús n° 74 que le trasladó hasta los estudios. George aprovechó la llegada de Paul para quejarse de las pobres condiciones acústicas del lugar.

A continuación, los cuatro interpretaron "Don't Let Me Down" y "I've Got A Feeling".

Viernes, 3 enero:

Rodaje de las escenas en las que Paul toca el denominado "Paul's Piano Theme". Una pieza de inspiración clásica que McCartney ejecuta en un piano negro sobre el que hay colocada una manzana mordisqueada. Ringo se encuentra a su lado y llega George y le saluda. Inmediatamente después, la cámara se acerca a las caras de ambos al tiempo que miran al objetivo mientras hacen una mueca y sonríen. El plano constituye la toma 29 del rodaje.

A lo largo de la mañana las cámaras también recogieron el momento en que George recibe una descarga eléctrica al tocar un micrófono. La escena muestra el salto y la exclamación de Harrison en el momento del calambre. Paul dice: "Un calambre señores, lo mejor será que atiendan a este chico". A continuación George revisa la correa de su instrumento, explica a uno de los miembros del equipo cómo ha cogido el micrófono y prueba la guitarra con algunos acordes de "All Things Must Pass". Mientras buscan la causa, George agarra de nuevo el micrófono y recibe otra descarga. Paul añade: "Si este chico se nos muere aquí, lo vais a pagar todos".

Ese mismo día por la tarde se ruedan unas imágenes correspondientes a la canción "Maxwell's Silver Hammer", en la que McCartney muestra a los demás la estructura de la melodía y los acordes.

Lunes, 6 enero:

Tras descansar el fin de semana, Los Beatles rodaron imágenes correspondientes al tema "Don't Let Me Down". George se sirve

30 de enero de 1969. El final de *Let It Be*. Los Beatles en la azotea de Apple tocando en directo por última vez. *Fuente:* Apple.

de unos pedales "wah-wah" y John aparece tocando su guitarra sentado con Yoko a su lado mientras ésta teje una madeja de lana azul. En la película observamos cómo coordinan el fragmento de letra que dice "I'm in love for the first time" ("Estoy enamorado por vez primera"). Esta línea de texto recibe las críticas de McCartney, quien no duda en afirmar: "Cantemos de nuevo la parte rancia de la canción. Puede mejorar si la ensayamos".

El mismo día se filma un breve fragmento de Paul al piano interpretando "Oh! Darling". A continuación, Paul coge una taza de té y se sienta a charlar con Glyn Johns y algunos miembros del equipo de rodaje. La conversación gira en torno a las primeras canciones y en concreto a "One After 909". Paul cuenta cómo John y él solían escaparse de clase a los quince años para ir a casa a componer temas como "Love Me Do" y "Too Bad About Sorrows" y afirma que debe haber cerca de un centenar que nunca se tomaron en serio porque eran muy simples. Acto seguido recita algunas estrofas de la canción "Just Fun" y añade que siempre odiaron la letra de "One After 909", recitando también parte de la misma.

También al día 6 de enero corresponde la agria disputa entre Paul y George. El momento más tenso del film. Ensayando "Two

Of Us", McCartney indica a Harrison cómo debe tocar la guitarra, añade que llevan una hora haciendo lo mismo y que no logran sonar como un grupo. Paul se dirige a George diciendo: "Tengo la impresión de que siempre te molesto y tan sólo intento ayudarte". En tono envenenadamente resignado George responde: "No importa. De acuerdo, tocaré cualquier cosa que quieras que toque. O no tocaré nada si así lo prefieres. Haré lo que quieras con tal de complacerte".

Martes, 7 enero:

Con Paul al piano y George Harrison al bajo, el grupo interpreta "Maxwell's Silver Hammer". Se trata de una versión todavía muy primitiva en comparación con la que luego aparecería en el álbum *Abbey Road* y contiene algún texto diferente y un fragmento silbado. Mal Evans interviene en el acompañamiento golpeando, en ocasiones a destiempo, con un martillo sobre un yunque.

Se filman también unas imágenes correspondientes al tema de John "Across The Universe". Tras los acordes iniciales, Paul hace una entrada vocal a la que sigue la voz de Lennon cantando con evidente desgana. Junto a él, Yoko Ono lee una revista. Es la toma 127 del film y continúa en el mismo estilo con la interpretación de "Dig A Pony". En lugar de seguir a John, Paul bosteza abiertamente y Lennon propone "tocar una rápida".

Miércoles, 8 enero:

Durante la mañana se rueda la interpretación del tema de George "I Me Mine". George, Paul y Ringo son quienes tocan mientras John y Yoko aprovechan para bailar la canción por todo el estudio a modo de vals, un detalle que desagradó a Harrison. En la película la escena tiene lugar inmediatamente después de unas imágenes en las que George define "I Me Mine" como "un vals pesado" y se la muestra a Ringo acompañándose a la guitarra acústica.

También en esa jornada el equipo filma a Los Beatles (toma 137) interpretando una acelerada y electrificada versión de "Two Of Us" con Paul y John cantando de pie, en el mismo micrófono y recuperando momentáneamente un entusiasmo impropio de aquellos días.

En la misma sesión, la toma 139 corresponde a "I've Got A Feeling", de nuevo con un entusiasta Paul que explica a un desinteresado John cómo debe sonar el solo descendente de la canción. McCartney incluso llega a exclamar "Good Morning!" durante la interpretación del tema con tal de despejar a sus adormilados compañeros. Sentado al fondo, el espectador puede distinguir a George Martin contemplando la escena. Al final de la canción, Yoko ríe y escuchamos la voz de John diciendo: "The Queen says 'No' to pot smoking FBI members"("La Reina dice 'No' a que el FBI fume marihuana"), frase que Phil Spector incluyó en el LP *Let It Be* y que se registró en la toma 140, entre la interpretación de los temas "Too Bad About Sorrows" y "Just Fun" (aunque en el disco se escucha entre "The Long And Winding Road" y "For You Blue").

También este día se rueda una versión de "One After 909" y otra de "Two Of Us" correspondiente a la toma 168. Paul la interrumpe poco después de empezar al ver que el micrófono de John no funciona.

Viernes, 10 enero:

Después de una larga discusión con John y Paul durante el almuerzo, George Harrison anuncia que abandona a Los Beatles. Sin que nadie intente disuadirle, marcha a su casa de Esher y comunica a Patti, su mujer, que "Los Beatles ya no existen". Al día siguiente viaja a casa de sus padres donde permanecerá cuatro días.

La misma tarde de la despedida de George, John, Paul y Ringo continúan el trabajo en el estudio como si nada hubiera ocurrido y graban una larga *jam session* en la que Lennon y McCartney prueban diferentes efectos distorsionando sus instrumentos. Sobre el ruido se puede escuchar a Yoko Ono aportando sus acostumbrados gritos y berridos.

La sesión termina con una versión del "Don't Be Cruel" de Elvis Presley. A continuación todos se despiden e incluso bromean con Maureen, la esposa de Ringo, invitándola a aprender a tocar la guitarra durante el fin de semana para unirse al grupo el lunes.

Tras reconsiderar su decisión, el miércoles día 15 George regresa a Londres y se reúne con John, Paul y Ringo durante casi cinco horas. Harrison pone como condición para regresar al grupo abandonar de inmediato los estudios Twickenham y trasladarse a los de Apple. Solicita además que las cámaras se limiten a filmar a Los Beatles grabando un disco con las nuevas canciones y olvidar la idea de hacer un concierto espectacular en un lugar imposible.

Miércoles, 22 enero:

Ya en Apple, Los Beatles graban y filman gran cantidad de material que luego no aparecerá en la película. En la primera jornada se registra la canción de John "All I Want Is You" (luego denominada "Dig A Pony"), "I've Got A Feeling" y "Don't Let Me Down". Un instrumental de Paul titulado "Rocker" y "Bathroom Window" (título de trabajo de "She Came In Through The Bathroom Window") y en la que Billy Preston debuta con Los Beatles trabajando en la estructura para piano de la canción. También en esta jornada graban una versión del "Save The Last Dance For Me", de Los Drifters (que sí recogerá la película) y otra del tema de Canned Heat "Going up The Country".

Jueves, 23 enero:

Se graban diez tomas de la nueva canción de Paul "Get Back", así como una *jam* instrumental para piano eléctrico de un minuto de duración conducida por Billy Preston y catalogada con el título "Blues". En estas grabaciones debuta con Los Beatles como ayudante de grabación Alan Parsons, quien alcanzará notoriedad en los setenta como productor y artífice de Alan Parsons Project.

Viernes, 24 enero:

Grabación del tema de Paul "On Our Way Back Home" (título provisional de "Two Of Us") y "Teddy Boy", también de Paul. Entre las tomas de "On Our Way Back Home", Los Beatles graban una versión de treinta y ocho segundos de "Maggie Mae", un tema tradicional de Liverpool con John como voz solista. En la misma jornada graban la primera de las dos versiones de "Dig It", una improvisación de John que aparecería firmada por Lennon, McCartney, Harrison y Starkey en los créditos de *Let It Be.* También registran "Dig A Pony" y "I've Got A Feeling".

Según las notas de estudio, algunos títulos sin especificar fueron mezclados a estéreo esa tarde por Glyn Johns, en una sesión de noventa minutos en los Olympic Studios en Barnes y sin la asistencia de Los Beatles.

Sábado, 25 enero:

Grabación de la pieza instrumental "Untitled Jamming" y de una versión del éxito de 1957 "Bye, Bye, Love" de los Everly Brothers, así como de dos nuevos temas: "Let It Be", de Paul y "George´s Blues", título provisional de "For You Blue", de Harrison.

Los compases de "For You Blue" comienzan a sonar en el film al tiempo que se ve a Los Beatles llegar a los estudios de Apple, en el nº 3 de Savile Row por separado. John llega acompañado por Yoko y entran por la puerta inferior de servicio en lugar de utilizar la principal, Paul aparece caminando y saluda a unas *fans* que hay en la entrada, George se presenta camuflado bajo un amplio sombrero y Ringo se baja de un coche detrás del cual se esconde para hacer una broma a la cámara.

Al mismo día corresponden las imágenes de la película en que, tras interpretar George su canción, la cámara se sitúa sobre Paul mientras Ringo aparece al fondo sentado a la batería. El espectador escucha a John recitar el verso "I met her on a Monday and my heart stood still", correspondiente al éxito de The Crystals "Da Doo Ron Ron" e inmediatamente después, Paul intenta iniciar una conversación referente a una película que filmó en la India en febrero del 68, durante la estancia con el Maharishi. Ante el escaso interés de los demás, McCartney sonríe al comentar lo malo que es un plano en el que John aparece junto al gurú.

Domingo, 26 enero:

A esta jornada corresponde la toma 358 incluida en la película y que recoge el momento en que Ringo teclea un piano para mostrar a George su canción "Octopus's Garden" que aún tiene a medias. George, que lleva colgada una guitarra acústica le ayuda a continuar con la melodía. La acción tiene lugar después de un almuerzo fuera de los estudios.

Terminan cuando llega George Martin, al que siguen John y Yoko y Paul con Linda Eastman y la hija de ésta, Heather. Excepcionalmente John se sienta a la batería y enciende un cigarrillo mientras empieza a tocar el pedal del bombo para acompañar a George y Ringo.

El mismo día se graba la segunda versión de "Dig It", cuya duración original es de doce minutos y veinticinco segundos y de la que el film sólo ofrece un fragmento. La pequeña Heather, de seis años, contribuye con breves coros en el inicio de la canción y también interviene George Martin a la percusión, percusión con un cilindro de mano de sonido similar a una maraca.

A continuación, según puede verse también en la película, John propone afinar todos los instrumentos a la vez y Los Beatles acometen un largo *medley* de clásicos del *rock'n'roll* compuesto por versiones de "Shake Rattle And Roll", "Kansas City", "Miss Anne", "Lawdy Miss Clawdy", "Blue Suede Shoes" y "You Really Got A Hold On Me".

En "Kansas City" confunden la letra en una versión que imita la original grabada en 1959 por Wilbur Harrison y no la de Little Richard que Los Beatles trasladaron a su LP de 1964 *Beatles For Sale*. A continuación, George dirige a los demás en una versión instrumental del *hit* "Tracks Of My Tears".

Aquel día se grabaron otras dos canciones: la balada de Paul "The Long And Winding Road" (en una informal y breve sesión con aires de *bossa* que sí aparece en el film) y una demo de George, sin título, grabada tan sólo con vocal y una ligera guitarra solista. Más tarde este tema llegaría a bautizarse como "Isn't It A Pity", pero nunca sería grabado por Los Beatles. Se convertiría en uno de los éxitos del triple álbum de Harrison en solitario *All Things Must Pass.*

Esa misma tarde, Los Beatles suben a tomar el aire a la azotea de Apple y Paul tiene la idea de celebrar allí mismo, y cuatro días más tarde, el concierto que pondría punto final a la película y que pasaría a la historia como la última actuación en directo de Los Beatles.

Terminada la jornada de trabajo, de nuevo Glyn Johns realizó una sesión de mezclas en estéreo durante hora y media en los estudios Olympic Sound, aunque se desconocen los detalles.

Lunes, 27 enero:

Grabación de "Untitled Jamming", "Get Back", "Oh! Darling", "I've Got A Feeling" y "The Walk".

Como muy bien define su título, "Untitled Jamming" son 10 minutos y 54 segundos de música prácticamente sin estructura. Después, gran parte de la jornada se dedicaría a la grabación de "Get Back" aunque ninguna de las versiones registradas ese día llegará a ser utilizada, a excepción de la frase-parodia de John, "Sweet Loretta Fart she thought she was a cleaner, but she was a frying pan" ("La dulce Loretta Pedo creía ser un limpiador, pero era una sartén"), que se escucha al final del álbum *Let It Be* antes del comienzo de "Get Back". El "Oh! Darling" de Paul se grabó como ensayo y "The Walk" era una versión de la canción que llevara al éxito Jimmy McCracklin en 1958.

Martes, 28 enero:

En una sesión inesperadamente productiva, Los Beatles graban "Get Back" y "Don't Let Me Down", caras A y B de su próximo *single.* También recuperan dos antiguas canciones: "Love Me Do" y "One After 909" y registran más versiones de "Dig A Pony", "I've Got A Feeling" y "Teddy Boy".

Es destacable la compenetración entre Los Beatles y Billy Preston en "Get Back" y "Don't Let Me Down". En cuanto a la grabación de "Love Me Do", aparente intento de recuperar la camaradería de antaño, el resultado no fue tan gratificante como podía esperarse. Esta revisión de 1969 tenía más de lento *blues* improvisado que de *re-make* serio. En ella, Paul era el vocal con John como refuerzo. El experimento duró dos minutos y veinte segundos y aunque la idea inicial de "Get Back" consistía en mostrar lo más espontáneo del trabajo de Los Beatles, el nuevo "Love Me Do" resultaría demasiado tosco como para mostrarlo al público.

También se registraron varias *jam sessions* sobre "The One After 909", (cuya primera versión grabada data del 5 de marzo de 1963) y dos demos con Billy Preston.

Al final de la sesión, la cinta recoge conversaciones entre Los Beatles. En ellas comentan si es mejor ensayar, grabar o ambas cosas a la vez. Asimismo cambian impresiones acerca de hasta cuándo deberían continuar filmando y cuáles deben ser las canciones finalmente utilizadas. Los diferentes puntos de vista ponen de relieve que el proyecto "Get Back" no evolucionaba tan bien como debería.

Miércoles, 29 enero:

Grabaciones de "Teddy Boy", de Paul y "The One After 909". También se graba por vez primera el tema de John "I Want You" y una *jam* con "Not Fade Away" y "Mailman, Bring Me No More Blues" de Buddy Holly. El mismo día, Los Beatles recuperan "Bésame Mucho", la canción de Consuelo Vázquez habitual en los conciertos en el Cavern y una de las cuatro canciones interpretadas en su primera visita a los estudios de EMI el 6 de junio de 1962.

La versión aquí grabada aparece en la película y es una parodia en la que la voz de Paul se eleva más de lo normal en una exagerada entonación dramática que logra hacer sonreír a los demás.

Jueves, 30 enero:

Tal y como se decidió el día 26, a sugerencia de Paul, Los Beatles llevan a cabo una actuación en directo en la azotea de Apple. Recordado como el último concierto de Los Beatles, aunque no pueda considerarse estrictamente un concierto como tal, el *show* tuvo una duración de cuarenta y dos minutos, de los cuales tan sólo veintiuno aparecen al final de la película *Let It Be.*

Para filmar la actuación, el equipo de rodaje dispuso cinco cámaras en la azotea y varias más en la calle. Se estudió la posibilidad de colocar una en un helicóptero para obtener planos aéreos, pero estaba prohibido que este tipo de aparatos sobrevolasen Londres. Tampoco hubo tiempo para obtener los permisos necesarios y alquilar un globo.

El concierto comenzó alrededor de las 12.00 del mediodía, recordando los horarios matinales en que solían actuar en el Cavern de Liverpool, pero esta vez la actuación era en medio del frío invierno londinense, acentuado por un persistente viento que se volvía aún más gélido en lo alto de un edificio de oficinas.

La película muestra cómo Paul, Ringo y su esposa Maureen y Billy Preston salen a la azotea donde ya se ha instalado el equipo. Seguidamente aparecen George, Mal Evans, John Lennon y Michael Lindsay-Hogg. Paul prueba la estabilidad del suelo a base de dar botes sobre él y Ringo se queja inútilmente a Mal Evans del lugar donde ha instalado su batería: "Mal, me clavaste en el peor sitio".

Tras comprobar el afinado de sus instrumentos, Los Beatles comenzaron el concierto con "Get Back". El final de la canción es recibido con educados aplausos por parte de los escasos y afortunados asistentes. Paul se vuelve hacia el micrófono y susurra algo acerca de Ted Dexter, el jugador de *cricket* de moda en Gran

Bretaña. John también se acerca al micrófono para decir "We've had a request from Marthin Luther" ("Era una petición de Martin Luther").

A continuación, Los Beatles acometen otra versión de "Get Back", (las dos versiones aparecen en la película) al final de la cual John insiste: "Had a request from Daisy, Morris and Tommy" ("Era una petición de Daisy, Morris y Tommy").

Además de captar a Los Beatles, las cámaras de Lindsay-Hogg tomaron planos de diversos vecinos asomándose a la ventana y aproximándose en lo posible a la azotea, cada vez más concurrida por la afluencia de empleados de Apple. Estas imágenes aparecen intercaladas en la película al tiempo que suena "Get Back", lo mismo que otras en las que vemos cómo los transeúntes de Savile Row comienzan a mirar hacia arriba para saber desde dónde proviene la música, perfectamente audible desde la calle.

Tras "Get Back", Los Beatles interpretan "Don't Let Me Down" (incluida también en la película) y después "I've Got A Feeling" (incluida en el LP y la película). Paul se une a John en el estribillo, así como George. Estos coros de Harrison y los que efectúa tímidamente en "Get Back" son su única aportación vocal en el concierto de la azotea. John pone fin a "Don't Let Me Down" con un "Oh, my soul... so hard" ("Oh, Dios Mío... qué duro").

Las imágenes de "I've Got A Feeling" están también intercaladas con opiniones de los transeúntes abajo en la calle. Así podemos ver a un hombre de mediana edad, vestido con abrigo y sombrero que declara: "Cantan bien, ¿qué más puedo decir?". A continuación aparece una enojada anciana con gafas que exclama: "¡No tiene ningún sentido!". Una chica con abrigo rojo opina que el concierto "Nos alegra las horas de oficina". Un peatón con abrigo gris y aspecto de hombre de negocios afirma: "Este tipo de música está bien en el lugar apropiado, pero no me parece bien interrumpir los negocios de esta manera". Dos chicas con abrigos azules declaran: "Fabuloso, es fantástico". Un sacerdote asegura que: "No está mal tener algo gratis en este país" y finalmente, un hombre de negocios desde el interior de un taxi pregunta: "¿Es su nuevo disco? Lo compraré".

La siguiente canción es "The One After 909" y termina con un sarcástico recitado de John del *standard* de Conway Tiny de 1959 "Danny Boy" ("Oh, Danny Boy, the pipes the pipes are calling"), el momento se recoge en la película y en el disco. Tras esta canción, el espectador ve cómo la calle ya está llena de curiosos mirando a la azotea y puede observarse también a la policía (avisada por un vecino llamado Robert Valentine) que comienza a aproximarse al lugar.

Antes de interpretar "Dig A Pony", John avisa que no recuerda la letra, así que un asistente se coloca de rodillas ante él sosteniendo el texto de la canción. Ringo interrumpe el "One, two, three" de la entrada con un "¡Para!", porque se encontraba distraído tirando un cigarrillo. Cuando está listo comienza la canción que concluye con John diciendo entre los aplausos "Thank You brothers... hands too cold to play the chords" ("Gracias hermanos... tengo las manos demasiados frías como para cambiar de acordes").

Es en "Dig A Pony" cuando la cámara colocada por Lindsay-Hogg en el recibidor de Apple permite mostrar al espectador cómo dos agentes de policía (a los que antes vemos llamar desde el exterior) son recibidos por Mal Evans, quien termina por conducirles a la azotea.

El segundo ingeniero Alan Parsons procedió entonces a poner una nueva cinta tras completarse la primera. Mientras, Los Beatles y Billy Preston interpretaron una versión del "God Save The Queen" recogida en la nueva cinta pero que no apareció ni en el disco ni en la película.

A continuación, Los Beatles ejecutan una nueva versión de "I've Got A Feeling" que tampoco se incluye ni en el álbum ni en la película, como tampoco aparece el "Don't Let Me Down", interpretado a continuación.

Finalmente, Los Beatles interpretan de nuevo "Get Back". John y George interrumpen la canción en el primer estribillo cuando Mal Evans les notifica la presencia de los agentes de policía, que acaban de hacer su aparición en la azotea, pero Paul y Ringo no se inmutan y George y John se unen de inmediato.

Al llegar al final, y tras percatarse de la presencia de los agentes, Paul retoma la canción para improvisar una estrofa en la que canta: "You've been playing on the roofs again, and you know your Momma doesn't like it, she's gonna have you arrested" ("Has estado otra vez jugando en las azoteas y sabes que eso no le gusta a tu mamá! ¡Hará que te arresten!".

"Get Back" concluye y Paul se acerca al micrófono para dirigirse a Maureen Cox agradeciendo sus entusiastas aplausos con un "Thanks, Mo". John añade: "I'd like to thank you on behalf of the group and ourselves and I hope we passed the audition!" ("Me gustaría daros las gracias en nombre del grupo y espero que hayamos pasado la prueba").

Viernes, 31 enero:

El concierto en la azotea de Savile Row fue en realidad la primera de las dos actuaciones que Los Beatles celebraron para poner punto final al proyecto "Get Back", la segunda de ellas tendría lugar en los estudios de Apple este último día de enero de 1969.

En compañía de Billy Preston, el grupo dedicó la sesión a interpretar aquellos temas que no habían tenido cabida en el concierto de la azotea: dos temas de piano, "The Long And Winding Road" y "Let It Be" y un tema acústico, "Two Of Us". También se interpretó una versión de "Lady Madonna" que Glyn Johns llegaría a mezclar para el disco pero que terminaría por ser desechada. En esta sesión, Los Beatles y Billy Preston se colocaron alrededor de una plataforma como lo haría una banda en directo, siendo Paul el centro de atención y de los focos, dado que todas las canciones interpretadas eran suyas.

Estas versiones aparecen en la película con el orden cambiado y excluyendo "Lady Madonna" ("Two Of Us", "The Long And Winding Road" y "Let It Be"). Durante los "Uuh-Uuh" que Harrison y Lennon aportan como coro a "Let It Be", el primero sonríe cómplice al segundo, un resignado John Lennon, que hace lo que le mandan sin despegarse de Yoko.

Al término de esa jornada, el equipo de Michael Lindsay-Hogg recogía cámaras y focos y se llevaba bajo el brazo noventa y seis horas de filmación. La ingente cantidad de metraje se redujo en principio a un primer montaje de doscientos diez minutos que luego quedaron en ochenta y ocho, una vez suprimidas, a instancias de Paul, George y Ringo, numerosas escenas en las que aparecían John y Yoko. Esta versión recibió la aprobación definitiva de Los Beatles en octubre de 1969 y aprovechando la ausencia de Lennon que se mostró inevitablemente dolido: "La cámara estaba allí para Paul y no para los demás Yo me sentía así, y encima los montadores lo hicieron como si tuvieran en mente 'Paul es Dios' y nosotros estuviéramos allí de casualidad. Yo me sentía así y me enteré de que algunas escenas de Yoko conmigo habían sido arrancadas de la película por la simple razón de que esta gente tenía debilidad por Engelbert

Humperdinck, y eso... Me sacó de quicio. Después de haberme sentado durante sesenta sesiones con la gente más estirada y cabezota del mundo me insultaban simplemente por amar a alguien".

En cuanto a la música, las canciones que el espectador podía escuchar durante el largometraje definitivo eran las siguientes:

"Paul's Piano Theme"/ "Don't Let Me Down"/ "Maxwell's Silver Hammer"/ "Two Of Us"/ "I've Got A Feeling"/ "Oh! Darling"/ "One After 909"/ "Piano Boogie"/ "Across The Universe" / "Dig A Pony"/ "For You Blue" /"Bésame Mucho" / "Octopus's Garden"/ "You Really Got A Hold On Me" / "The Long And Winding Road" / "Shake Rattle And Roll-Kansas City-Miss Ann-Lawdy Miss Clawdy"/ "Dig It"/ "Two Of Us"/ "Let It Be"/ "The Long And Winding Road"/ "Get Back"/ "Don't Let Me Down" / "I've Got A Feeling" / "One After 909"/ "Dig A Pony"/ "Get Back".

Muy poco que ver con los temas que luego se incluirían en el LP de la banda sonora oficial. Un álbum que tardaría más de quince meses en llegar a las tiendas. Lamentablemente, el final del tenso proceso de filmación no significaba, ni mucho menos, el final de los problemas.

BANDA SONORA

Cuando terminó el frustrante rodaje de lo que luego sería *Let It Be,* Los Beatles no tenían ningunas ganas de ponerse a escuchar el casi centenar de cintas grabadas durante cuatro semanas de desgaste personal. Decididos a desentenderse por completo del proyecto, el 5 de marzo Paul y John se pusieron en contacto con Glyn Johns para hacerle entrega tan sólo de las cintas que habían sido grabadas en los estudios de Apple, reservándose las registradas en Twickenham.

Con plena libertad para sacar de ellas un LP, Johns (probablemente con la colaboración de George Martin) seleccionó entre marzo y mayo en los Olympic Studios las canciones del álbum *Get Back,* disco que no llegaría a salir a la venta, aunque se distribuyeron diversos ejemplares a las emisoras de radio norteamericanas.

Tal y como John había propuesto, la portada de *Get Back* presentaba la foto realizada por Angus McBean en las escaleras de EMI. En cuanto a las canciones, la selección de Glyn Johns incluía las siguientes: "One After 909", "Rocker", "Save The Last Dance

For Me", "Don't Let Me Down", "Dig A Pony", "I've Got A Feeling", "Get Back", "For You Blue", "Teddy Boy", "Two Of Us", "Maggie Mae", "Dig It", "Let It Be", "The Long And Winding Road" y "Get Back (Reprise)".

El resultado no satisfizo a Los Beatles, que se negaron a dar permiso para que el álbum saliera a la venta. En lugar de eso, en julio del 69 se volcaron en la grabación del LP *Abbey Road,* álbum grabado con la intención de dar lo mejor de sí mismos antes de disolver el grupo y que se publicó el 26 de septiembre de 1969.

En diciembre, Glyn Johns se encierra de nuevo en los estudios Olympic para realizar una segunda selección del material. El resultado es un álbum llamado *Let It Be (And 10 Other Songs).* El disco contenía las mismas canciones que el anterior, aunque con los añadidos de "I Me Mine" y "Across The Universe" y prescindiendo esta vez de "Teddy Boy". Johns había cambiado el título *Get Back* por *Let It Be,* denominación que, irónicamente, describía a la perfección el hastío y desintegración reinantes. El nuevo disco tampoco fue del agrado de Los Beatles.

En la entrevista concedida a la revista *Rolling Stone* en diciembre de 1970, John declararía: "La cinta que se grabó quedó como la versión que apareció en los discos piratas. Glyn Johns hizo las mezclas y nosotros no quisimos saber nada, se lo dimos y dijimos: 'Ahí queda eso. Hazlo'. Fue la primera vez, desde el primer disco, que no tuvimos ninguna participación. Nadie se molestó en absoluto. Ni Paul. Ni siquiera nos llamamos y las cintas se quedaron allí. Luego, a cada uno nos enviaron una prueba. Nos llamamos y dijimos: '¿Qué te parece? Bueno. Que salga'. Estábamos asqueados e íbamos a sacarlo en unas condiciones lamentables. No me importaba, incluso pensaba que era mejor así para que la gente se diera cuenta de lo que pasaba, cuál era la atmósfera que se respiraba en *Let It Be.*

Tentados de olvidar para siempre el proyecto pero conscientes de que habían invertido demasiado tiempo y dinero, fueron John y George quienes optaron finalmente por prescindir de los servicios de Glyn Johns y contratar al productor Phil Spector. Nacido en Nueva York en 1940, músico adolescente y ególatra excéntrico, Spector se volcó en la producción musical a principios de los sesenta y logró su mayor esplendor a mediados de la década con numerosos éxitos como "Be My Baby", de las Ronettes, "Da Doo Ron Ron", de The Crystals o "Unchained Melody" de Righteous

Brothers, temas en los que consolidó un peculiar estilo de producción que él mismo definió como "muro de sonido".

Según recuerda John: "Cuando Spector vino trabajó como un cerdo. Siempre había intentado trabajar con nosotros y lo que al final consiguió fueron las peores grabaciones del mundo. Logró sacar algo decente de aquello. Hizo una labor buenísima. En cierto modo, pensé que era preferible este resultado, ya que así se rompía el mito de Los Beatles, presentándonos sin pantalones, sin maquillaje y sin ilusiones. Algo como 'Somos así. ¿Podemos dejarlo ya?'. Pero no fue esto lo que ocurrió. Terminamos haciendo *Abbey Road* a toda velocidad y sacando algo presentable para salvar el mito".

Entre el 23 de marzo y el 2 de abril de 1970 (tan sólo siete días de trabajo), Spector redujo *Let It Be* a 12 canciones, introduciendo coros femeninos y arreglos orquestales en algunas de ellas y prescindiendo de la idea original de hacer un disco en el que se escuchase a Los Beatles tocar en directo con la mayor sencillez posible. Éstas eran las canciones:

TWO OF US

Paul compuso la canción que abre el LP inspirándose en él y Linda, si bien algunos fragmentos de la letra parecen ser un sutil guiño a su vieja amistad con John ("You and I have memories, longer than the road that stretches out ahead" "Tú y yo tenemos recuerdos más largos que el camino que se estrecha ante nosotros"). La grabación que aparece en el álbum corresponde al 31 de enero de 1969 en Apple, tras los ensayos del día 24 y 25 y al día siguiente del concierto de la azotea y Spector prefirió esta versión pausada en lugar de la vivaz y eléctrica que Lennon y McCartney también interpretan en la película.

Paul cantó y utilizó una guitarra acústica Martin D-28. John también toca una acústica y refuerza la voz de Paul mientras Ringo toca la batería. No se utilizó bajo en la canción y en su lugar George tocó notas bajas a la guitarra solista.

Justo antes de "Two Of Us", lo primero que el oyente del disco escucha es la frase de John registrada en Apple el 25 de enero: "'I Dig A Pigmy', by Charles Hawtrey And The Deaf Aids. Phase One, in wich Doris gets her oats". ("'Pasión por un pigmeo', de Charles Dawtrey y Los Sonotones. Fase Uno, en la que Doris folla".) Charles Hawtrey era uno de los protagonistas de la saga cinematográfica "Carry On".

DIG A PONY

Alegremente definida por Lennon como "otra porquería", "Dig A Pony" resulta de la unión de la canción así titulada y del tema "All I Want Is You" que John sólo tenían esbozado. La grabación que se incluye en el disco pertenece a la actuación de la azotea de Apple el 30 de enero, aunque Phil Spector eliminó la frase "All I want is you" que Lennon incluía al principio y al final.

John está a la guitarra solista y voz, Paul al bajo y segunda voz, George guitarra rítmica, Ringo batería y Billy Preston al órgano.

ACROSS THE UNIVERSE

Grabada originalmente el 4 de febrero de 1968 en Abbey Road, con algunos *recordings* el día 8. Con el tempo ligeramente acelerado, la canción no se utilizó hasta su inclusión en el álbum benéfico *No One's Gonna Change My World* editado por la World Wildlife Fun, publicado en diciembre de 1969. En dicha versión John y Paul decidieron incluir segundas voces en falsete, asi que McCartney salió a la calle e invitó a dos *fans* que se encontraban a las puertas del estudio a participar en la grabación. Los nombres de las chicas eran Lizzie Bravo y Gayleen Pease y, según John, el resultado fue: "Una auténtica mierda, porque yo cantaba desafinado y en lugar de buscar a un coro decente, cogimos a aquellas chicas que también desafinaban. Nadie estaba interesado en cantar la melodía original". Mucho después, el 2 de octubre del 69, se aceleró la canción y se incluyeron efectos de aves volando y sonidos de animales salvajes.

En la posterior versión incluida en *Let It Be*, Phil Spector redujo el *tempo,* añadió cuerdas y prescindió de los efectos y los coros en falsete de las *fans.* John canta y toca guitarras acústica y solista además del órgano. Paul está al piano y George utiliza la guitarra solista con pedal "wah-wah". Ringo toca batería y maracas y George Martin también toca el órgano con John.

Concebida inicialmente como cara A de *single* y sustituida luego por "Lady Madonna", "Across The Universe" es una de las canciones favoritas de John, que quedó muy satisfecho de la letra aunque no tanto de la grabación. Según su autor, el tema surgió una madrugada cuando se encontraba en la cama y no podía dormir después de una discusión con Cynthia, su primera esposa.

"Bajé las escaleras y aquello se convirtió en una especie de canción cósmica más que una canción de cabreo... Me sacó de la cama. Yo no quería escribirla, sólo estaba irritado y fui abajo, pero no pude volver a la cama hasta que la terminé".

Según su amigo Pete Shotton, Lennon escribió la canción una mañana de 1967, cuando tras levantarse a las siete de la mañana se le ocurrieron los versos "Pools of sorrow, waves of joy" ("Charcos de tristeza, olas de alegría") a los que fue añadiendo los siguientes.

I ME MINE

Escrita por George Harrison, la melodía se le ocurrió tras escuchar por televisión una canción interpretada por una banda de marchas austríaca. Según su autor, la letra es en torno al problema del ego: "Después de tomar LSD miré a mi alrededor y todo lo que veía tenía que ver con mi ego, ya sabes: 'mi hoja de papel', 'mi ropa', 'yo soy'. Me volvió loco porque odiaba todo lo que tenía que ver con mi ego. Supuso un *flash* sobre todo lo falso y precario que tanto me desagradaba."

Cuando en el montaje de la película se decidió incluir el ensayo de la canción (con John y Yoko bailando a ritmo de vals), Los Beatles tuvieron que regresar al estudio para grabarla correctamente. Registrada el 3 de enero de 1970 en Abbey Road, sin la participación de John, Phil Spector añadiría orquestación y coros el 1 de abril.

Paul tocó el piano y aportó la segunda voz, Ringo tocó la batería y Billy Preston el órgano. George cantó y se ocupó de la guitarra acústica y solista.

En la versión que aparece en el disco, Spector eliminó un fragmento de claras reminiscencias flamencas que sí puede apreciarse cuando se interpreta la canción en el film.

George también titularía *I Me Mine* su libro autobiográfico publicado en el Reino Unido en 1981.

DIG IT

Firmada a partes iguales por Lennon-McCartney-Harrison-Starr es tan sólo un acompañamiento improvisado sobre una letanía de nombres e instituciones que John asimismo improvisó sobre la marcha y que van desde el presidente del club de fútbol

Manchester United, Matt Busby, hasta Doris Day, pasando por la CIA y la BBC.

Grabada el 24 de enero del 69 en Apple y regrabada el 26, la interpretación original duraba doce minutos y veinticinco segundos. Tomando la versión del segundo día, la película incluye los últimos tres minutos y veintiseis segundos y el álbum el fragmento comprendido entre el minuto 8.52 y el 9.41. En la versión para el álbum *Get Back,* Glyn Johns incluyó ocho minutos y cincuenta y dos segundos de la canción.

John canta mientras Paul toca el piano, George la guitarra solista, Ringo la batería y Billy Preston el órgano con George Martin a la percusión. Al final escuchamos a John la frase: "That was 'Can You Dig It' by Georgie Wood, and now we'd like to play 'Hark The Angels Come' ("Esto era 'Can You Dig It', de Georgie Wood, y ahora nos gustaría interpretar 'Hark The Angels Come'"), pronunciada al final de la versión del 24 de enero. Georgie Wood era un conocido comediante británico y la frase de John puede escucharse tanto en el LP *Let It Be* como en el *Get Back* producido por Glyn Johns.

LET IT BE

Escrita por McCartney pensando en su madre, fallecida cuando él tenía sólo catorce años, la grabación comenzó en Apple el 25 de enero del 69. El registro de las versiones para el *single* y el álbum se hizo el 31 de enero, añadiéndose pistas el 30 de abril y también el 4 de enero de 1970 en lo que sería la última sesión de grabación de Los Beatles y a la que no asistió Lennon. Paul se quejaría posteriormente del poco interés de John hacia dos canciones como "Let It Be" y "The Long And Winding Road" que significaban mucho para él.

En el *single* (producido por George Martin) Paul es voz solista y piano, John está a los coros y al bajo. George también hace coros y toca la guitarra solista y Ringo está a la batería, mientras Billy Preston se ocupa del órgano.

En la versión del álbum (con producción de Spector) no participó Billy Preston y se incluye una pista de acompañamiento orquestal. En ambas versiones, George toca distintos solos de guitarra solista. En ésta, Harrison utilizó una Lesley que en ocasiones hace efecto de órgano. Para el *single* se recurrió al solo añadido el

30 de abril de 1969 y para el álbum el añadido el 4 de enero de 1970.

El *single* editado en el Reino Unido el 6 de marzo de 1970, alcanzó el noveno puesto en las listas del día 11 y se aupó hasta el n° 3 la semana siguiente. En Estados Unidos el mismo *single* se publicó el 11 de marzo, permaneciendo en el n° 1 durante dos semanas y manteniéndose en total trece semanas en lista. Las ventas llegaron al millón de copias en un mes para superar posteriormente el millón y medio.

Para promocionar el *single* "Let It Be", Apple distribuyó para algunas cadenas de televisión un *clip* de 16 milímetros en color mostrando una de las nueve tomas de la canción grabada y filmada el 31 de enero, pero con imágenes diferentes a las de la película y entre las que se incluían algunas secuencias correspondientes a las interpretaciones de "Two Of Us" y "The Long And Winding Road".

MAGGIE MAE

Se trata de una canción tradicional de Liverpool acerca de una popular "Reina de la noche" de Lime Street. Los Beatles la habían cantado desde los inicios de su carrera en privado o bien para calentar la voz antes de los conciertos o en las sesiones de grabación. Incluso John Lennon la había interpretado con su grupo, Los Quarrymen, en una actuación en Liverpool el día 6 de julio de 1957, momentos antes de conocer a Paul McCartney.

La versión recogida en el álbum *Let It Be* corresponde a una grabación espontánea en Apple, el 24 de enero de 1969, entre algunas tomas de "Two Of Us". John es la voz solista y toca la guitarra acústica, Paul, también a la acústica, hace la segunda voz. George aporta segunda voz y bajo y Ringo batería. En los créditos del álbum Lennon-McCartney-Harrison-Starkey figuran como "Traductores y arreglistas".

I'VE GOT A FEELING

La canción surge de la unión de un fragmento compuesto por Paul "I've Got A Feeling" y otra canción inconclusa de John "Everybody Had A...". En la película podemos ver los ensayos del tema en Twickenham con un eufórico McCartney que indica a Lennon cómo quiere que suene exactamente el solo descendente.

La grabación de "I've Got A Feeling" incluida en el álbum corresponde al concierto en la azotea de Apple el 30 de enero del 69 y como tal Paul es voz solista y bajo, John voz solista y guitarra solista, George guitarra rítmica, Ringo batería y Billy Preston toca el órgano.

ONE AFTER 909

También grabada en la azotea de Apple, se trata, como Paul explica en la película, de una de las primeras canciones que él y John compusieron aprovechando una escapada del colegio. El tema formó parte del repertorio en directo de Los Beatles en los inicios de su carrera y en la versión que se incluye en *Let It Be* la formación instrumental es idéntica a la del tema anterior.

THE LONG AND WINDING ROAD

Escrita por Paul y grabada en directo el 31 de enero de 1969 en Apple, último día de rodaje, tras los ensayos del día 26, Phil Spector añadió engoladas secciones orquestales y corales a la toma 19 de la canción, acabando con el sonido intimista que McCartney deseaba. Estos arreglos de Spector desataron la ira de su autor, quien volvería a grabar "The Long And Winding Road" a su gusto en más de una ocasión a lo largo de su carrera en solitario. Al parecer Paul intentó recuperar la versión original del tema pero su solicitud fue rechazada por Allen Klein. Según Lennon, tardó demasiado en reclamar sus derechos. Muchos consideran que este incidente fue la gota que colmó el vaso y decidió a McCartney a abandonar a Los Beatles.

También para muchos, "The Long And Winding Road" es en realidad una metáfora de la trayectoria del grupo desde el punto de vista de un McCartney resignado que ya no encuentra forma de mantener unidos a sus compañeros. De hecho, Paul manejó de nuevo este título provisional años más tarde para una hipotética revisión de la historia de Los Beatles.

En la película, McCartney interpreta la canción lo mismo que "Let It Be", de manera marcadamente sentida y mirando directamente a la cámara de Lindsay-Hogg.

La versión de LP y *single* son diferentes y se distinguen porque en el álbum McCartney canta la frase "Anyway, you'll never know" y en el *single* dice "Anyway, you've always known".

FOR YOU BLUE

Escrita por George para su esposa Patti y bautizada provisionalmente como "George's Blues", se trata, según su autor, "de una
simple canción de doce compases que sigue todos los principios al
uso, sólo que es despreocupada". Grabada el 25 de enero de 1969
en Apple, George toca la guitarra acústica con una cejilla en el
quinto traste, Ringo la batería, Paul el bajo y el piano y John la *slide
steel guitar*. En la película es el primer tema que Los Beatles interpretan ya en los estudios Apple. Sus compases se escuchan mientras se les ve llegar por separado al nº 3 de Savile Row y a continuación la cámara nos sitúa en el interior del estudio ante George
cantando al micrófono.

GET BACK

Escrita por Paul, la canción que en principio iba a dar título al proyecto surgió, al parecer, a raíz de un comentario en los periódicos
sobre la inmigración en el Reino Unido. De hecho, en una versión
pirata del tema se escucha a McCartney cantando una letra que
dice: "Don't dig no pakistanis taking all the people's job" ("No me
gustan los pakistaníes que están quitando el trabajo a la gente").
Paul se defendió de cualquier tipo de matiz racista en este texto,
alegando que lo que hizo fue un verso en contra de que los pakistaníes fueran apiñados en reducidos pisos del ayuntamiento.

En cualquier caso, la letra definitiva de la canción iría por otros
derroteros. McCartney asegura que "fue surgiendo como si nada,
escribiendo palabras aquí y allá mientras estábamos sentados en el
estudio. La grabamos en Apple y la convertimos en una canción
para ir tirando." Para John "Get Back" no pasaba de ser un *rema-
ke* de Lady Madonna: "Una versión mejorada para ganar dinero...
Creo que en parte se refiere a Yoko. Cuando dice 'get back to
where you once belonged' ('Regresa al lugar al que perteneciste').
Siempre que Paul cantaba este verso en el estudio miraba a Yoko".

Producida por George Martin y Phil Spector, la versión del
álbum se grabó en el concierto de la azotea de Apple con Paul al
bajo y voz solista, George a la guitarra rítmica y Ringo a la batería.
John se ocupó esta vez de la guitarra solista y del solo: "Cuando
Paul se sentía generoso me daba un solo. A lo mejor se sentía culpa-
ble porque tenía acaparadas la mayor parte de las caras A o algo así

y entonces me daba un solo". Billy Preston aportó el piano y de hecho afirma ser el autor de la frase musical de teclados que sirve de introducción al tema. La versión del *single* se grabó el 28 de enero y se incluye un verso adicional improvisado por McCartney. La duración excesiva para un *single* se disminuyó prescindiendo de un fragmento musical con algunos "ho-hos" de Paul que sí se escuchan al final del largometraje mientras aparecen los títulos de crédito.

"Get Back" fue remezclada el 7 de abril de 1969 después de que Los Beatles escuchasen el tema en la radio, en una copia facilitada a dos *disc-jockeys* poco antes de su publicación y que no satisfizo a sus autores. El *single* definitivo tenía que haber salido a la venta el 11 de abril, pero las nuevas mezclas retrasaron algunos días su aparición. Cuando se publicó, el cartón central exhibía la etiqueta "The Beatles con Billy Preston". La confusión sobre el rol de Glyn Johns (no considerado como ingeniero de Los Beatles sino como supervisor de sonido de la película) y el incierto papel de George Martin en aquellos días, propiciaron que el *single* saliera a la calle sin especificar en absoluto quién era el productor de la canción.

Coincidiendo con la publicación del *single* "Get Back"/ "Don't Let Me Down", Apple distribuyó a algunas cadenas de televisión imágenes promocionales en 16 milímetros correspondientes al rodaje dirigido por Lindsay-Hogg. Ninguna contenía metraje correspondiente al trabajo de estudio realizado el 28 de enero pero eran diferentes a las incluidas en el montaje definitivo de *Let It Be*. Las correspondientes a "Get Back" correspondían a la actuación de la azotea y las de "Don't Let Me Down" combinaban momentos de dicho concierto con imágenes rodadas en Twickenham.

Tras completar las mezclas de *Let It Be* Spector hizo llegar a cada uno de Los Beatles una copia del álbum, acompañada de una larga carta en la que detallaba los motivos de cada una de las modificaciones introducidas. Inmersos ya en diferentes proyectos en solitario, ninguno de los cuatro pondría objeciones a la edición del disco a excepción de Paul. Herido por el tratamiento que Spector había dado a "The Long And Winding Road", se negó a retrasar la edición de su álbum en solitario, *McCartney* para evitar la coincidencia de fechas con *Let It Be.* Ni siquiera la mediación de Ringo, el único que entonces mantenía buenas relaciones con él, sirvió para persuadir a Paul. Su álbum *McCartney* se adelantó, apareciendo en abril acompañado de una declaración en la que anunciaba públicamente que abandonaba a Los Beatles. Era el 10 de abril de 1970.

Con quince meses de retraso y Los Beatles separados *Let It Be* salió a la calle el 8 de mayo y ocupó el nº 3 de las listas una semana después, llegó al nº 1 el 3 de junio y se mantuvo allí tres semanas. Luego, permaneció dos en el nº 2, subió al 1 de nuevo una semana, bajó al tercer puesto y regresó al nº 1 dos semanas más.

En Estados Unidos, el álbum se editó el 18 de mayo de 1970 con 3.700.000 copias de pedidos anticipados, los mayores de la industria discográfica norteamericana. Llegó al nº 2 a principios de junio y la semana siguiente alcanzó el 1, puesto en el que se mantuvo durante cuatro semanas.

La edición original del álbum en el Reino Unido se acompañaba de un libro titulado *The Beatles Get Back*. Publicado por Apple, reunía una amplia colección de fotografías, en su mayoría en color, tomadas por Ethan A. Russell durante el rodaje en Twickenham, Apple, y en la actuación de la azotea, incluyendo muchas imágenes de Los Beatles excluidas del montaje final. Diseñado por John Kosh y producido por Neil Aspinall, el libro se completaba con algunos diálogos entre Los Beatles y Michael Linday-Hogg.

Let It Be llegó a los cines de Nueva York el 13 de mayo de 1970. Una semana después, el día 20 se estrenaba en el London Pavillion de Londres sin la asistencia de ninguno de los ya "exBeatles". Quienes sí asistieron a la *premiere* fueron la que había sido novia de Paul, Jane Asher, y la primera mujer de John, Cynthia Powell. En España, *Let It Be* se hizo esperar más de un año, no se estrenó en Madrid hasta el 19 de noviembre de 1971, en versión original subtitulada y en el Cine California. Más de un mes después y también subtitulada, la película se presentó en el Cine Aquitania de Barcelona, el 29 de diciembre.

La crítica recibió *Let It Be* sin demasiado entusiasmo. En el *Daily Express,* Ian Christie escribía: "Es obvio que McCartney es el director de la orquesta y que Yoko Ono no tiene otra intención que la de no separarse más de dos pulgadas de Lennon. Aparte de estos detalles triviales, el film no ofrece mucha más información sobre el grupo. En *Rolling Stone,* Michael Goodwin señalaba: "Una de las delicias de una película hecha por un buen director es que puedas verla relajado, sabiendo que quien la dirige tiene todo bajo control. En *Let It Be* el espectador está haciendo el trabajo que Lindsay-Hogg debería haber hecho. Los planos cortos de la nariz de Paul o de las amígdalas de John están presentes durante toda la película. Debía haber tomado lecciones de Warhol sobre documentales".

Para Patrick Gibbs, del *Daily Telegraph:* "La escena transcurre en un estudio de grabación o en una sala de ensayos, con aparatos electrónicos, luces y colores. Normalmente los artistas no muestran al público la preparación de sus nuevos trabajos". Por su parte, en el *Evening Standard,* Alexander Walker subrayaba: "Yoko parece Lady Machbeth".

Let It Be fue galardonada por la Academia de Hollywood con un Oscar 1970 a la mejor banda sonora adaptada, imponiéndose a las películas *A Boy Named Charlie Brown (Carlitos y Snoopy), The Baby Maker (Un Bebé Para Mi Esposa) y Darling Lili y Scrooge (Muchas Gracias, Mr. Scrooge).*

Testimonio en cierta medida voluntario del final de una era, *Let It Be* ponía un punto final no demasiado brillante a las cinco películas, completamente diferentes entre sí, que integran la carrera cinematográfica de Los Beatles iniciada en 1964 con *A Hard Day's Night.*

Precisamente resulta paradójico observar el estallido jovial, la ilusión y la camaradería de grupo que reflejan Los Beatles en aquel debut cinematográfico en comparación con la apatía, la desunión y los celos que *Let It Be* pone de relieve tan sólo cinco años después.

—II—
EL CINE DE JOHN LENNON

CÓMO GANÉ LA GUERRA. 1966

How i won the war

Dir: Richard Lester

Cuando en agosto de 1966 Los Beatles decidieron no volver a actuar en directo y abandonar temporalmente cualquier actividad conjunta, fue John Lennon el que más acusó la separación. Tras disfrutar de un fugaz período de alivio sin el acoso de los medios y las *fans,* pronto se sintió perdido. Aunque le llovían ofertas para escribir libros, componer bandas sonoras o ceder dibujos para exposiciones, por vez primera en muchos años no sabía qué hacer con tanto tiempo libre: "Basta de giras... vivir sin Los Beatles. Es como si se abriese un espacio negro en el futuro", pensaba. Fue entonces cuando Richard Lester le invitó a trabajar en *How I Won The War (Cómo gané la guerra).* La primera y única película de John Lennon como actor.

Con guión de Charles Wood, habitual colaborador de Lester en títulos como *The Knack, Cuba* o *Help!, How I Won The War* estaba basada en una novela de Peter Ryan publicada en 1963 y que versaba sobre la absurda glorificación de la guerra.

La película estuvo protagonizada por Michael Crawford y el reparto incluyó también a Roy Kinnear, actor que ya había trabajado en *Help!* en el papel del torpe ayudante del Dr. Algernon.

John interpretó el papel del cleptómano soldado Gripweed. Un cómodo personaje secundario que no exigía demasiada responsabilidad y le permitiría librarse de la rutina de estar en casa con Cynthia, su mujer: "Sin saber qué demonios hacer en todo el día".

La prensa se hizo eco de la participación de Lennon en *How I Won The War* el 3 de agosto. El 3 de septiembre, John partía en compañía de Cynthia y Neil Aspinall rumbo a la ciudad alemana de Hannover; a pocos kilómetros estaba la pequeña localidad de Celle, donde daría comienzo el rodaje. Al día siguiente la prensa de todo el mundo destacó el nuevo corte de pelo militar del *beatle.* Sorprendentes fotos del propio Richard Lester manipulando la tijera subrayaban el audaz adiós a la melena y el flequillo que habían revolucionado el mundo. Una ruptura simbólica que contribuía a echar más leña al fuego del rumor que barruntaba una separación definitiva de Los Beatles. El nuevo *look* de John se completaba con unas gafas ovaladas con armazón de alambre muy similares a las que ya utilizaría durante toda su vida.

El rodaje de *How I Won The War* duró ocho semanas y, dado que su presencia constante no era necesaria, John tuvo tiempo para acercarse un día hasta Hamburgo en compañía de Neil Aspinall y recorrer muchos de los lugares que Los Beatles habían frecuentado diez años atrás, cuando eran unos completos desconocidos para el mundo. Poco después, en la tarde del jueves 15 de septiembre, hicieron otra escapada en tren hasta París, donde pasaron el fin de semana con Paul y Brian Epstein.

El lunes John debía reincorporarse al rodaje que iniciaba su segunda fase con exteriores localizados en España, concretamente en Almería, lugar ideal para simular los desiertos del norte de África que aparecerían en la película. El domingo 18, Neil y John aterrizaron en el aeropuerto de Málaga, procedentes de Francfort y con destino a Almería, donde ya se encontraba Lester y las treinta personas que integraban el equipo.

Durante mes y medio John y Cynthia se alojaron en una casa palaciega compartida con el actor Michael Crawford y su esposa Maureen en la localidad de Santa Isabel, junto a la playa de "El Zapillo" y próxima a los escenarios de Carboneras, el desierto de Tabernas, las dunas de Cabo de Gata y Guardias Viejas que sirvieron de paisaje a numerosas escenas.

La presencia de John Lennon en la ciudad tan sólo se recogió en un escueto teletipo despachado por la agencia Cifra y fechado en Málaga el 20 de septiembre de 1966. La nota subrayaba el reciente rapado del *beatle* por exigencias del guión y afirmaba que una revista británica había repartido los mechones de John entre sus *fans*. El diario *La Voz De Almería* contaba cómo la película versaba sobre las peripecias de unos soldados que desean construir un campo de *cricket* en plena línea de fuego.

El único periodista que se desplazó hasta Almería para entrevistar a Lennon fue Tico Medina. Lo encontró con su uniforme de combate en pleno desierto, protegiéndose del sol en el interior de su Rolls Royce traído especialmente desde Londres.

Según recuerda Medina, John leía un libro de Bernard Shaw y escuchaba música de Bach, con las puertas del coche abiertas de par en par y marcando el ritmo con un tenedor de hojalata. Tico Medina le preguntó por Paul, George y Ringo:

"¿Los otros tres? Bueno, están cada uno por su lado. Nos hemos tomado un tiempo para no cansarnos de estar juntos. Hay que pensar seriamente que algún día nos tendremos que separar.

John Lennon junto a Roy Kinnear en *How I won the war (Cómo Gané La Guerra)*. Su papel del cleptómano soldado Grigweed no terminó de satisfacer al *beatle. Fuente:* Bristish Film Institute.

Tal vez nos paremos, pero hay mucho por hacer, juntos o separados. Ahora estamos en el mismo ojo del huracán, pero vemos que hay cosas que están pasando por culpa nuestra y de las que en realidad no somos responsables. Yo tardé cinco años en convertirme en un *beatle.* Ahora debemos pensar en guardar toda esa energía para convertirnos en aún no sabemos qué".

Pocos días después el "Mosquetero Gripweed", recibió la visita de Ringo y Maureen, que se quedaron varios días. Habitualmente frecuentaban en el ya desaparecido restaurante "El Manzanilla", un típico local andaluz de moda entre las estrellas extranjeras de la época y en el que se podían degustar suculentas mariscadas por menos de doscientas pesetas:

"Lennon comía allí todos los días", recuerda Ismael Munguía, entonces *cheff* del restaurante. "Llegaba en un coche enorme y muy raro, de los que nunca se habían visto por allí y al principio no sabíamos ni quién era. Unos días después apareció Ringo y entonces nos dimos cuenta que se trataba de Los Beatles".

"John Lennon traía gafas redondas y unos pelos... desde luego no eran de peluquería porque los llevaba muy 'espantaos'. Recuerdo que a veces se mostraba como ausente, como distraído o de mal genio. Ringo era diferente. Nos explicó que John estaba liado con su música, que preparaba un disco, o algo así, y que andaba preocupado con la letra de una canción que no le terminaba de cuadrar."

En aquellos días, Cynthia Lennon se vio involucrada en un aparatoso accidente de tráfico en la carretera que llevaba a Cabo de Gata. Ocurrió cuando Douglas Kirkland, el chófer que la trasladaba, atropelló a un joven en bicicleta dejándole sin sentido. A consecuencia del impacto, la víctima, de nombre Enrique Medina, permaneció hospitalizado dos meses y resultó incapacitado para el Servicio Militar al quedar con una pierna un centímetro y medio más corta. El juzgado municipal n°1 de Almería condenó a los ocupantes del vehículo a pagar una multa de cinco mil pesetas por imprudencia temeraria e indemnizar a Medina con setenta mil pesetas.

El día 9 de octubre, John celebró su veintiseis cumpleaños en la casa de la playa, con una fiesta por todo lo alto a la que asistió el equipo de rodaje al completo. La celebración contó con la actuación del famoso guitarrista almeriense José Fernández Rocholy: "No sé cómo llegué hasta allí", recuerda. "De lo que sí estoy seguro es de que toqué mucho aquella noche, algunas cosas de Falla y Albéniz, que era lo mío, y algunas cosas por soleás que me pidieron. John Lennon se sentó a escucharme como uno más y cuando terminé me llevó aparte para que tocase un rato para él. Sentí no poder comunicarme en su idioma y que él tampoco conociera el mío. Después de mucho rato, Ringo, que también estaba por allí, dijo algo así como 'pues yo no me voy a dormir' y se tiró a la piscina vestido.

Pero a pesar de la compañía de sus amigos, John no pudo evitar aburrirse durante aquel mes y medio en los desiertos de Almería. No soportaba las largas pausas del rodaje, matando el tiempo en su camerino rodante o sentado en su silla de lona bajo el ardiente sol a la espera de intervenir en la próxima toma. En una de aquellas pausas y huyendo del tedio, John aprovechó para escribir "Strawberry Fields Forever", detalle este último que Richard Lester pone en duda:

"Creo que a John no le gustaba demasiado actuar", recuerda Lester. "Me refiero a ponerse delante de las cámaras, repetir las tomas y todo eso, pero aguantó estoicamente hasta el final del rodaje. En cuanto a que en aquellos días compusiera 'Strawberry

Fields Forever' no lo creo. La única referencia a la película está en su canción 'A Day In The Life', donde dice 'Hoy ví una película. El Ejército Británico acababa de ganar la guerra'."

Terminada su intervención el día 6 de noviembre, John voló de vuelta a Londres desde Madrid el 7. Posteriormente, el resto del equipo daba por concluido el rodaje con algunas escenas rodadas en las afueras de la capital británica.

Aún así la post-producción de *How I Won The War* fue larga, añadiéndose efectos de sonido y música en Twickenham desde el 11 de febrero hasta el 3 de marzo del 67. John asistió al menos una vez a estas sesiones para grabar su voz, con efectos de *overdub,* si bien no hay datos precisos de las fechas en que lo hizo.

Calificada por Richard Lester como la favorita de su filmografía y su debut como productor, además de director y para United Artists, *How I Won The War* (traducida literalmente en España por *Cómo Gané La Guerra)* era una comedia negra antibelicista que recogía las peripecias de un grupo de soldados británicos a los que se les ordena construir un campo de *cricket* en el frente durante la Segunda Guerra Mundial. Desde su reclutamiento, el batallón, siempre al mando del oficial encarnado por Michael Crawford, se veía involucrado en diferentes refriegas. Las diversas situaciones daban lugar a breves reflexiones mirando a la cámara en las que se ponía de relieve el absurdo del conflicto.

El argumento estaba trufado de escenas de oscura comicidad, como aquella que tiene lugar en el norte de África, cuando Crawford explica a sus hombres cómo se utiliza uno de los triángulos amarillos de señalización y al hacerlo llama la atención de un avión alemán que, de inmediato, descarga sobre él sus ametralladoras. A medida que se sucedían las escaramuzas con el enemigo y aumentaban las bajas, los soldados muertos de ambos bandos permanecían dentro de la acción, pero transformados desde entonces en seres uniformados de color completamente azul o rosas y que permanecían en silencio. Según Richard Lester, su intención era hacer un *Lawrence de Arabia* a pequeña escala.

Al final de la película el propio soldado Griwpeed interpretado por Lennon se convertía en uno de aquellos "difuntos azules" después de que una bomba estallase a sus pies. En la escena le vemos correr por el campo de batalla hasta que el artefacto hace explosión. John cae sentado al suelo aparentemente ileso, pero pronto la cámara se acerca y vemos cómo se sujeta una herida sangrante en el estómago, al tiempo que, con los ojos mirando a la cámara se dirige a los espectadores diciendo: "Ustedes sabían que esto pasaría. Y yo también lo sabía".

El ideal pacifista que trasmitía la película fue otro de los motivos que llevaron a John a participar, después de mucho tiempo en que Brian Epstein prohibió a Los Beatles pronunciarse públicamente sobre la guerra de Vietnam. Aprovechando *How I Won The War,* John declaró: "Odio la guerra. Si hay otra guerra yo no lucharé y trataré de decir a los más jóvenes que tampoco lo hagan".

Tras el largo montaje, *How I Won The War* se estrenó en el London Pavillion de Londres el 18 de octubre de 1967 con la asistencia de los cuatro Beatles.

En una evidente jugada oportunista para promocionar el film, United Artists publicó, cinco días antes del estreno, un *single* con una canción que llevaba por título "How I Won The War" supuestamente interpretada por "El Mosquetero Gripweed y el Tercer Escuadrón". La pretendida "canción" no era otra cosa que fragmentos de la música escrita por Ken Thorne para la película, mezclada con efectos y diálogos extraídos del *soundtrack,* incluido uno en el que podía distinguirse la voz de John durante un par de segundos.

La crítica definió *How I Won The War* como un film corrosivo aunque desigual. En cuanto a John, si bien la mayor parte de las crónicas alabaron su trabajo ante la cámara, no fueron pocos los afirmaron que Lennon actuaba por debajo de sus posibilidades. Él mismo no quedó demasiado satisfecho del resultado y su papel le pareció demasiado breve y poco interesante. Cuando más disfrutó fue en el momento de rodar su propia muerte, escena que, durante la proyección, provocó a su esposa Cynthia un verdadero *shock* nervioso. Al término de la película, todavía con lágrimas en los ojos, le dijo a John que él tendría exactamente ese aspecto cuando muriera.

En España, el estreno de *How I Won The War* supuso un auténtico fracaso comercial aunque tras el asesinato de John se repuso con éxito, en filmotecas y cine-estudios. Durante mucho tiempo, *How I Won The War* desapareció tras la quiebra de Peter Shaw Films, la productora original. Posteriormente, C.B. Films, la encargada de los derechos de explotación desde 1968 hasta 1973, también perdió la pista de la cinta.

Años después, *How I Won The War* sería programada por diferentes cadenas televisivas, si bien continúa sin ser editada comercialmente en vídeo.

EL CINE DE LENNON/ONO. 1969-1972

Atraído por cualquier vertiente de la vanguardia artística, John Lennon no podía dejar de interesarse por el cine como forma de expresión. Si la unión con Yoko había originado *Encamamientos y Embolsamientos* por la paz y discos tan imprevisibles como *Unfinished Music* (volúmenes 1 y 2) o *Wedding Album*, entre 1969 y 1972, la incursión de la pareja en el medio cinematográfico también estaría dominada por los inequívocos rasgos de experimentadora provocación predominantes en las obras de Yoko, dando lugar a producciones inequívocamente dominadas por el criterio artístico de la japonesa, a pesar de estar firmadas conjuntamente.

Las piezas más memorables del cine Lennon/Ono son en su mayoría producciones en 16 milímetros en las que la imagen busca provocar al espectador.

En este sentido, podemos citar cortos como *Cloud (Nube)*. Con veinte minutos de duración total, la película comienza con los rostros en primer plano de unas personas que conversan. Las caras pasan a ser planos medios de esas personas y después plano general. Poco después la cámara comienza a alejarse hacia arriba. En plano picado, el punto de vista continúa retrocediendo y elevándose. Sin corte alguno y a vista de pájaro, contemplamos al grupo de gente anterior en la plaza de un pueblo. La lejanía va desvaneciendo las voces y la cámara sigue ascendiendo hasta que vemos el pueblo entero, luego se convierte en una diminuta mancha en medio de una amplia panorámica de campo y montes.

Seguimos subiendo, todo en un solo plano y sin ningún corte desde el principio hasta que penetramos en una nube y la imagen se va haciendo difusa.

A continuación, el espectador permanece en el interior de la nube durante más de ocho minutos de proyección, con la pantalla en blanco y un silencio absoluto. Pasado ese tiempo salimos de la nube por la parte superior y nos continuamos elevando hasta el infinito.

En otra película, la titulada *Erection (Erección)*, fue John quien instaló la cámara ante una ventana para filmar la construcción del Hotel Internacional London. Se filmaron tan sólo unos pocos fotogramas cada día durante el año entero que tardó en levantarse la edificación, con lo que el espectador lo ve crecer poco a poco a lo largo de aproximadamente siete minutos.

En el corto titulado *Rape (Violación),* la cámara elegía a una transeúnte anónima para perseguirla sin tregua hasta provocar su pánico. Mención aparte merece el mediometraje de cincuenta minutos *Fly (Mosca),* centrado en las evoluciones de una mosca sobre el cuerpo de una mujer tendida, inmóvil y desnuda. Esta película requirió la captura de numerosos insectos de la especie y cerca de cincuenta horas de rodaje, hasta conseguir una mosca que (convenientemente atontada con dióxido de carbono) se moviera tal y como quería Yoko.

En busca de la alada protagonista, el equipo de producción dirigido por Paul Mozian reclutó a seis estudiantes de instituto que, a dos dólares por hora, fueron equipados con redes cazainsectos y se pasearon por todas las cocinas de los restaurantes del Greenwich Village, tratando de atrapar tantas moscas vivas como fuese posible. Otro escuadrón cazamoscas visitó una cafetería de la parte alta de la ciudad porque habían oído que estaba infestada de los solicitados insectos.

Se corrió la voz de que John y Yoko pagaban veinticinco centavos por cada mosca viva y también se encargó un lote de moscas de la fruta, de las que se empleaban para las investigaciones médicas y que murieron por el camino, mucho antes de poder llegar a ponerse ante la cámara.

Tras reunir un buen número de insectos se procedió al rodaje en un ático del Greenwich Village.

La modelo elegida tuvo que permanecer tendida en la cama, untada con miel y azúcar para atraer a la mosca y sin moverse en lo más mínimo, a lo largo del día y medio que duró la filmación.

Especialmente difícil fue concluir el film con una escena en que la última de las moscas disponibles salía de la entrepierna de la modelo y volaba por la ventana. En un tenso momento de la filmación, el animal intentó escapar y todo el equipo de rodaje tuvo que perseguirla por la habitación. No fue posible atraparla y el operador Steve Gebhardt optó por capturar una rápida panorámica de la ventana para sugerir al espectador que la mosca había huido por allí.

La que fuera secretaria de la pareja en aquellos días y más tarde compañera temporal de Lennon, May Pang, recuerda cómo Yoko se mostró inflexible durante la realización de *Fly:* "A menudo John y Yoko se susurraban cosas. Yoko escuchaba, pensaba en lo que John había dicho, luego se acercaba para dar otra orden, pero no le permitía ordenar nada por su cuenta. En una ocasión, John se levantó y observó cómo el cámara enfocaba sus lentes. Estudió la toma y luego hizo una sugerencia en voz alta. Yoko le amonestó diciéndole que ése no era su trabajo. De la misma forma, cuando John sugirió un determinado ángulo de cámara, Yoko le respondió: 'No sabes nada de estas cosas, John, deja hacer a quien sabe'. Lennon se quedó mudo contemplando lo que hacían".

Otra película, la titulada *Up Your Legs Forever (Levanta tus piernas para siempre),* consistía en trescientos sesenta y cinco pares de piernas, filmadas a cámara lenta y vista panorámica, que pasaban ante los ojos del espectador a lo largo de una hora y veinte minutos de proyección. Yoko había filmado esas piernas según dijo, "para la paz" y también con la misma intención hablaba seriamente de hacer una película en la que apareciesen TODAS las caras del mundo sonriendo.

Erection, Fly y *Up Your Legs Forever* llegaron a proyectarse públicamente en el Festival de Cine de John y Yoko que la pareja organizó en el Teatro Elgin de Nueva York. A pesar de tratarse de un local especializado en cine amateur y experimental, el público no soportó la excesiva duración de las películas de Yoko y la sesión terminó con sonoros abucheos.

Prototipo representativo del cine *underground* de la época, simple extravagancia dura de roer para espectadores menos iniciados, los cortometrajes de Lennon/Ono fueron para ellos otro vehículo más de búsqueda, ruptura y rebelión expresiva. Una obra, para muchos menor, en la que la descontextualización dél objeto y la imagen, el antiarte y la importancia de los aspectos estilísticos y formales se convierten en seña de identidad y en los que la aportación real del *exbeatle* fue más bien escasa.

Algunas de estas películas formaron parte de las dieciséis que conformaron la muestra Las Películas de Yoko Ono: 1966-1982, en el Museo Centro de Arte Reina Sofía de Madrid en febrero de 1997.

El ciclo incluyó entre otras *Erection, Rape, Up Your Legs y Fly.* Además se proyectó *In The Bed,* cinta que recogía la "encamada" por la paz de la pareja en el Amsterdam Hilton durante una semana de marzo de 1969. Durante la proyección de *Film nº 5,* el público no pudo por menos que romper a reír al contemplar el rostro de John Lennon parpadeando dos veces seguidas, tras permanecer inmóvil durante 51 minutos.

IMAGINE. THE FILM. 1971

Dir: John and Yoko

Cuando a mediados de 1971, John terminó la grabación del álbum *Imagine,* él y Yoko quisieron filmar una serie de imágenes de su vida cotidiana que a la vez sirvieran de complemento a las canciones del disco. La película se llamaría *Imagine* y hoy se conoce como *Imagine, The Film* para diferenciarla así del posterior documental biográfico *Imagine, John Lennon* realizado en 1988. Se trata pues de películas diferentes, si bien esta última aprovecharía parte del material filmado originalmente para aquélla.

El rodaje de *Imagine, The Film* se desarrolló en verano de 1971, con la colaboración del realizador Dan Richter, amigo de John y Yoko. Concebido a mayor gloria de la pareja ("en la película yo soy Errol Flynn y Yoko es Rita Hayworth", diría John), gran parte del metraje se registró en su suntuosa mansión de Tittenhurst Park, cerca de Londres, siendo el resto de imágenes rodadas en la capital británica, Tokio y las calles y el muelle de Nueva York. La película incluiría breves apariciones de Jack Palance, George Harrison y Fred Astaire. En la filmación en Tittenhurst, John vistió atuendo de gaucho mientras Yoko aparecía tocada con boquilla y largo pañuelo, corriendo y buscándose el uno al otro por los bosques que rodeaban la edificación, así como por el invernadero y el lago artificial. El equipo a cargo de Dan Richter tuvo que armarse de paciencia para soportar interminables pausas de rodaje causadas porque los protagonistas se empeñaban en cambiar de atuendo continuamente. En cierta ocasión hicieron falta tres horas hasta que Yoko se consideró adecuadamente vestida para aparecer ante la cámara. El rodaje terminaba cuando, al atardecer, la luz natural se desvanecía y todo el equipo se reunía en la mansión.

Uno de esos días se presentó a las puertas de Tittenhurst un *fan* que deseaba ver a John. Había estado recluido en un centro mental y no había dejado de enviar mensajes por correo a su ídolo. Ahora estaba decidido a permanecer en el exterior de la casa hasta que le recibieran porque estaba convencido de que una sola mirada de John Lennon le curaría.

La situación ponía extraordinariamente nervioso a John que no deseaba herir a su seguidor pero tampoco deseaba verle: "No quiero que nadie crea que puedo curarle. Sólo soy John. Eso es todo lo que soy: John".

Dan Richter intentó convencerle de que mirar a los ojos a aquel *fan* era la única forma de lograr que se marchase y propuso además filmar la escena para la película. Aunque en principio John se negó a lo que consideraba explotar al chico, Richter le persuadió alegando que después de todo la película trataba de su vida y el acoso de los *fans* era parte de la misma. Finalmente, convinieron que las cámaras recogerían la escena y que ya habría tiempo de decidir si se debía o no incluir en el filme.

Una tarde, con el equipo instalado a las puertas de la vivienda, John salió de la casa y se dirigió lentamente a su seguidor, que permanecía como petrificado. Le miró a los ojos y conversó con él. Visiblemente incómodo, John trató de explicarle que él no era más que un ser normal y que no había motivos para dar una importancia tan trascendental a sus canciones. Tras la conversación, John le invitó a pasar al interior de la casa para que comiera algo. Después, con lágrimas en los ojos y "curado" tras el encuentro con su ídolo, el muchacho se marchó. John se negó a que el episodio fuera incluido en la película, aunque sí fue rescatado años después para *Imagine, John Lennon.*

Imagine, The Film comienza con la canción que sirve de título, mientras vemos a John y Yoko paseando, entre brumas por los bosques. A continuación la pareja llega hasta la puerta de la casa y se desvanecen. En el plano siguiente vemos a John interpretando la canción prácticamente a oscuras, sentando ante el célebre piano blanco, mientras Yoko va abriendo las contraventanas y la luz del sol va inundando la blancura de la habitación.

Acto seguido suena "Crippled Inside", con bruscas imágenes de calles y tráfico a las que siguen otras en las que John aparece en el exterior de la mansión, durante una sesión de fotos y bajo la atenta mirada y control de Yoko. El espectador contempla luego un *party* al aire libre en la casa de los Lennon en el que pueden observarse fugazmente invitados como Andy Warhol o Miles Davies, entre otros muchos. Siguen unas imágenes de Yoko leyendo el periódico en la cama y John, también leyendo, sentado en la taza del váter. Luego, se levanta y se asoman a la ventana. Yoko se une a él y se intercambian los "buenos días" con otra pareja que desayuna abajo y que no son otros que ellos mismos.

Suena "Jealous Guy" y pasamos a unas tomas aéreas en las que los distinguimos subiendo a un coche negro que los conduce hasta el lago artificial. Con la cámara elevándose contemplamos cómo se

Imagine, The Film. John y Yoko militarizados en la bahía de Nueva York para la secuencia de "I Don't Wanna Be a Soldier". *Fuente:* Apple.

embarcan y John rema hasta la pequeña isla artificial construida en el centro del lago. Se escucha a continuación el tema de Yoko "Don't Count The Waves", (perteneciente al álbum de Yoko *Fly*) con los dos jugando al ajedrez en una pequeña casa. El ajedrez es completamente blanco y John se come (literalmente) las piezas mientras Yoko introduce algunas en su escote.

Después "It's So Hard" recoge algunas imágenes de un hombre no identificado cubierto de pies a cabeza con una túnica negra y caminando por las calles de Londres. Seguidamente, se escucha el tema de Yoko "Mrs. Lennon" (también de su álbum *Fly),* ilustrado con escenas de la japonesa y en las que la pareja se busca y escribe sus nombres en la arena de la playa.

A continuación "I Don't Want To Be A Soldier" da paso a escenas en las que ambos, con atuendos militares y boinas, aparecen con fonendoscopios auscultando el suelo y los árboles.

Imágenes posteriores muestran a Yoko entrando en un dormitorio vestida con leotardos, amplia pamela y zapatos de tacón. La puerta se abre varias veces y de su brazo vemos a Dick Cavett, Jonas Mekas, George Harrison, John (elegantemente vestido con traje oscuro) y el bailarín Fred Astaire, quien no sólo accedió a aparecer en el film, sino que demostró su innata profesionalidad solicitando repetir la escena: Le parecía que en la primera toma no había quedado perfecta.

Siguen "Power To The People" y "Give Me Some Truth" sobre unas imágenes de manifestaciones callejeras, con John gritando a través de un megáfono. También se alternan algunas imágenes bélicas en blanco y negro. Al final del segundo tema, John aparece en el estudio cantando ante el micrófono y también acompañado de Yoko en una exhibición de arte vanguardista.

Las imágenes de "Oh My Love" son reposadas y en ellas se ve a la pareja primero fundiéndose en un largo beso y luego conversando en una casa próxima a un lago. Sigue "How Do You Sleep" y en ella vemos a los dos jugando al billar americano en una mesa repleta de bolas. John lleva puesto un aparatoso antifaz negro que le impide ver mientras juega. Durante el solo de guitarra unas imágenes casi nocturnas en el exterior de Tittenhurst sobreimpresionan el dibujo animado de unas manchas negras en forma de alas moviéndose violentamente y que imitan las figuras del test de Rorschach.

Durante "How", John y Yoko aparecen de nuevo sobre la barca en el lago y también podemos ver a una mujer caminando por los tejados de la mansión. Finalmente, la canción "Oh Yoko" muestra variadas imágenes de los dos, entre otras compartiendo una bañera o siendo recibidos en un programa televisivo. También se distingue una manzana verde mordisqueada, referencia inequívoca a la compañía fundada por Los Beatles.

Los consiguientes títulos de crédito están precedidos de una escena con John y Yoko corriendo el uno hacia el otro en la playa y pasando finalmente de largo mientras escuchamos sus voces gritando cada uno el nombre del otro. Las voces continúan con una imagen del mar sobre un muelle mientras aparecen los nombres de todos los que han tomado parte en el film.

Con una duración aproximada de sesenta minutos, *Imagine, The Film* es un ejemplo de un cierto tipo de producto cinematográfico muy extendido entre las estrellas de *rock* de principios de los setenta y que consistía en mostrar al público escenas cotidianas y hogareñas, poniendo de relieve cuán idílicas eran sus vidas.

Imagine, The Film se estrenó directamente en la televisión americana en diciembre del 72 y en 1977 se presentó en el Whitney Museum de Nueva York. La película se editó en vídeo en el mismo año del estreno de *Imagine, John Lennon*.

IMAGINE: JOHN LENNON
Dir: Andrew Solt

En otoño de 1988 el periodista Albert Goldman publicó el libro *The Lives Of John Lennon (Las Vidas de John Lennon),* un despiadado repaso a la personalidad y la trayectoria vital del ya desaparecido músico. El grueso y desmitificador volumen, pretendidamente documentado, presentaba a John como un individuo inestable e irascible, alcohólico, con frecuentes explosiones de violencia, homosexual y por supuesto drogadicto.

La reacción no se hizo esperar y hasta Paul McCartney declaró: "El libro de Goldman es una basura. El tipo no es más que un ladrón de tumbas y se merece un boicoteo". A pesar del consejo, la curiosidad de muchos *fans* pudo más y *The Lives Of John Lennon* fue un éxito editorial que oxigenó generosa e inmerecidamente la cuenta bancaria de su autor.

Sería mera coincidencia que tan sólo tres meses después de la embestida llegase a las pantallas *Imagine: John Lennon,* un largometraje documental que, sin pretenderlo, apareció en el momento más adecuado para hacer las veces de antídoto contra el envenenado libelo.

El origen de la película hay que buscarlo en 1986, cuando Yoko se puso en contacto con el productor David Wolper y le propuso realizar una película sobre John, dándole acceso a más de doscientas horas de metraje (en cine y vídeo), buena parte de ellas inéditas. Wolper aceptó con la condición de que, tanto él como quien se encargase de dirigir tendrían total libertad y control artístico sobre el montaje definitivo de la película. "Yo no quise estar más envuelta en la producción porque hubiera sido criticada", admitió Yoko. "Mi participación se limitó a proveer de los materiales necesarios."

Para la dirección de *Imagine: John Lennon,* David Wolper se puso en contacto con el director Andrew Solt, quien en 1978 había invitado a John a presentar el especial de televisión *Heroes Of Rock And Roll,* invitación que el *exbeatle* declinó. Experto en la producción documental, Solt escribió el guión mano a mano con Sam Egan, siendo el principal objetivo presentar una visión lo más objetiva posible.

Solt completó el relato con entrevistas a los hijos de John, Sean y Julian Lennon, sus esposas Cynthia Powell y Yoko Ono y amigos como el periodista Eliott Mintz. También participaron como asesores Mark Lewisohn, reconocido experto en la obra de Lennon, Neil Aspinall, May Pang (su acompañante en el denominado "fin de semana desperdiciado") y David Geffen, principal artífice de su regreso a la música en 1980. Mención aparte merece la valiosa contribución de Mimi. La tía materna de John y la mujer que se hizo cargo de él cuando siendo niño sus padres se separaron, concedió al director una entrevista de casi siete horas.

Por el contrario Paul, George y Ringo se negaron a participar y se quejaron por lo que consideraban un uso abusivo de la música de Los Beatles en la película. Algo, por otra parte inevitable, en un film que constituye sobre todo una celebración de la música de Lennon, un relato en el que las canciones ilustran a la perfección una suculenta catarata de imágenes que abarcan desde los humildes orígenes del niño de Liverpool hasta el duelo mundial que supuso el asesinato del revolucionario musical de los sesenta.

La banda sonora, cuidadosamente mimada por George Martin, en lo que a los temas *beatle* se refiere, apareció en un álbum doble que incluía los siguientes temas: "Real Love"/ "Twist And Shout"/ "Help!"/ "In My Life"/ "Strawberry Fields Forever"/ "A Day In The Life"/ "Revolution"/ "The Ballad Of John & Yoko"/ "Julia"/ "Don't Let Me Down"/ "Give Peace A Chance"/ "How"/ "Imagine (Rehearsal)"/ "God"/ "Mother"/ "Stand By Me"/ "Jealous Guy"/ "Woman"/ "Beautiful Boy"/ "Just Like (Starting Over)"/ "Imagine".

Las canciones pertenecientes a la etapa de John en solitario fueron remezcladas por Rob Stevens, entre ellas la banda sonora incluía por vez primera el tema "Real Love", que suena en el inicio de la película sobre los títulos de crédito, aunque en 1996 se presentó como canción inédita dentro de *Anthology 2.*

En contra de lo que podía pensarse tras el libro de Goldman *Imagine: John Lennon* no es un lavado de su imagen pública, sino un acercamiento en el que también aparecen los aspectos oscuros y violentos de su personalidad. Yoko declaró que: "La película no pretende contrarrestar las versiones del libro de Goldman. Yo no quiero tener nada que ver con él, aunque me duele su libro... Pero yo creo que los seguidores de John son lo suficientemente inteligentes como para quererle tal como era. Esta película, desde luego, lo muestra bastante equilibrado. Dicho de otro modo, muestra su faceta tierna y atenta, eso se ve muy claro, pero también aparece su lado sumamente airado y eso también se ve claro y está muy bien. Creo que es mejor ser honrados".

Destaca la acertada utilización de entrevistas con Lennon, quien, a merced del hábil montaje, se convierte en narrador del documental. Desde los primeros instantes podemos verle en apariciones televisivas donde explica cómo de adolescente "el *rock'n'roll*" le pareció "un buen trabajo". Escuchamos sus reflexiones acerca de Los Beatles y la época en que pensaba "somos el mejor grupo del mundo". Es también su voz la que relata su regreso a la adolescencia crápula cuando a principios de los 70 se separó temporalmente de Yoko durante el llamado "fin de semana desperdiciado", del mismo modo que nos hace partícipes de sus buenos deseos para los años 80, coincidiendo con su regreso a la música y desde la madurez del padre de familia cuarentón.

Visualmente, el material seleccionado no tiene desperdicio. Entre lo rescatado del metraje sobrante de *Imagine, The Film,* destaca la secuencia completa en la que John conversa con el admirador que se plantó ante la puerta de su mansión para que le curase con una mirada. Apreciamos la incomodidad y el nerviosismo de Lennon durante este episodio que, en el contexto del documental, adquiere inevitable resonancia de trágico presagio.

También a unas imágenes originalmente destinadas a *Imagine, The Film* corresponde una secuencia en la aparece George Harrison, en buena armonía con John, compartiendo almuerzo con otros comensales y conversando irónicamente sobre McCartney, a quien denominan "el *beatle* Ed", mientras John guiña el ojo a la cámara. Una puya que se confirma cuando a continuación vemos a John y George ensayando "How Do You Sleep?", el dardo musical envenenado que Lennon dedicó a su excamarada. Siguiendo con ensayos y grabaciones, el espectador tiene oportunidad de contemplar a un John visiblemente cabreado con Phil Spector durante una sesión de grabación y de asistir al momento en que, casi tímidamente, se coloca al piano para mostrar a sus músicos una nueva canción que lleva por título "Imagine".

La película también recupera momentos como la actuación de Los Beatles en el Royal Variety Show de 1963, apareciendo ante el espectador las imágenes de John pidiendo dar palmas a los de las localidades baratas y a la familia real "tan sólo sacudir las joyas". Tras el chiste comienza a sonar "Twist And Shout", sobre un montaje de diferentes actuaciones de los cuatro de Liverpool en directo

Las últimas imágenes de cama de John y Yoko. Inicialmente filmadas con destino al vídeo de *Woman* y luego recuperadas para *Imagine, John Lennon*. *Fuente:* Apple.

ante públicos vociferantes. Un perfecto reflejo de la entonces floreciente "beatlemanía".

Ya en el apartado de la relación con Yoko, *Imagine: John Lennon* se detiene entre otros episodios en la *Encamada* por la paz que la pareja realizó en el Amsterdam Hilton. Entre las muchas visitas que recibieron aquella semana la cinta recoge la tensa discusión que John y Yoko mantuvieron con el dibujante norteamericano Andy Capp, quien les criticó hasta el punto de que Derek Taylor, jefe de prensa de Los Beatles, tuvo que pedirle que se marchase. Una escena que sirve como ejemplo de la intransigencia con que los sectores más conservadores juzgaban a John y Yoko, pero que debido a su excesiva duración rompe en buena medida el ritmo del documental.

Tras la etapa del "fin de semana desperdiciado", la recta final de la película se centra en el John hogareño. El padre de familia que ha superado su pasado de leyenda y no presta demasiada atención al micrófono que le ponen delante cuando se encuentra en una butaca en el circo, con Sean en su regazo.

Como reconstrucción fílmica del dramático asesinato, Andrew Solt recurrió a una serie de fotos secuenciadas en las que podemos ver a John de noche, en el interior de un auto, mientras suena el célebre intervalo musical ascendente de "A Day In The Life". Cuando la música rompe aparecen unas gafas redondas volando por el aire y cuyos cristales se hacen pedazos al caer al asfalto coincidiendo con el apoteósico piano final, cuyo sonido persiste mientras la pantalla se inunda de variadas fotos de la vida de John que ocupan la pantalla a velocidad de vértigo, al tiempo que escuchamos voces superpuestas de locutores dando la noticia. Una eficaz representación del inmenso dolor que la tragedia supuso a escala mundial aquel 8 de diciembre de 1980, aunque la metáfora de las gafas rotas ya se había convertido en un tópico cuando Solt la incorporó.

Imagine: John Lennon se estrenó en Nueva York el 8 de octubre de 1988, la víspera de lo que hubiera sido el cuarenta y ocho cumpleaños del protagonista.

"He tenido que dejar mis emociones al margen para poder ver la película", declaró Yoko en la presentación. "De haber estado emotivamente abierta quizá me habría resultado excesivamente dolorosa y tenía la responsabilidad de verla, para que fuera precisa y estuviera todo bien. Me siento muy responsable ante los seguidores de John y ante el mundo."

—III—
EL CINE DE PAUL McCARTNEY

*"En el cine musical el argumento no es lo más importante.
Mi concepto del cine musical es que lo que importa es la música,
poder vestir la música con una imagen agradable".*

Paul McCartney, 1985

Cuando en 1964 Los Beatles rodaron *A Hard Day's Night* pronto se puso de relieve que como actor, Paul era el menos dotado de los cuatro. Mientras Ringo sorprendía por su naturalidad, John sacaba partido a su desparpajo y George componía un personaje digno a pesar de su timidez, Paul nunca llegó a sentirse cómodo ante la cámara de Richard Lester.

Sus carencias interpretativas se evidenciaron cuando tuvo que rodar una escena en la que mantenía un largo diálogo con una actriz. Después de dos jornadas repitiendo tomas, Lester tiró la toalla y McCartney se resignó a ser el único beatle sin secuencia propia en *A Hard Day's Night.* En cualquier caso, un astro pop no tenía por qué estar obligado a ser además un actor solvente.

Al año siguiente, en *Help!,* el desmedido aluvión de *gags* dio ocasión a Paul de protagonizar una mínima secuencia más testimonial que de lucimiento. Ocurría cuando Clang y los suyos asaltan la casa de Los Beatles y McCartney es accidentalmente reducido a un tamaño inferior a diez centímetros. Paul se desliza desnudo por la pernera de su pantalón y se cubre con el envoltorio de un chicle. Se refugia en un cenicero mientras los demás pelean con el enemigo y cuando le caen encima restos de café hace como si se lavase con el líquido. Una secuencia no demasiado brillante, sin diálogo alguno y que tampoco exigía grandes esfuerzos interpretativos.

Cuando en otoño del 66 Los Beatles se tomaron un descanso y un Lennon interpretativamente más capaz salía airoso de su papel en *How I Won The War,* McCartney se aproximó al séptimo arte por otro camino. Ávido de actividad, debutó como autor de bandas sonoras componiendo la música del film de los hermanos Boulting *The Family Way (Luna De Miel En Familia).* Película protagonizada por Hayley Mills y Hywell Bennett que se estrenó el 18 de diciembre de 1966.

Paul resolvió este primer trabajo al margen de Los Beatles con una serie de melodías de reminiscencias clásicas, un primitivo (y no demasiado extenso) bosquejo de futuros trabajos en el campo de la música "seria" veinticinco años más tarde.

En 1967, su total desconocimiento del medio cinematográfico no impidió a McCartney y su ego acometer el guión, producción y dirección de *Magical Mystery Tour* sufriendo como consecuencia el linchamiento de crítica y público. Un vapuleo sin embargo insuficiente para desanimar a Paul, que todavía llegó a pensar en dos nuevos proyectos para la gran pantalla: una gran película de amor y otra sobre la posguerra en Liverpool, ideas que jamás llegarían siquiera a ponerse sobre un papel.

En 1973, Paul compone la canción "Live And Let Die" ("Vive Y Deja Morir") para el film homónimo de James Bond, la octava película del personaje y primera protagoniza por Roger Moore. El encargo supone un nuevo reto para un McCartney nada habituado a escribir sobre un título ya definido.

La productora del film había encargado en principio el tema a Paul para que lo interpretase otro artista, probablemente Thelma Houston o el grupo 5th Dimension, pero McCartney puso como condición que fueran él y Wings quienes lo grabasen. Si Roger Moore fue un éxito como nuevo 007 la canción no lo fue menos.

"Live And Let Die" estuvo a la altura de "Goldfinger", el más famoso tema Bond hasta entonces y no tuvo nada que envidiar al "Thunderball" de Tom Jones. Llegó al nº 7 en Inglaterra y al 2 en Estados Unidos y ganó el Grammy a la mejor arreglo orquestal y vocal, gracias al trabajo de George Martin en su primera colaboración con McCartney desde la separación de Los Beatles. La canción llegó a estar nominada al Oscar, sería tema habitual en los directos de Paul durante muchos años e incluso Guns'n'Roses grabaron una demoledora versión en 1993.

Como productor, Paul realizó sus pinitos caseros ayudando a Linda con *Seaside Woman,* un cortometraje dirigido por su mujer que llegó a ganar un premio en el Festival de Cannes de 1980. Fue el primero de una serie de cortos, en su mayoría poco o nada difundidos por el matrimonio, y entre los que destaca un documental sobre caballos casi experimental, realizado sobre unas fotografías de Linda.

Ya en 1984, McCartney vuelve a sumergirse en el mundo del celuloide con *Give My Regards To Broad Street,* película que resultaría un desastre sólo comparable a lo que fue en su día *Magical Mystery Tour.*

GIVE MY REGARDS TO
BROAD STREET. 1984
Dir: Peter Webb

Give My Regards To Broad Street surgió como escape a la rutina musical a la que se había visto abocada la carrera de McCartney tras los discos *Tug Of War* y *Pipes Of Peace,* así como a las colaboraciones con Stevie Wonder en la canción "Ebony And Ivory" y con Michael Jackson en "The Girl Is Mine" y "Say Say Say". Trabajos que, aunque tuvieron una aceptable acogida, dejaban mucho que desear tratándose del hombre que, como Yoko le dijo una vez, había compuesto "Hey Jude". Al mismo tiempo, McCartney reconocía cierta falta de motivación derivada de que no necesitaba en absoluto ganar dinero. A todo ello hay que añadir la frustración que le suponía no tocar en directo, una tentación que había descartado debido al miedo desde el asesinato de John Lennon.

Aprovechando su total independencia financiera, Paul se dio el capricho de gastar nueve millones de dólares en una película escrita y protagonizada por él mismo. "La historia trataba sobre mí y sobre las cosas que me han ocurrido."

En una fase inicial contó con la colaboración del dramaturgo Tom Stoppard, pero el primer borrador del guión no se correspondía exactamente con lo que McCartney tenía en mente:

"Al principio se iba a basar en el álbum *Tug Of War* e iba a ser una película antibelicista. Estábamos trabajando con Tom Stoppard, que es un gran dramaturgo, pero no salía adelante. Creo que cuando se trata de la idea de otra persona, no es tan fácil como cuando es idea tuya."

Fue entonces cuando decidió escribir él mismo un guión basado en un músico que pierde algunas de sus cintas *masters*, algo que al parecer le había pasado realmente una vez en un atasco de tráfico. "Escribir es muy tentador cuando tienes grandes sueños. Me pasaba mucho tiempo en el coche camino de Londres, asi que cogí un papel y empecé a escribir. En principio iba a ser una hora para televisión, bueno, una película tan sólo es hora y media, pensé. No creí que fuera muy difícil estirarlo".

A sugerencia del productor de *Carros De Fuego,* David Puttnam, Paul contrató como director a Peter Webb pero la tradicional intransigencia de McCartney a la hora de imponer sus decisiones y hacer las cosas a su modo anularon cualquier posible margen de maniobra. Años más tarde, Webb no dudaría en calificar su trabajo con el *exbeatle* como: "Una de las experiencias más horribles de mi vida".

De hecho, la práctica totalidad del equipo que participó en su película recuerda *Give My Regards To Broad Street* como una producción terriblemente embarazosa y reprocharon a CBS y Twenty Century Fox su cobardía por no atreverse a contradecir a McCartney en lo más mínimo.

Desde su atalaya, Paul defendía lo indefendible: "Cuidamos la película al máximo. Mucha gente no sabe que los exteriores correspondientes a la época victoriana son auténticos, reales, tardamos bastante en encontrarlos. También procuramos cuidar al máximo la fotografía. Linda disfrutó mucho con ello".

Definida por la crítica más benévola como "una sucesión de *videoclips*", el abracadabrante argumento de *Give My Regards To Broad Street* presentaba a Paul haciendo de sí mismo, en el papel de un músico de éxito abocado al desastre y la ruina a menos que aparezcan en poco tiempo las cintas del nuevo disco que ha grabado, cintas que parece haber robado uno de sus empleados, también desaparecido.

A partir de este vergonzante planteamiento, la película es una continua e insípida carrera contra el tiempo salpicada de canciones hasta que se descubre casualmente que las cintas no habían sido robadas, sino que el empleado que las transportaba se había quedado encerrado en un viejo cobertizo de la estación de tren.

Según declaró Paul: "En esta película el argumento no era lo más importante. Mi concepto del cine musical es que lo importante es la música, poder vestir la música de forma agradable. El argumento de *Broad Street* está basado en algo que le ocurrió hace algunos años a un grupo británico, pero claro, con los necesarios cambios para darle un cierto color". Como en *Magical Mystery Tour* había confiado en que sus canciones sostendrían por sí mismas la película, había vuelto, en resumen, a subestimar la importancia determinante que el guión tiene en cualquier obra cinematográfica, sea ésta del género que sea.

Como producto concebido para mayor gloria de su ego, Paul no tuvo el menor pudor en creerse capaz de protagonizar la película y mantener el tipo a pesar de aparecer en pantalla prácticamente

Paul junto a Ringo en una curiosa imagen victoriana de *Give My Regards to Broad Street. Fuente:* McCartney LTD.

durante todo el metraje que dura la película: "Una vez me comentó Dustin Hoffman que lo más difícil era interpretarse a sí mismo. Mostrarte como eres de verdad".

La continua imagen de un McCartney abotargado, aparentemente más pendiente de lo que ocurre fuera de campo que de lo que pasa en la película no dejan ninguna duda sobre lo difícil que debió resultar para el astro del pop hacer de astro del pop.

Entre los números musicales, la película recuperaba viejos temas de la carrera de Paul en solitario como "Silly Love Songs" o las más recientes "Wanderlust" y "Ballroom Dancing", esta última con una puesta en escena de baile de instituto norteamericano de los 50.

Paul no tuvo además el menor recato en recuperar temas de Los Beatles como "For No One", "Eleanor Rigby" y hasta grabó una nueva versión de "Yesterday". También recuperó por enésima vez "The Long And Winding Road", que se escucha (esta vez con un arreglo de saxo en primer plano) mientras el protagonista conduce de noche por los barrios bajos de Londres. "Eleanor Rigby" se presentaba con un añadido instrumental titulado "Eleanor's Dream" y en la película servía para ilustrar un insulso episodio ambientado en la Inglaterra victoriana. Numerosos *fans* expresaron su desacuerdo por estas poco afortunadas nuevas versiones. "Son las canciones de la época *beatle* que más me gustan" –diría Paul. "Son temas que siguen siendo válidos y no se trataba de recuperarlos sino de volverlos a utilizar. Los retoques que hicimos no son tan importantes..., simplemente las actualizamos un poco, las hicimos tal vez algo más acústicas y las adaptamos al grupo de ahora."

Los únicos temas nuevos escritos por Paul para la banda sonora eran "Not Such A Bad Boy", "No Values" y "No More Lonely Nights". Ninguna de ellas canciones especialmente brillantes, si bien "No More Lonely Nights" obtuvo cierto éxito a costa de engrosar la nutrida lista de "baladas-típicamente-McCartney".

Pero la vuelta al pasado no era sólo musical, el rebuscado en los baúles del ayer también incluía a los viejos amigos. *Give My Regards To Broad Street* realza su *look* de costosa película casera y familiar con la inclusión de Ringo y su esposa Barbara Bach en algunas escenas, si bien el batería difícilmente llega a pronunciar diez palabras durante toda la película: "Bueno, la película relata algunos momentos de la vida de un grupo musical y necesitaba un batería, entonces... ¿Por qué no iba a ser Ringo? Él es un gran batería y uno de mis amigos íntimos, estamos juntos muy a menudo. Linda y Barbara Bach también son íntimas amigas y pasan mucho tiempo juntas... Era lógico que estuvieran en la película", justificó McCartney. Sobra cualquier otro comentario.

Estrenada simultáneamente en 311 salas de Estados Unidos en otoño de 1984, *Give My Regards To Broad Street* fue retirada muy pocos días después. En el Reino Unido la crítica británica la despedazó sin contemplaciones y en España, donde se estrenó en la primavera del 85 tampoco corrió mejor suerte.

Curiosamente, en Japón se convirtió al instante en la película más taquillera del momento.

Años después, en 1989, Paul se tomaba con humor el desastre: "No parece tan mala en vídeo. Recibo cartas de *fans* diciéndome que les gusta *Broad Street,* ¡pero generalmente usan gafas muy gruesas! Creo que las secuencias musicales están bien, pero que el guión era malo."

"Hace poco escuché a Steven Spielberg decir que daba las gracias a Dios por el quinto borrador. Parece que al menos hacen falta cinco intentos hasta que uno cree que es perfecto. Creo que debí esperar al quinto borrador."

El Oso Rupert. Mito infantil de McCartney rescatado por Paul para la gran pantalla. *Fuente:* McCartney LTD.

RUPERT THE BEAR. 1985

Dir: Geoff Dunbar

Tras el desastre de *Give My Regards To Broad Street,* Paul produjo un largometraje infantil de dibujos animados basado en el Oso Rupert, uno de los personajes más populares para los niños británicos de posguerra: "En realidad no llegaba a ser un *fan* apasionado, pero en los últimos años he llegado a pensar en Rupert como una de las grandes instituciones británicas. Me di cuenta cuando comencé a leérselo a mis hijos. Comencé a pensar que Rupert era intemporal, que era un gran personaje insuficientemente reconocido. Asi que me fui a ver a Sir Max Aitken, entonces responsable del *Daily Express* y le dije: Max, tenemos que mantener a Rupert en Inglaterra porque si los americanos se apropian de él le harán hablar como Winnie The Pooh y se convertirá en un pequeño Rupert americano. Tienes que permitir que alguien como yo se ocupe. Así es como conseguí los derechos de animación para hacer Rupert."

Paul puso el dinero y Geoff Dunbar la dirección en este film bastante menos arriesgado y definitivamente en la línea de un McCartney que disfrutó reviviendo su niñez y componiendo una banda sonora en la que se incluía "We All Stand Together", una canción que no habría desentonado en cualquier típica película de la factoría Disney.

GET BACK. 1989-91
Dir: Richard Lester

En las navidades de 1991, Paul comercializó directamente en vídeo un film de 89 minutos de duración titulado *Get Back* (curiosamente la misma denominación pensada en principio para *Let It Be)*. Se trataba de un documental producido por Front Page Films basado en la gira mundial que el *exbeatle* realizó en 1989 y supuso el reencuentro de Paul McCartney con Richard Lester.

Todo comenzó cuando en la primavera de 1989 McCartney publicó su nuevo disco titulado *Flowers In The Dirt.* Tras una larga pausa desde el flojo "Press To Play" editado en 1985, el nuevo álbum se presentaba como un trabajo considerablemente más cuidado, con un sonido apropiado al ocaso de los ochenta, la colaboración de Elvis Costello en algunas canciones y, lo más importante, iba a ser la excusa para el regreso de Paul McCartney a los conciertos en directo con una extensa gira mundial denominada *The Paul McCartney World Tour,* la primera en trece años.

Después de tanto tiempo sin cantar ante su público, Paul consideró oportuno dejar constancia fílmica de su retorno y decidió encargar a Richard Lester un documental sobre la gira. No en vano, la vuelta de McCartney incluía notables guiños a su pasado *beatle.* El vídeo ideado para el *single* "My Brave Face" giraba en torno a un coleccionista de objetos relacionados con Los Beatles y la propia canción incluía algunas armonías que remitían inequívocamente a los mejores tiempos de Lennon y McCartney. Paul había recuperado su viejo bajo Hoffner modelo violín para las fotos de promoción y los conciertos y había decidido que al menos la mitad del repertorio de sus actuaciones estaría integrado por algunas de sus canciones favoritas de la era *beatle*.

Pero además de un largometraje documental basado en la gira, Paul encargó a Lester la elaboración de un corto que sirviera como introducción para el público que asistiera a sus conciertos. Tal y como diría Lester: "La idea era casar 25 años de música de Paul con 25 años de lo que había pasado en el mundo, lo que más recordamos. Una serie de acontecimientos familiares para cualquier tipo de público y que no necesitan comentario alguno. Algo así como mi 'historia artesanal' del mundo. En muchos aspectos, una colaboración forzosa entre Paul y yo."

Richard Lester y McCartney pasaron mucho tiempo seleccionando fragmentos e imágenes de canciones y actuaciones pertenecientes a toda su carrera musical. El cineasta tuvo luego que hurgar en los archivos, desempolvar material cinematográfico y televisivo y obtener los derechos para utilizarlo.

Para ganar en dinamismo, Lester consideró necesario adaptar el material seleccionado a un nuevo formato. "Discutiendo qué sería más práctico decidimos proyectarlo en una pantalla de ochenta por veinte pies dividida en tres partes con tres proyectores sincronizados por ordenador. Así tendríamos la oportunidad de jugar con una pantalla triple y controlar la desorganización del tiempo."

El resultado fue una brillante síntesis de once minutos de duración que emparejaba la historia de McCartney y culminaba con la imagen del artista y su grupo en el presente de 1989, ocupando la triple pantalla y aproximándose al público. Una imagen que se fundía con la aparición real sobre el escenario de McCartney y toda la banda en un clímax que desataba el furor del público y aseguraba un apoteósico comienzo para los conciertos, actuaciones que Lester filmó con la ayuda de los directores de fotografía Jordan Cronenweth y Robert Paynter.

Iniciada en locales europeos de medio aforo en otoño de 1989, la gira mundial de McCartney recorrió Estados Unidos, Canadá, Japón y Australia para terminar en la primavera de 1990 en Brasil, donde tocó ante 184.368 personas, cifra que suponía un nuevo récord mundial.

Una vez terminada la gira, Richard Lester contó con la colaboración del montador John Victor Smith para elaborar el documental, pero el proceso fue demasiado lento. A pesar de la premura que McCartney intentó imponer, el montaje se prolongó durante casi año y medio. Cuando *Get Back* estuvo terminada, Paul ya estaba inmerso en otros proyectos (acababa de publicar el álbum *Unplugged*) y prefirió no arriesgarse a un nuevo traspié cinematográfico: En lugar de estrenar la película en los cines, optó por presentarla directamente en vídeo, obteniendo una discreta repercusión.

Las canciones interpretadas en vivo por Paul e incluidas en la cinta eran "Band On The Run"/ "Got To Get You Into My Life"/ "Rough Ride"/ "The Long And Winding Road"/ "The Fool On The Hill"/ "Sgt. Pepper"/ "Good Day Sunshine"/ "I Saw Her Standing There"/ "Put It There"/ "Eleanor Rigby"/ "Back In The USSR"/ "This One"/ "Can't Buy Me Love"/ "Coming Up"/ "Let It Be"/ "Live And Let Die"/ "Hey Jude"/ "Yesterday"/ "Get Back"/ "Golden Slumbers"/ "Carry That Weight"/ "The End"/ "Birthday".

Por supuesto, el retraso en la puesta a punto de *Get Back* hizo que Paul se lo pensase dos veces antes de volver a colaborar con el hombre que llevó a Los Beatles a la gran pantalla. Dos años después, cuando realizó otra gira mundial, McCartney confió el apartado audiovisual al realizador Aubrey Powell, quien excluyendo desde el principio la posibilidad de una película, inmortalizó el tour de 1993 con el vídeo *Paul Is Live In Concert On The New World Tour*.

McCartney se había dado cuenta de que el vídeo traía bastantes menos dolores de cabeza que el séptimo arte.

GRATEFUL DEAD, A PHOTOFILM. 1996
Dir: McCartney-L. Eastman

Esta película es un cortometraje de nueve minutos que Paul realizó a partir de varios rollos de fotos tomadas por Linda en 1967 y 1968. Eran unas imágenes sucesivas del guitarrista de *Grateful Dead* Bob Weír y Paul se preguntó cuál, sería el efecto si se las dotase de movimiento mediante un proceso informático: "Siendo niño, mientras me recuperaba de una enfermedad que pasé tuve una extraña experiencia. Resulta que me dio por concentrar toda mi atención sobre una fotografía de un periódico. Llegó un momento en que me dio la impresión de que la imagen se estaba moviendo. Al ver esas fotos de Linda me ocurrió algo parecido y pensé que a lo mejor esos carretes de fotos serían interesantes puesto que datan de una época de Grateful Dead de la que no hay demasiada documentación. Se trataba de hacerlo por amor".

Fotograma de *Get Back*. El documental de la exitosa gira 89-90 de McCartney, de nuevo con Richard Lester tras la cámara.
Fuente: McCartney LTD.

Paul comenzó por elaborar un *story-board* con las 140 fotos de que disponía y que posteriormente fueron filmadas e introducidas en un ordenador.

Con ayuda de un operador se pasó luego una temporada trabajando diez horas diarias para tratar digitalmente las imágenes. Después se encargó de seleccionar la banda sonora escogiendo canciones de Grateful Dead correspondientes a la misma época de las fotos.

El corto se estrenó en el Festival de Cine de Londres y se proyectó luego en septiembre del 96 en el de Nueva York, donde fue exhibida antes del film *Beyond The Cloud* de Michelangelo Antonioni.

A partir de octubre, la distribuidora Miramax proyectó la película en numerosas salas comerciales como previa a la cinta *Trainspotting* y al documental *Microcosmos.*

La experiencia de *Grateful Dead, A Photofilm* animó a Paul y Linda a iniciar otro proyecto idéntico basado en imágenes de Los Beatles, nada menos que la compilación de 4.000 instantáneas hasta ahora inéditas y realizadas por Linda entre 1967 y 1969, en un período en que Los Beatles raramente invitaban a los fotógrafos. En algunas de las imágenes John, Paul, George y Ringo aparecen en actitudes totalmente informales.

Según publicó el diario británico *The Independent,* para la banda sonora se utilizaría más material inédito consistente en un concierto improvisado ofrecido por Los Beatles en el Roundhouse de Londres.

Esta última afirmación se corresponde más con las ganas del rotativo de buscar una exclusiva que con la realidad. El Roundhouse no pasa de ser uno de los escenarios que Los Beatles barajaron como posibles para el concierto que querían incluir en *Let It Be* y que finalmente se llevó a cabo en la azotea de Apple.

Tras la muerte de Linda, en abril de 1998, Paul se comprometió a completar el proyecto, lo mismo que hizo con *Wide Prairie,* un corto de animación concebido por su esposa y que ella no pudo terminar. La película, dirigida por Oscar Grillo, con quien Linda ya trabajó en *Seaside Woman,* se exhibió en Barcelona el 7 de noviembre de 1998, en la clausura del Festival Internacional de Cinema y Vídeo del Medio Ambiente.

Grillo definió la cinta como: "Un corto muy romántico... Es algo que no empieza ni termina, como la Pampa. Tiene que ver con la libertad, no sólo física sino de pensamiento".

—IV—
EL CINE DE GEORGE HARRISON

"No me importaría ser director. Yo nunca quise ser actor,
actuar es el trabajo más aburrido del mundo. Realmente lo es.
Te sientas por allí, esperando hacer una escena. Es muy, muy aburrido."
George Harrison, 1987

T ímido e inseguro ante la cámara, a pesar de los elogios que Walter Shenson hiciera de su papel en *A Hard Day's Night* (su al menos eficaz actuación en la secuencia de las camisas motivó que le escribiesen otra más, la del afeitado en el espejo), Harrison nunca se sintió seducido por la interpretación y, tras la separación de Los Beatles, sus relaciones con el cine se limitan al ámbito de la producción independiente, actividad en la que se vuelca por completo en los ochenta.

Como en el caso de Paul, el primer acercamiento de George al medio cinematográfico sin Los Beatles es cuando le encargan componer una banda sonora, la de la película *Wonderwall,* recogida en el álbum *Wonderwall Music* publicado el 1 de noviembre de 1968.

Constituye éste el primer disco de un *beatle* en solitario ya que, si bien Paul compuso la banda sonora de *The Family Way,* no participó directamente en la grabación como hiciera George con *Wonderwall.* El proyecto surgió poco después de que Harrison y el director de la película, Joe Massot se conocieran en la inauguración de la *boutique* Apple en Baker Street. Según Massot: "la única condición que puso George fue poder hacerlo a su modo. Yo estaba al tanto de su afición por las armonías indias y le dije que cualquier cosa que hiciera, incluyendo música de este estilo, me parecería perfecta."

Las sesiones de grabación para *Wonderwall* se iniciaron el 22 de noviembre de 1967 en Abbey Road, de forma simultánea al rodaje. "George venía con un cronómetro a la sala de montaje", recuerda Massot. "Veía las imágenes en el monitor, se marchaba y me traía un fragmento de música."

La banda sonora de *Wonderwall* resultó muy variada, desde temas inequívocamente indios como "Gat Kirwani" hasta melodías que nos remiten al oeste americano como "Cowboy Music", pasando por curiosos intervalos de guitarra como "Skiing" o pasajes surrealistas como "Dream Scene". En conjunto un álbum bastante ecléctico y experimental.

Protagonizada por Jane Birkin y rodada en cuatro semanas con un presupuesto de 600.000 libras, George no quiso cobrar por su trabajo.

La película se estrenó al año siguiente en el Festival de Cine de Cannes y fue comercializada en vídeo a finales de 1998. La edición remasterizada incorporó algunos cambios en el montaje para incluir un tema de la banda sonora que no estaba originalmente en la película y que llevaba por título "In The First Place". Según los distribuidores de la película esta canción apareció años después en un sótano de George. Aunque según los créditos está interpretada por el grupo The Remo Four y George sólo figura como productor, en ella se pueden distinguir claramente los coros del *beatle.*

Nunca estrenada en España, en *Wonderwall* aparece Jane Birkin recitando un poema de John Lennon que, según Massot, éste le regaló en la India cuando ambos coincidieron como alumnos del Maharishi.

Harrison no volverá a verse involucrado en ningún proyecto cinematográfico hasta 1971 cuando, ya tras la separación de Los Beatles, interviene en *Raga.* Dirigido por Howard Norh este documental gira en torno a la figura de Ravi Shankar. George produce la banda sonora, participa como productor ejecutivo a través de Apple e incluso aparece brevemente en imagen cantando y tocando el *sitar* y los *finger cymbals* junto a su maestro.

También en el 71 se filma el documental realizado sobre el *Concierto Para Bangla Desh,* el festival benéfico en el que el *ex beatle* reunió a numerosas figuras del mundo musical. La única película "protagonizada" por George Harrison.

CONCIERTO PARA BANGLA DESH. 1971
The Concert Bangladesh
Dir: Saul Swimmer

A principios de los 70, el pueblo de Bangla Desh, la franja oriental de Pakistán, se levantó en armas para lograr la independencia del Pakistán occidental. Además de tratarse de dos comunidades cultural y espiritualmente distintas, desde 1947 la retirada británica de la India había dado lugar a una situación insostenible en este país: En la parte occidental, con más de 800.000 kilómetros cuadrados de extensión vivían 33 millones de personas, mientras que

George Harrison y Bob Dylan uniendo fuerzas en el *Concierto para Bangla Desh (The Concert for Bangla Desh)*. *Fuente:* Wise World Photos.

en Bangla Desh, parte oriental, se apiñaban 42 millones en sólo 140.000 kilómetros cuadrados.

Pakistán occidental respondió al levantamiento con un despiadado exterminio que muy pronto causó más de un millón de muertos y acaparó las primeras páginas de los periódicos.

Fue entonces cuando Ravi Shankar, nativo de Bangla Desh, maestro de *sitar* y amigo personal de George Harrison, decidió solicitar su colaboración para enviar ayuda a los niños refugiados de la zona. Como respuesta, George puso de inmediato manos a la obra para organizar un ambicioso festival y recaudar fondos para los damnificados. A la suma que se consiguiese con la venta de entradas se añadiría la recaudada por un triple álbum en directo grabado durante el concierto, un especial de televisión y un film documental dirigido por Saul Swimmer y distribuido por 20th Century Fox. Era la primera vez que el mundo del *rock* unía sus fuerzas en una causa solidaria con lo que el Concierto Para Bangla Desh se convirtió en un acontecimiento musical histórico pionero de eventos que encontrarían su máxima expresión en julio de 1985 con el Live Aid organizado por Bob Geldof para enviar dinero al pueblo de Etiopía.

Harrison comenzó de inmediato a contactar con algunos de sus amigos músicos y escogió el Madison Square Garden de Nueva York como escenario para el festival.

Decidido a crear toda la expectación posible sobre el acontecimiento intentó incluso reunir de nuevo a Los Beatles sobre un escenario cuando hacía casi año y medio de la separación y seis desde el último concierto del cuarteto en el Candlestick Park de San Francisco.

Ringo no puso ninguna objeción pero Paul contestó que era precipitado volver a presentarse juntos en público porque la ruptura todavía estaba demasiado reciente. Por su parte John, deshojó la margarita durante algún tiempo y al final accedió a participar. En el fondo quería hacerlo aunque ello significase volver a ser un *beatle* y estuviese en abierta contradicción con la actitud que había venido manteniendo desde la separación.

Fue Yoko quien dio al traste con sus intenciones. Decidida a aprovechar la promoción que podría sacar del evento, la japonesa dejó clara desde el principio su intención de actuar en el concierto. Solicitó además ser presentada como una artista aparte, algo que Harrison no estaba ni remotamente dispuesto a tolerar.

Cuando se reunieron en Nueva York, George explicó con toda tranquilidad a Yoko que él sólo había solicitado la presencia de John y no la de ella. John estuvo de acuerdo y dijo a Yoko que él pensaba participar amistosamente en el concierto, pero que un festival benéfico no debía ser utilizado como plataforma para sus delirios vanguardistas. En respuesta, Yoko le organizó tal escena que Lennon prefirió dar por concluido el asunto y tomar un avión de regreso a Londres.

Finalmente sin John, el Concierto Para Bangla Desh se celebró en dos sesiones, de tarde y noche, ante 20.000 espectadores, el domingo 1 de agosto de 1971.

La película de Saul Swimmer comienza con unas breves imágenes de George en la conferencia de prensa anterior explicando a los medios de comunicación las razones que le movieron a organizar el festival. Estas imágenes se intercalan con otras de algunos habitantes de Bangla Desh en condiciones de extrema necesidad.

A continuación nos encontramos en el interior del Madison Square Garden abarrotado de público y vemos a Harrison salir al escenario para presentar a Ravi Shankar, quien interpreta un cuarto de hora de música hindú. Shankar toca el *sitar* acompañado de Ali Akbar Khan al *sarod* y Alla Rakha a la tabla.

Después, imágenes del *backstage* nos muestran la llegada de Ringo acompañado del pianista Leon Russell, por el mismo pasillo aparece George. Con camisa anaranjada y traje y guitarra blancos listo para salir al escenario.

Harrison inicia su actuación con la canción "Wah-Wah" acompañado por una banda con Ringo a la batería, Jim Keltner también a la batería, Eric Clapton y Jesse Ed Davis guitarras, Leon Russell al piano, Billy Preston en los teclados, Jim Horn liderando una sección de metal, Klaus Voorman al bajo, Claudia Linnear al frente de un grupo de *gospel* y los tres miembros del grupo Badfinger con sus guitarras acústicas.

Después de "Wah-Wah", el concierto incluyó "My Sweet Lord", "Awaiting On You All", "Beware Of Darkness", "That's The Way God Planned It" (interpretada por Billy Preston), "It Don't Come Easy" cantada por Ringo, "Jumping Jack Flash/Young Blood" a cargo de Leon Russell, "While My Guitar Gently Weeps", con un magnífico duelo de guitarras entre George y Eric Clapton, "Something" y "Here Comes The Sun", esta última interpretada por George y uno de los miembros de Badfinger con el único acompañamiento de sendas guitarras acústicas.

A continuación, George presentó a Bob Dylan. La aparición por sorpresa del legendario cantautor sobre el escenario provocó una ovación que hizo temblar los cimientos del Madison.

Vestido con pantalones y cazadora vaqueros y armado con guitarra y armónica, Dylan interpretó "A Hard Rain's Gonna Fall" para continuar con "Mr. Tambourine Man", "Blowin' In The Wind" (con Ringo a la pandereta y Leon Russell al bajo), "It Takes A Lot To Laugh, It Takes A Train To Cry" y "Just Like A Woman".

En el último tema, además de Leon Russell al bajo y Ringo a la batería, George le acompañó con la guitarra antes de cerrar el concierto interpretando la canción "Bangla Desh", salpicada en la película con nuevas imágenes de los nativos de la zona. La película concluye cuando George abandona el escenario y el resto de los músicos continúan tocando. La larga cola musical con que termina la canción sirve para introducir en la pantalla los créditos de la cinta sobre imágenes de cada uno de los participantes en el concierto.

Grabado en forma de triple álbum, el *Concierto Para Bangla Desh* llegó al n° 1 tanto en Inglaterra como en Estados Unidos, alcanzando los tres millones de copias vendidas a finales de 1972. Además del dinero de estas ventas, el concierto aportó unos beneficios íntegros de 243.418,50 dólares.

La película se estrenó el 23 de marzo de 1972 en Nueva York y George participó activamente en el montaje, ayudando al director Saul Swimmer a seleccionar los mejores momentos de los dos *shows.*

LA VIDA DE BRIAN (LIFE OF BRIAN) O LA PASIÓN SEGÚN MONTY PHYTON

La siguiente incursión cinematográfica de George Harrison es en 1974. Tras el éxito de sus triples álbumes *All Things Must Pass* y *The Concert For Bangla Desh,* la edición de *Living In The Material World* y *Dark Horse* marcan el principio de lo que será un largo declive discográfico. Es entonces cuando comienza a dedicar más tiempo a las labores solidarias mediante la fundación de la Material World Charitable Foundation, y a viajar esporádicamente a India para entregarse a la meditación.

En esta época, tras su tímido debut como productor ejecutivo en el documental *Raga,* Harrison repite incursión cinematográfica. Lo hace de nuevo a través de Apple, financiando la película de Stuart Cooper *Little Malcom And His Struggle Against The Eunuchs.*

Adaptación de Derek Woodward a partir de la obra escrita por David Halliwell a mediados de los 60, la cinta estaba interpretada por John Hurt y John McEnery en sus principales papeles y contaba la venganza de un conflictivo estudiante de arte que había sido expulsado de la escuela. El componente violento-juvenil de este film le valió numerosas comparaciones con *La Naranja Mecánica* de Kubrick y, no en vano, ambas películas contaron con John Alcot como director de fotografía.

Little Malcom... ganó el Oso de Plata en el Festival de Cine de Berlín de 1974 y la Medalla de Oro en el Festival de Atlanta pero pasó completamente desapercibida para el público.

Graham Chapman y Michael Palin en una delirante secuencia de *La Vida de Brian (Life of Brian). Fuente:* Handmade Films.

Harrison no volvería a involucrarse en la producción cinemato-gráfica hasta pasados casi cinco años, cuando Monty Python le enseñan el guión de *Life Of Brian*.

La amistad de George con los Monty se remontaba a los inicios de éstos como grupo a finales de los sesenta cuando el *beatle* vio uno de sus primeros programas en la BBC2: "Estaba con Derek Taylor ante el televisor y no podíamos creerlo. Era increíble que una televisión normal pudiera continuar cuando en la pantalla salía un tipo diciendo: 'En la BBC2 estoy yo y ya ven lo que hago, cam-bien a la BBC1 donde hay un programa de deportes'. Les envié un telegrama de felicitación diciendo que me encantaba el *show,* tele-grama que, por cierto, nunca llegaron a recibir".

Formado por los británicos John Cleese, Graham Chapman, Eric Idle, Michael Palin, Terry Jones y el americano Terry Gilliam, Monty Phyton debutaron como grupo teatral en la televisión britá-nica en octubre de 1969. En los diez años siguientes su actividad había sido abrumadora, con nada menos que 45 espectáculos dife-rentes, media docena de discos y tres películas, entre ellas *And Now For Something Completely Different (Se Armó La Gorda)* (1972) *y Monty Phyton And The Holy Grial (Los Caballeros De La Mesa Cuadrada)* (1975).

En poco tiempo y sin un gran aparato publicitario, habían con-seguido hacer famoso en todo el territorio angloparlante su comici-dad irreverente, devastadora e insumisa. En 1979, su serie televisiva *Fawlty Towers* arrasa en Gran Bretaña, serie que por cierto llegaría a ser estrenada en Televisión Española, siendo suprimida de la parrilla de manera fulminante. El motivo: la polémica porque uno de los personajes más ridículos de la trama era un camarero espa-ñol.

Entre los *shows* más celebrados de los Python ante la audiencia británica figura *All You Need Is Cash,* una parodia televisiva de la historia de Los Beatles protagonizada por un grupo denominado The Rutles, serie en la que George aceptó de buena gana intervenir con sus delirantes amigos apareciendo brevemente como entrevis-tador en uno de los episodios.

En 1978, Eric Idle y Michael Palin comentan a Harrison que están escribiendo el guión para una comedia protagonizada por un tipo llamado Brian que nace en al mismo tiempo y en el mismo sitio que Jesús de Nazaret y que será confundido con el Mesías durante toda su vida. "La idea me pareció desternillante" recuerda George.

"Como fan de los Monty estaba deseando que la terminasen."

Pero a última hora hubo problemas cuando EMI y el magnate Sir Lew Grade, en principio productores de la película, anuncian que abandonan el proyecto tan sólo dos días antes de que todo el equipo se traslade a Túnez para comenzar el rodaje. Una decisión motivada por el temor a que el argumento de la película pudiera ser tachado de blasfemo y desencadenar un escándalo.

Es entonces cuando los miembros de Monty Python acuden a George como último recurso: "Pregunté a mi *manager,* Dennis O'Brien, si había alguna forma de ayudarles y él sugirió que podríamos convertirnos en productores, así que eso es lo que hicimos".

Dirigida por Terry Jones *Life Of Brian* sitúa la acción en Jerusalén. Allí una joven y fea muchacha ha sido violada por un centurión romano. El fruto de esta unión es Brian, quien viene al mundo al mismo tiempo que Jesús en un portal de Belén vecino. Ese nacimiento da origen a uno de los primeros *gags* de la película, cuando los Reyes Magos se confunden y están a punto de entregar sus presentes al recién nacido Brian en lugar de dárselos al auténtico Mesías. A partir de ahí, las vidas de Brian y Jesucristo discurren de forma paralela y la avalancha de situaciones cómicas es constante.

Entre otros *gags,* Brian se gana la vida como vendedor de chucherías en el circo mientras se celebran las luchas de gladiadores y se echa a los cristianos a los leones. Los romanos le detienen por hacer enormes pintadas en las que puede leerse "Romans Go Home" y es reiteradamente confundido con el redentor y adorado como enviado de Dios.

El momento del sermón de la montaña, constantemente interrumpido con gritos de "¡No se oye!" y "¡Más alto!" por parte de los asistentes situados más lejos de Jesús da idea del tono general de la película. Tampoco tiene desperdicio la secuencia del juicio ante Pilatos, juicio que degenera en un desternillante delirio al ser el romano incapaz de pronunciar correctamente determinadas palabras, convirtiéndose en el objeto de las burlas y las carcajadas de la multitud que se retuerce de risa por los suelos.

Rodada a principios de 1979 en Túnez, la Paramount se hizo con los derechos nada más completarse el montaje. A finales de año, *Life Of Brian* se había estrenado en más de un centenar de salas norteamericanas convirtiéndose en la película más taquillera del momento. No faltó quien tachó el film de irreverente pero pudo más la acogida de crítica y público elogiando el soplo de aire fresco que suponía el humor de unos Monty Phyton que acababan de instalarse en la cumbre de la comedia cinematográfica.

La casual incursión de George en el mundo de la producción ejecutiva no pudo ser más exitosa, poco después de su estreno, *Life Of Brian* había generado unos beneficios de treinta y cinco millones de dólares, cifra que llegaría a duplicarse pasados diez años rentabilizando asombrosamente los cinco millones y medio que Harrison y Dennis O'Brien habían invertido como productores ejecutivos.

Este éxito fue lo que animó a ambos a fundar la productora Handmade Films (Películas Hechas A Mano). Nombre ideal para designar un negocio casi artesano, destinado a dar una oportunidad a nuevos creadores cinematográficos con cosas interesantes que contar y, desde luego, a las nuevas ideas que pudieran surgir del genio cómico de Monthy Python.

La buena acogida de *Life Of Brian* compensó a George de los muchos sinsabores discográficos que atravesaba su carrera y le dio la oportunidad de disfrutar de una faceta que siempre le atrajo y que no le exigía aparecer en primer plano: "Nunca se me ha ocurrido ser actor. Lo único que he hecho en este sentido han sido las películas de Los Beatles. Sólo estoy interesado en trasladar mis ideas al celuloide y que sea el público quien las vea y decida si merecen o no la pena".

La química con Monty Phyton era tal que incluso se dejó convencer para un breve cameo (más que breve casi imperceptible) en la exitosa sátira bíblica:

"Fui a Túnez a ver el rodaje. Era en el mismo lugar donde se han filmado muchas películas bíblicas y, al parecer, Fellini acababa de rodar en el mismo sitio. Sólo quería quedarme un día, pero de repente me encontré metido en los vestuarios y cuando quise darme cuenta estaba caracterizado como un árabe que aparece en los títulos de crédito como Mr. Papadopoulis:

Hay una escena en la que Brian se levanta por la mañana y su casa está rodeada por gente que le dice. '¡Tócanos, Brian!', '¡Cúranos!'. Luego aparece John Cleese y dice a la multitud: 'Los castigados por el diablo formar un grupo a la izquierda y los que traigáis presentes a la derecha'. Pues bien, yo aparezco entre el tumulto a la derecha de la pantalla. Hay que utilizar la tecla de *Stop* para verme."

HANDMADE FILMS: VENTURAS Y DESVENTURAS HECHAS A MANO

En 1981 Harrison y Dennis O'Brien intentaron repetir el éxito de *Life Of Brian* produciendo una nueva película de Monty Phyton, la primera bajo el flamante sello Handmade Films. El proyecto llevaba por título *Time Bandits (Los Héroes Del Tiempo)*.

Basado en una idea de Terry Gilliam, que se ocupó de la dirección, el guión contaba la historia de unos enanos que consiguen el secreto para viajar por el tiempo mientras el mismísimo Dios les persigue.

Entre otros destinos, el curioso grupo visita la Grecia antigua, se embarcan sin saberlo en el "Titanic" o aparecen en el imperio napoleónico. Tras numerosas aventuras, el Supremo Hacedor termina por darles alcance. Un Dios, por cierto, verdaderamente antológico interpretado por Ralph Richardson, quien aparece ataviado con un elegante traje y aires de veterano profesor.

Entre otras *Time Bandits* contaba con la intervención de Sean Connery en el papel de antiguo guerrero griego. Iam Holm interpretaba a Napoleón y John Cleese daba vida a un magistral Robin Hood en la visita de los protagonistas al bosque de Sherwood. También aparecían Michael Palin, Shelley Duwall, David Rappaport, Kenny Baker y Mike Edmonds.

Además de repetir como productor ejecutivo, George Harrison se animó a escribir una canción para la película. Se titulaba "Dream Away" y era lo más comercial de su producción en muchos años. "Dream Away" aparecería en el álbum de George *Gone Troppo* publicado en 1982.

Estrenada a finales de 1981, *Time Bandits* volvió a ser un éxito fuerte en Estados Unidos, aunque no llegó a los niveles de *Life Of Brian.* En Europa, la repercusión fue mucho menor. La película era más reflexiva y contenía menos momentos de comicidad desbordada. Además, sus 117 minutos resultaban demasiado para un argumento aquejado de monotonía, al ser el principal hilo conductor los repetidos viajes de los protagonistas adelante y atrás en la historia.

En el polo opuesto a la temática de esta comedia, el mismo año 81 la productora financia el rodaje de *The Long Good Friday (El Largo Viernes Santo),* un *thriller* con el IRA como telón de fondo dirigido por John McKenzie y protagonizado por Bob Hoskins y

Eddie Constantine con una breve intervención de un entonces desconocido Pierce Brosnan, aún muy lejos del agente 007.

En 1982, la actividad de Handmade Films es incensante. Además de la producción del especial *Monty Phyton Live At The Hollywood Bowl (Monty Phyton en Hollywood)*, un resumen de las cuatro actuaciones del grupo en este escenario, la productora financia el guión de *The Missionary*, otra comedia escrita por el miembro de los Python Michael Palin.

Dirigida por Richard Loncraine, Maggie Smith y Trevor Howard actuaban de secundarios en un reparto en el que el propio Palin tenía el papel principal, el de un religioso que ha recibido el encargo de ocuparse de ciertas "mujeres descarriadas" cuando él mismo está enredado con una dama a la que conoce en un barco.

La efervescencia de Handmade Films continúa con la producción ese mismo año de *Scrubbers*, una historia ambientada en una cárcel de mujeres. La cinta contó con la dirección de Mai Zetterling y con Imogen Bain, Honey Bane y Debby Bishop en el reparto.

Ya en el 83 vendría *Bullshot!*, dirigida por Dick Clement y protagonizada por Alan Sherman y Diz White. En esta cinta George contribuye además componiendo junto a Du Prez, Clement, Sherman y House, el tema musical que da título al film y que interpreta "Legs" Larry Smith. Poco después también produce *Private On Parade*. Protagonizada por John Cleese y Denis Quilley, es Michael Blackemore, quien dirige esta adaptación al cine del musical teatral de Peter Nichols, una sátira sobre la actuación del Ejército Inglés en Asia a principios de siglo.

Inmerso en esta frenética actividad ejecutiva, Harrison llega a anunciar su retirada definitiva del mundo de la música para volcarse en sus tres *hobbies* principales: Las carreras de coches, la jardinería y su faceta de productor en la que da muestras de sentirse completamente a gusto:

"Somos esencialmente una compañía productora que se autofinancia suficientemente. El éxito de Handmade Films es que hemos apostado por guionistas y directores jóvenes y valientes. A veces viene a Handmade una película que ya está preparada para hacer y sólo la financiamos. Otras veces encargamos guiones de películas que tardan en hacerse hasta tres años. Hay muchos proyectos en marcha. Solemos hacer películas de bajo presupuesto. En ocasiones no me intereso en una película hasta que comienza el rodaje y

Cartel promocional español de *Los Héroes del Tiempo (Time Bandits)*.
Fuente: Handmade Films.

voy a ver las primeras pruebas. A veces ni siquiera acudo al *set* y hay veces que compongo la banda sonora. Aquí hay buena gente y de todas formas yo no quiero venir a trabajar a estas oficinas cada día, dejaría de ser una afición. Yo no quiero hacer del cine una nueva profesión."

En el 84, la productora hace posible otro largometraje de John MacKenzie, titulada *A Sense Of Freedom* y protagonizada por Jake D'Arcy, Roy Hanlon y Alex Norton.

Ya en 1985, la película de Malcom Mowbray *A Private Function (Función Privada),* producida el año anterior por Handmade Films logra tres premios de la Academia de Cine Británica. El galardón era un reconocimiento al "interesante componente británico" de las películas financiadas por la productora de Harrison.

Ese año también produce *Water (Loca Juerga Tropical).* Dirigida por Dick Clement y protagonizada por Michael Caine, Valerie Perrine y Brenda Baccaro en un intento frustrado de repetir el éxito de Caine en *Lío En Río.*

Al final de la película el grupo The Singing Rebel's Band, formado por George a la guitarra y coros, Ringo a la batería y Eric Clapton a la guitarra y coros acompañaban al cómico Billy Connolly cuando éste, vestido de camuflaje, interpretaba un reivindicativo *reggae* titulado "Freedom" (compuesto por Clapton) en la sede de las Naciones Unidas.

Como ocurriera con *Life Of Brian, Water* también estuvo a punto de no llegar a filmarse cuando la productora inicialmente prevista se retiró del proyecto a última hora. Con tan sólo cuatro días de margen antes del inicio del rodaje, Dennis O'Brien consiguió la financiación necesaria para sacarla adelante.

La película presentaba a un típicamente mujeriego Michael Caine ocupando un destacado cargo diplomático en una pequeña isla donde un minúsculo grupo de rebeldes reclaman la independencia.

Además de aparecer brevente ante la cámara, George contribuyó a la banda sonora participando en la composición del tema "Focus Of Attention" (Harrison, Moran, Clement) y "Celebration" (Harrison, Moran), canción en la que también contribuyó con su guitarra.

La breve aparición de George, Ringo y Clapton fue un indudable y astuto gancho para incondicionales pero no bastó para paliar los pobres resultados comerciales de *Water*. De hecho, poco después del estreno, George reconoció por vez primera ante la prensa los problemas económicos que atravesaba Handmade Films.

En las mismas declaraciones desmintió el rumor acerca de una posible película en torno a la figura de Picasso alegando que Handmade no quería hacer documentales donde se difundiesen datos que pudieran herir a alguien. El *exbeatle* calificó de "necesario" hacer una película que diera mucho dinero para que la productora pudiera acometer luego el cine que de verdad les interesaba.

A este práctico razonamiento obedece la idea de producir *Shangai Surprise*, la segunda película de Madonna.

Dirigida por Jim Goddard e inspirada en una de las historias del libro de Tony Kenrick, *Faraday's Flowers*. El film también contaba en su reparto con Paul Freeman, Richard Grifgith y el entonces marido de la estrella, Sean Penn.

Ambientada en 1938, Madonna interpretaba el papel de Gloria Tatlock, una joven americana que no encuentra trabajo en la Norteamérica de la depresión. Como último recurso decide marcharse a Shangai para convertirse en misionera. Sean Penn hacía el papel de Glendon Wasey, un vendedor metido en líos por culpa de un gran cargamento de opio. La misionera necesitaba la droga como anestésico para los miles de soldados heridos en la guerra entre China y Japón mientras que Wasey quería hacerse con la sustancia como pasaporte para poder volver a Estados Unidos.

Además de financiar la película con 15 millones de dólares, George colaboró componiendo seis canciones para la banda sonora y trabajando a medias con Michael Kamen en la parte orquestal. Los nuevos temas eran "Shangai Surprise", escrita con Vicki Brown, "12 Bar Bali" (no incluida en los créditos) "Someplace Else", "Breath Away From Heaven", "Hottest Gong On Town", interpreteada por The Zig Zaggers y "Zig-Zag", escrita con Jeff Lynne e interpetada por The Gaslight Orchestra.

Ante el fracaso de la película, George se niega a comercializar la banda sonora de modo que estas canciones aparecerán posteriormente, desperdigadas en formatos promocionales, como caras B de *singles* o en renovadas versiones dentro de "Cloud Nine", su álbum de 1987. En el caso de "12 Bar Bali" el tema permanece inédito.

Lo que no pudo resistir Harrison fue la tentación de aparecer en un cameo como cantante de orquesta en una sala de fiestas.

Mientras los personajes principales mantenían una conversación, podía observarse al *ex beatle* al fondo de la imagen cantando de pie ante un micrófono. Harrison aparecía con fino bigote, ataviado de blanco y con el cabello engominado, al más puro estilo de los *crooners* de finales de los treinta.

Pero el sentido del humor del productor contrastaba con el insoportable comportamiento de la excéntrica pareja protagonista. Madonna y Sean Penn hicieron lo imposible por ganarse la enemistad de todo el equipo de filmación con su comportamiento de divos caprichosos. Según comentó un miembro del equipo de rodaje, Madonna y Sean Penn se comportaban como niños malcriados, sin dar ninguna muestra de madurez.

A la hostilidad con los miembros del equipo hay que sumar los conflictos con los numerosos periodistas que acudían al *set* intentando obtener alguna declaración de la cantante y que eran sistemáticamente repelidos por un ejército de malencarados guardaespaldas. Madonna llegó a acusar a los reporteros de haber robado de su camerino fotografías, material del vestuario y hasta su propio bolso. Según un amigo cercano, Sean Penn tenía la costumbre de recordar a su mujer "lo que le había ocurrido a John Lennon por dejar que se le acercarse cualquiera".

El mal ambiente alcanzó tal punto que el propio Harrison, tan poco dado a las apariciones públicas, tuvo que comparecer a su lado en una multitudinaria conferencia de prensa que tuvo lugar en Kensington Gardens, Londres, el 6 de marzo. Cualquier cosa con tal de reconciliar a la protagonista con los informadores que cubrían el rodaje y evitar que la película se viera perjudicada por los numerosos desplantes de la estrella.

Contrariamente a esta intención, la rueda de prensa se transformó en un tenso tira y afloja en el que Harrison pidió a los periodistas que se comportasen como "no animales". Por su parte, Madonna proclamó que su productor la había dado instrucciones, no acerca de cómo actuar en el film, sino sobre cómo enfrentarse a los medios de comunicación.

Tal y como declararon por aquellas fechas algunos miembros del rodaje: "La necesidad que tenían los productores de que la película fuera un éxito era lo que permitía aquel estado de cosas".

Lamentablemente, la segunda película de Madonna no repitió el éxito de la anterior *Desperately Seeking Susan (Buscando A Susan Desesperadamente)*. Muy al contrario, *Shangai Surprise* supuso un fracaso sin paliativos. A su endeble guión había que añadir la falta de credibilidad que "La Ambición Rubia" trasmitía dando vida a una misionera.

El batacazo supone para Handmade Films un serio revés del que ya no se recuperará. La productora no vuelve a conseguir ningún éxito relevante de taquilla y desde entonces las ventas en vídeo de sus títulos pasan a ser la principal fuente de ingresos: "Cuando llevamos la película al estudio nos dieron dinero y cuando la editamos en vídeo conseguimos cubrir la inversión. Sólo así pudimos hacer frente a las pérdidas y evitar el cierre del negocio".

Mucho tiempo después, su productor sostiene que *Shangai Surprise* no era tan mala y que el comportamiento negativo de la prensa tuvo mucho que ver con el fracaso. Aún así Harrison se tomó el revés con suficiente humor para declarar que: "Si en vez de Madonna y Seann Penn hubiéramos contratado a Ringo Starr y Bárbara Bach nos habríamos evitado muchos problemas".

También en 1986 Handmade produce la película de Neil Jordan *Mona Lisa,* protagonizada por Bob Hoskins y Cathy Tyson y en la que Michael Kamen repite como autor de la banda sonora. *Mona Lisa* obtiene un galardón de la Academia Británica, otro en el Festival de Cannes y es nominada a los Oscars con una excelente acogida de crítica y público. También de este año es *Whitnail And I,* dirigida por Bruce Robinson. Cuenta como protagonistas con Richard E. Grant y Paul Mc Grann. En esta comedia se escucha además la versión del "While My Guitar Gently Weeps" que George grabara para el *White Album* de Los Beatles.

En 1987, Handmade Films suma dos nuevas producciones a su catálogo. La primera de ellas es *Five Corners (Cinco Esquinas).* Toni Bill es el director de esta película difícil de encasillar y que cuenta en su reparto con Jodie Foster, Tim Robbins y John Turturro. *Five Corners* transcurre en una zona concreta del Bronx neoyorquino y gira en torno a 36 horas en la vida de tres personajes, firmemente diferenciados. El film (en el que se escucha el "In My Life" *beatle)* pasa por las carteleras sin pena ni gloria. La otra película producida por Handmade ese año se titula *Bellman And True.* La cinta, dirigida por Richard Loncraine y con Ken Bones y Anne Carroll ante la cámara, también tuvo escasa repercusión.

Ya en el 88, Handmade Films celebra su décimo aniversario con la producción de otras tres películas. La primera de ellas es *Track 29,* dirigida por Nicholas Roeg. Theresa Russell, Christopher

Lloyd y Gary Oldman eran los intérpretes de esta historia en la que un matrimonio acomodado esconde tras su fachada de bienestar los graves problemas causados por las obsesiones de ella.

A continuación vendría *The Lonely Passion Of Judith Hearne (La Solitaria Pasión De Judith Hearne)*, dirigida por Jack Clayton, con Maggie Smith y Bob Hoskins, y *The Raggedy Rawney (El Engima Del Hechicero)*, el debut de Bob Hoskins tras la cámara con la original historia de un joven desertor del ejército que se refugia en una familia nómada de músicos gitanos.

El mismo año, George participa en *Walking After Midnight,* un documental sobre la reencaración, en el que aporta su testimonio, lo mismo que hacen James Coburn, Willie Nelson o el propio Dalai Lama. Harrison colaboró a sugerencia de Ringo, quien hizo de narrador y presentador. Al inicio de *Walking After Midnight,* los títulos de crédito se proyectan mientras suena la canción de George "Art Of Dying", correspondiente al álbum *All Things Must Pass.* En otro momento del documental también se escucha la canción que daba título a dicho álbum.

Los problemas para Handmade Films se agravan a principios de 1989 cuando la productora se ve mezclada en un pleito por incumplimiento de contrato con la multinacional Cannon. En esas fechas George reconoce que la productora tiene grandes deudas y que no puede permitirse el lujo de acometer grandes producciones para llegar a un público más amplio. Ese año Handmade produce el film ecologista *How To Get Ahead In Advertising.* La recaudación de uno de los pases se destina íntegramente a la organización ecologista Friends Of The Earth.

Las dificultades económicas de la productora se agravan pero aún así todavía financia el largometraje de Johnathan *Wacks Pow Bow Highway,* con Gary Farmer y Joanella N. Romero en el reparto.

También en el 89, tras regresar a la música en activo con la publicación en 1987 del álbum *Cloud Nine,* George participa en la banda sonora de la película de Richard Donner *Lethal Weapon 2 (Arma Letal 2)* con el tema "Cheer Down", una canción escrita con Tom Petty y que pasa totalmente inadvertida a pesar de contar con un marcado sonido "ELO", deudor de la producción de Jeff Lynne, el antiguo líder de la Electric Light Ochestra y compañero de Harrison en los Travelling Wilburys.

Entretanto, el declive de Handmade Films llega a un punto sin retorno con la producción de sus tres últimas películas. Todavía en el 89 se rueda *Checking Out.* Dirigida por David Leland, era una insulsa comedia protagonizada por Jeff Daniels. En ella, George realiza un fugaz cameo dando vida a un conserje, tocado con un enorme sombrero, que aparece barriendo incansable el suelo del paraíso.

El mismo año se rueda la película de Alan Metter *Cold Dog Soup,* con Randy Quaid y Frank Whalley y que llega a generar pérdidas por valor de catorce millones de dólares.

El canto del cisne de Handmade Films es en 1990 con la película de Jonathann Lynn *Nuns On The Run (Monjas A La Carrera),* protagonizada por Eric Iddle y Robbie Coltrane. La comedia narraba las peripecias de dos ladrones que tienen que disfrazarse de monjas al verse perseguidos por su propio jefe y por una banda rival. En la cinta, la última producida por la compañía de George, se escucha también su tema de 1979 "Blow Away", un paradójico canto al optimismo, al mismo tiempo que Handmade toca fondo.

En 1992, Harrison declara: "Hay gente escribiendo proyectos, guiones, pero no es el mejor momento para hacer cine. Además solíamos hacer películas de bajo presupuesto y, al parecer, ya no hay un mercado para ello. Hay que cambiar. Hacer algo que llame la atención de Hollywood, pero que tenga un significado". Pero para aquel entonces, los sucesivos fracasos de su productora habían reducido la fortuna de Harrison a tan sólo 10 millones de libras esterlinas, algo menos de 2.000 millones de pesetas.

La debacle de Handmade Films pone de relieve los turbios manejos financieros de su socio Denis O'Brien, al descubrirse que durante mucho tiempo se había aprovechado del capital activo aportado por George a la productora para asegurarse una existencia a todo lujo que incluía la adquisición de coches, yates y costosas fincas en diferentes lugares del mundo.

El fracaso de *Shangai Surprise* había obligado a O'Brien a enredar nuevas y complejas tramas accionariales para enmascarar las crecientes pérdidas mientras un confiado Harrison seguía adelantando dinero para financiar nuevos proyectos cinematográficos. En 1994, la tensión desencadena el despido de O'Brien tras negarse a respaldar el acuerdo alcanzado para hacer frente a las deudas. George acusa a su ex socio de haberse quedado con su dinero y a mediados de julio del 95 le demanda ante un tribunal de California, exigiéndole 25 millones de dólares como compensación, algo más de 3.000 millones de pesetas.

Se inicia una larga batalla legal con interminables sesiones con abogados y contables y cruces de demandas judiciales por ambas partes. Denis O'Brien afirma que, desde que sus inicios como *manager* del *ex beatle*, allá por 1973, ayudó a Harrison a ganar muchos millones y que si él los perdió es tan sólo culpa suya.

El litigio termina el 20 de enero de 1996, cuando la Corte Superior de Justicia de Los Ángeles dicta una sentencia que da la razón a Harrison y obliga a Denis O'Brien a indemnizarle con más de 11 millones de dólares por daños y perjuicios. Conocido el veredicto, George declara: "Una cosa es ganar dinero y otra es coleccionarlo".

Dos años antes de esta sentencia, en mayo del 94, el grupo norteamericano Parangon compra Handmade Films al objeto de extender su área de influencia en la producción y distribución internacional. Por ocho millones y medio de dólares Parangon se queda con el catálogo de 23 películas acumuladas por la productora y se compromete a que Handmade reanude su actividad, interrumpida durante casi seis años, con la intención de producir de dos a tres películas anualmente a partir de 1996. Entre otros, la resurrección dará lugar a títulos como *Lluvia En Los Zapatos,* dirigida por Maria Ripoll y protagonizada por Penélope Cruz en 1998.

Por su parte, George se olvida del negocio cinematográfico al tiempo que los sustanciosos ingresos percibidos por la edición de la trilogía *Anthology* de Los Beatles contribuyen a sanear de nuevo sus cuentas.

En la primavera de 1998 llegó a las pantallas de formato IMAX una película documental titulada *Everest.* Estrenada en el Museo de la Ciencia de Boston y exhibida luego en Madrid y Barcelona, George no estuvo directamente implicado en esta producción, pero la banda sonora, firmada por los compositores y productores Steve Wood y Daniel May, está inspirada en sus canciones "All Things Must Pass", "Give Me Love", "Life Itself", "This Is Love" y "Here Comes The Sun".

Everest cuenta con la voz de Liam Neeson como narrador y al final de la cinta, sirviendo de fondo a los títulos de crédito se escuchan la versión en directo de "Here Comes The Sun" procedente del álbum *Live In Japan,* grabado por George en 1992.

Publicada el 10 de marzo del 98, la banda sonora de *Everest* contó con nuevos arreglos orquestales incorporados por Wood y

George con Madonna. El productor y la confictiva estrella de *Shangai Surprise* en forzada rueda de prensa para "apaciguar a los periodistas".
Fuente: Q Magazine.

May. Más de ochenta músicos lograron acercar las composiciones originales de Harrison a un sonido muy cercano a la "New Age" con un toque de misticismo logrado mediante la utilización de instrumentos indios.

Según declaró a Steve Wood: "Para la banda sonora de *Everest* queríamos a alguien cuya música tuviera un contenido espiritual y reflejara de algún modo la sensación que generan el Nepal y el Himalaya. La música de George Harrison es muy espiritual y refleja lo que ocurre en esa parte del mundo. Parecía que no había otra elección. Las conmovedoras imágenes de la película, combinadas con las melodías de George Harrison han hecho de esta experiencia algo único".

—V—
EL CINE DE RINGO STARR

*"Yo no sé actuar. Cuando veo a los actores en
la tele me quedo pasmado viendo lo que hacen con
las caras y los ojos. Yo no sé hacer nada de eso.
Y no hago nada. No sé, a lo mejor también eso es actuar."*

Ringo Starr, 1967

Cuando en 1964 crítica y público se deshicieron en elogios al ver a Ringo en *A Hard Day's Night,* pareció claro que, si bien el batería de Los Beatles nunca podría competir con sus compañeros en cuanto a creatividad musical, al menos podía sacar partido a su naturalidad ante la cámara, una habilidad que enseguida despertó su interés: "Hacer películas está muy bien, aunque a veces me aburro. Nunca sabes si va a salir o no, si tienes algo que vale la pena. Pero estoy muy interesado en las películas. Puede que acabe metiéndome en eso".

La celebrada secuencia en la que Ringo decidía abandonar el grupo y se iba a pasear con el niño escapado de la escuela, potenciaba ante el espectador la imagen de ternura y desamparo que siempre le acompañó. Las buenas críticas propiciaron que en *Help!,* el batería se convirtiese en virtual protagonista de la descabellada trama, si bien esta vez con un papel que ponía el acento más en lo cómico que en lo humano. El caso es que, tras las dos películas de Los Beatles, a Ringo le llovían las ofertas: "Después de aquello me ofrecieron actuar en muchas películas, pero siempre eran papeles principales, de mucha responsabilidad. Estuve a punto de aceptar el papel de Dr. Watson en una película sobre Sherlock Holmes pero me pareció demasiado arriesgado. No quiero coger ningún papel principal de momento, si fuese mal sería un desastre, pero un papel secundario, sin mucha responsabilidad, eso sí me gustaría. Y si eso fuese bien luego podría probar algo más importante".

Consciente de sus limitaciones, después de *A Hard Day's Night* y *Help!,* Ringo aceptó un papel episódico en *Candy,* una película en la que aparecía haciendo de jardinero mejicano. "Lo hice porque salían Marlon Brando y Richard Burton y pensé que la responsabilidad sería de ellos y no mía. Además supuse que aprendería viéndolos. Para mí fueron sólo diez días de rodaje y no tenía mucho diálogo."

Después de *Candy,* Ringo interpretó un rol de mayor responsabilidad interpretando al hijo adoptivo de Peter Sellers en la comedia *The Magic Christian*. Pero a pesar de tratarse de un papel hecho a su medida el resultado final no satisfizo a nadie.

Separados Los Beatles, el cine parece presentarse como el destino natural de un Ringo musicalmente en desventaja, sin embargo su carrera en la gran pantalla estará plagada de películas fallidas.

Su incursión en el campo del "spaghetti western" haciendo de bandido asesino en *Blindman* pasa desapercibida y tampoco obtienen mejor fortuna sus colaboraciones cinematográficas con otros músicos como Frank Zappa *(200 Motels)*, Marc Bolan *(Born To Boogie)* y Harry Nilsson *(Son Of Dracula)*.

La reconciliación de Ringo con la crítica llegaría con el estreno en 1972 de *That'll Be The Day*. Una película ambientada en la Inglaterra de los 50 y protagonizada por la estrella pop David Essex, aunque es la interpretación de Ringo la que cosecha los mayores elogios.

Tras un largo descanso cinematográfico, Ringo regresa con pequeños papeles en *Lisztomanía* a las órdenes de Ken Russell y en *Sextette,* una película totalmente olvidable escrita por y para una Mae West en el ocaso de su carrera.

Ya en 1981, protagoniza *Caveman,* una original comedia ambientada en la prehistoria en la que Ringo interpreta a un troglodita. La película sirvió a además a Ringo para conocer a Barbara Bach, su segunda esposa y en aquellos días prometedora actriz tras aparecer como "chica Bond" en la película de 007 *La espía que me amó*.

Pero a partir del matrimonio ambos descuidan su carrera en la gran pantalla para centrarse en producciones televisivas mediocres, como es el caso de *Princess Daisy,* serie en la que trabajan juntos interpretando a una secundaria pareja de pícaros de alta sociedad. Es en esta época, a mediados de los 80, cuando sus problemas con el alcohol sumergen a Ringo en un largo declive profesional, grabando de tarde en tarde discos de escasa repercusión mientras recibe cada vez menos llamadas telefónicas de los productores.

En 1984, Paul le incluye (haciendo de sí mismo) en la desastrosa *Give My Regards To Broad Street:* "Me habría gustado hacer el papel de malo" —declaró— "pero ya se lo habían dado a otro. De todas formas, Paul dice lo mismo que mucha gente: que nadie me creería haciendo de malo. ¡Deberían preguntar a mis hijos si parezco malo o no cuando los mando a la cama!".

A finales de los 80, la prensa rosa airea sonadas discusiones en público entre Ringo y Barbara. Los problemas con la bebida continúan e incluso se ve obligado a acudir a los tribunales por inclumplimiento de contrato discográfico. En el juicio reconoce haber grabado un álbum completo bajo los efectos del alcohol, llegando a consumir durante las sesiones hasta diecisiete botellas de vino diarias.

Tras someterse a tratamiento, Ringo intenta reconducir su carrera y forma la Ringo And His All Starr Band, un supergrupo por el que pasarán amigos como Billy Preston, Dr. John, Joe Walsh, Jim Keltner, Rick Danko, Levon Helm o Clarence Clemons.

Con un electrizante repertorio compuesto por clásicos de The Band como "Up On Cripple Creek" o "The Weight" y éxitos de Ringo como "Photograph", "It Don'T Come Easy" o "Yellow Submarine", Ringo And His All Starr Band realiza una primera gira norteamericana a finales de 1987 con cierta repercusión. Ringo y su grupo (con algunos cambios en la formación), continuarán reuniéndose durante los años siguientes en diversas giras de las que salen dos discos en directo y un vídeo recogiendo el concierto realizado por el grupo en el Teatro Griego de Los Ángeles en 1990. La experiencia le sirve para recuperar el contacto con el público y el gusto por la música como diversión y decir adiós a un cine que ha dejado de contar con él: "La gente quiere que me mantenga en mi sitio. Todavía piensan que no soy más que un batería de *rock'n'roll* y no me respetan como actor. Pero gente como Peter Sellers o Richard Burton me dieron un aprendizaje mucho mejor que cualquier escuela de interpretación".

CANDY. 1967
Dir: Christian Marquand

A mediados de 1967, Ringo estaba ansioso por acometer un proyecto en solitario al igual que habían hecho ya sus compañeros. Tras la intervención de John en *How I Won The War* y los *soundtracks* de Paul y George para las películas *The Family Way* y *Wonderwall* respectivamente, Ringo también quería probar fortuna en el cine y pensó que lo mejor era sacar partido a su natural talento interpretativo. Después de todo, tras las películas con

Lester la crítica le saludaba como una auténtica promesa del celuloide.

La primera película en la que intervino se llamaba *Candy* y estaba escrita por Buck Henry, guionista que había participado en series como *El Superagente 86,* una de las comedias televisivas favoritas de Ringo. *Candy* era la adaptación de una exitosa y subversiva novela de Terry Southern y Mason Hoffenberg. Ringo disfrutó particularmente con el trabajo de Southern y esto le decidió a participar, dos años después, en la adaptación al cine de su novela *The Magic Christian.*

Coproducción italo-francesa dirigida por Christian Marquand, la cinta contaba la historia de una joven y rica heredera tan hermosa como ingenua, objeto del deseo de todos los hombres que se cruzan en su camino y con los que, indefectiblemente, termina practicando el sexo.

El papel protagonista supuso el debut cinematográfico de la rubia Miss Suecia Ewa Aulin, junto a un fabuloso reparto en el que, además de Ringo, aparecían Marlon Brando, Richard Burton, John Huston, James Coburn, Walter Matthau, John Astin, Charles Aznavour, Elsa Martinelli e incluso el boxeador Sugar Ray Robinson.

A pesar del deslumbrante *casting,* el resultado dejó bastante que desear. Para la mayoría *Candy* no pasaba de ser una película cercana al porno en la que, básicamente, la chica se dejaba arrancar la ropa y ser poseída por cualquiera que se encontraba. La monótona y para algunos pervertida trama, unida a la excesiva duración del film (119 minutos) motivó duras críticas e incluso que algunos cronistas llegaran a calificarla directamente como "vomitiva".

Entre el amplio reparto, la participación de Ringo en *Candy* se acercaba más al cameo que al papel estelar, incorporando el personaje de Manuel, un jardinero mejicano que trabaja cada sábado para el padre de Candy y que, como todos, pierde la cabeza por la chica hasta que consigue hacer el amor con ella sobre una mesa de billar.

Ringo voló rumbo a Roma desde el aeropuerto de Londres el domingo 3 de diciembre de 1967 para comenzar dos semanas de rodaje, con descansos los días 3, 4, 5, 6, 8 y 10, si bien el día 4 se sometió a pruebas de vestuario, tiñó su cabello de negro y recibió algunas lecciones de acento mejicano.

El rodaje propiamente dicho comenzó a las 8.30 de la mañana del martes 7 de diciembre, con unas escenas filmadas en el jardín

Ringo en el papel de Manuel, el jardinero mejicano, seducido por la ingenua " Candy, interpretada por la rubia Ewa Aulin. *Fuente:* British Film Institute.

de una casa al pie de la carretera de los Incom Film Studios, centro base de la producción.

En la tarde del sábado 9, Ringo filmó otra secuencia en Incom, en el sótano de la casa de Candy, con la protagonista Ewa Aulin y Richard Burton en el papel del Profesor McPhisto. La misma secuencia continuaría filmándose durante las tardes del lunes 11 y martes 12.

Toda la jornada del miércoles 13 de diciembre, hasta las 20.30 se dedicó a filmar la escena de sexo de Manuel y Candy sobre la mesa de billar. Escena que incluye el primer beso de cine que Ringo recibía.

El día siguiente, jueves 14, se dedica toda la jornada a la conclusión de la escena anterior, con el padre de Candy, (interpretado por John Astin) expulsando a Manuel el jardinero de la casa. También el mismo día se filma una escena con Ringo en una moto acompañado por la hermana de Candy, la actriz italiana Marilu Tolo.

El viernes 15 Ringo es filmado con 80 *hippies* en un campo para una escena de amor. Pasada la medianoche, rueda la escena en la que persigue a Candy y a su padre hasta el aeropuerto de Roma, donde ella toma un avión.

El sábado 16 fue el último día de rodaje para Ringo. Pasó la tarde y noche terminando las escenas del día anterior en el aeropuerto.

Ringo regresó a Londres el domingo 17 de diciembre. Había completado su primer papel cinematográfico en solitario y no era necesaria su participación en el proceso de postproducción.

Candy no llegaría a las pantallas hasta pasados nada menos que catorce meses desde el rodaje. Se estrenó en Londres el 20 de febrero de 1969 cosechando las desalentadoras críticas antes mencionadas y siendo retirada en poco tiempo de las salas.

SI QUIERES SER MILLONARIO, NO MALGASTES EL TIEMPO TRABAJANDO
The Magic Christian
Dir: Joe McGrath

En febrero de 1969, con *Candy* todavía pendiente de estreno, Ringo se embarcó en su segundo trabajo cinematográfico como actor sin Los Beatles. En esta ocasión su papel tenía mucho mayor peso dentro de la trama, al aparecer como secundario de Peter Sellers en *The Magic Christian*, adaptación para la gran pantalla de la satírica novela sobre la ambición y el dinero publicada en 1959 por Terry Southern.

Esencialmente, la película era una serie de *sketches* en los que un excéntrico millonario llamado Sir Guy Grand (Peter Sellers) ponía a la gente a prueba para comprobar hasta dónde eran capaces de llegar por dinero.

Ringo hacía el papel de "El Joven Grand", hijo adoptivo del protagonista, quien acompaña a su padre a lo largo de la película mientras éste intenta demostrarle que "cualquiera tiene un precio".

El personaje, inexistente en la novela original, fue creado especialmente para Ringo con la total aprobación de Southern, quien estuvo involucrado desde el principio en la producción. Otro cam-

Richard Attenborough, Peter Sellers y Ringo en la denostada *Si Quieres Ser Millonario, no Malgastes el Tiempo Trabajando (The Magic Christian)*. *Fuente:* Pictorial Press LTD.

bio consistió en localizar la acción en Gran Bretaña, principalmente en Londres, cuando el libro se desarrollaba en Estados Unidos.

Fueron el director Joe McGrath y el propio Sellers quienes escogieron a Ringo para la película, que estuvo producida para Grand Films por Denis O'Dell, con el respaldo financiero de la Commonwealth United americana.

A pesar de tratarse de su novela, Terry Southern no estuvo solo en la tarea de escribir el guión. El director Joe McGrath compartió con él los créditos de la trama mientras Peter Sellers y los todavía desconocidos John Cleese y Graham Chapman, futuro embrión de Monty Python, proveían de material argumental adicional además de aparecer ante la cámara.

Además de Sellers, Ringo, John Cleese y Graham Chapman, el *casting* incluyó a nombres como Richard Attenborough, Yul Brynner, Roman Polansky, Christopher Lee, Laurence Harvey, Dennis Price, Spike Milligan, Raquel Welch, Wilfrid Hyde White, Patrick Cargill (quien también aparecía en *Help!*) y muchos otros rostros especialmente familiares para los espectadores británicos.

El rodaje de *The Magic Christian* comenzó el 3 de febrero, tan sólo tres días después de que Los Beatles dieran por terminada la filmación de *Let It Be* y se desarrolló a lo largo de trece semanas, de lunes a viernes y con interiores en los estudios Twickenham.

Entre las localizaciones londinenses destaca una divertida secuencia de tráfico con Spike Milligan filmada en Lower Richmond Road, junto al embarcadero del Támesis y una escena de *striptease* "shakesperiano" con Laurence Harvey que se filmó en el Royal Theatre de Stratford (el mismo lugar donde Los Beatles rodaron algunas imágenes para el film promocional de "Penny Lane"). Tampoco tenía desperdicio una competición de remo que se mezcló con imágenes reales de las regatas de Oxford y Cambridge.

El clímax de la película consistía en una secuencia en la que Sir Guy Grand ponía a punto la gran prueba final. En una gigantesca cubeta llena de basura había introducido cientos de cheques. Estaba seguro de que cualquiera estaría dispuesto a bucear entre los residuos con tal de hacerse con el dinero. La intención original era filmar esta parte del guión en Nueva York, en Wall Street, pero los productores americanos de la película se negaron. De hecho, no estaban nada conformes con que se rodase e hizo falta que Peter Sellers, quien estaba convencido de que la secuencia era fundamental, se ofreciera a poner el dinero de su bolsillo si la Commonwealth United rehusaba hacerlo. Después de muchos problemas, la secuencia se completaría finalmente en Twickenham entre el 23 y el 26 de junio.

Como premio por haber finalizado la película antes del plazo previsto, la Commonwealth United invitó a Peter Sellers, Ringo, Joe McGrath, Denis O'Dell y sus respectivas parejas a un viaje a Nueva York en el Queen Elizabeth II. El crucero salió de Southampton el 16 de mayo y atracó en Nueva York el 22. A continuación el equipo voló a Las Bahamas para pasar dos semanas de vacaciones.

A la vuelta, Ringo y Peter Sellers regresaron a Twickenham para participar en la postproducción del film, incluyendo un audio grabado para el tráiler promocional.

El estreno mundial de *The Magic Christian* tuvo lugar en el Odeon Cinema de Londres, el jueves 11 de diciembre con la asistencia de Ringo y su mujer y también de John y Yoko.

Ringo y Peter Sellers compartieron las tareas de promoción de la película hasta su estreno. Ambos aparecieron junto con Spike Milligan en el *show* televisivo Frost On Saturday del día 6 de diciembre y Sellers llegó a participar en un documental promocional de 50 minutos producido por Denis O'Dell y dirigido por Tony Palmer. Dicho mediometraje sería emitido bajo el título *Will The Real Mr. Sellers,* el día 18 de diciembre. El documental incluía escenas entre Peter Sellers y Ringo, así como imágenes de Paul y John en una fiesta celebrada el 4 de Mayo.

Pero a pesar de los esfuerzos promocionales y del atractivo y variado *casting, The Magic Christian* fue vapuleada sin contemplaciones por una crítica que salvó en cierto modo de la quema a Ringo. Para muchos el batería había salido dignamente de un papel que no daba demasiado juego y que para colmo ni siquiera existía en el texto original. En cualquier caso cabe señalar que la reacción fue excesivamente dura y que si bien *The Magic Christian* no llegó a ser la gran película que sus responsables deseaban, el conjunto tampoco resultaba tan deplorable como quiso hacer ver la crítica.

Por último, señalar que Paul también tuvo algo que ver en *The Magic Christian* como autor de la canción "Come And Get It", grabada para la película por el grupo Badfinger. Los Beatles también grabarían una versión de este tema difundida durante años en discos piratas hasta su publicación oficial, en 1996, dentro de *Anthology 3.*

EL JUSTICIERO CIEGO (BLINDMAN). 1971
Dir: Ferdinando Baldi

En julio de 1971, antes de su participación en el Concierto Para Bangla Desh, Ringo se suma a la moda del "sphaguetti western" interpretando un papel en *Blindman.* Rodada en Almería (como mandaban los cánones), dirigida por Ferdinando Baldi, responsable de otros clásicos del género como *Django* y protagonizada por Tony Anthony, Agnetta Eckelmyr y Lloyd Batista, la película contaba la historia de un grupo de cincuenta "novias de encargo" procedentes de Italia que son secuestradas por unos bandidos. El encargado de cuidar de las mujeres, un pistolero ciego asombrosamente hábil con el revolver, deberá rescatarlas enfrentándose a un Ringo muy poco creíble en su papel de sanguinario forajido mejicano.

Además de su interpretación, Ringo grabó una canción del mismo título que la película, si bien no llegó a participar activa-

mente en la banda sonora, tal y como se apuntó que haría en principio. La canción "Blindman" aparecería relegada a la cara B de su
single "Back Of Boogaloo".

Traducida para su exhibición española como *El Pistolero Ciego,*
la película se estrenó en Londres en enero de 1972, en un momento en que el "sphaguetti western" había comenzado a decaer y el
flojo guión no incluía ningún ingrediente que aportase un nuevo
impulso al género. Si a esto unimos la poco convincente interpretación de Ringo, la tibia acogida de crítica y público resulta más que
justificada. Parecía confirmarse que nadie tomaba en serio al batería cuando se trataba de interpretar al malo de la película.

En definitiva, para lo único que le sirvió *Blindman* fue para
gozar de numerosas noches de juerga flamenca en Almería, disfrutando del vino y las excelencias de una tierra que ya había tenido
ocasión de conocer en el 66, cuando visitó a John en el rodaje de
How I Won The War.

200 MOTELS. 1971
Dir: Frank Zappa

Tras *Blindman,* el cine de Ringo comienza una etapa marcada por
las colaboraciones con otras estrellas del panorama musical. La primera de ellas como protagonista del film *underground 200 Motels*
escrito y dirigido por Frank Zappa.

El proyecto iba a estar en principio codirigido por Tony Palmer
pero desavenencias con Zappa le harían abandonar antes de iniciarse
el rodaje. Presentada en Londres en diciembre de 1971 y nunca estrenada en España, *200 Motels* era una surrealista propuesta en torno a
la vida en la carretera de una banda de *rock.* El mayor aliciente de la
película era contemplar a un Ringo convenientemente caracterizado
interpretando el papel de Frank Zappa dentro de un reparto que también contaba con nombres como el batería de The Who, Keith Moon.

Tal y como deseaba Zappa, *200 Motels* consigue transmitir un
cierto sabor anarcoide, pero el resultado conjunto es desigual y
olvidable. Hoy la película queda como perfecto ejemplo de una
época en que las estrellas de *rock* intentaron demostrar que sabían
hacer de todo, lo cual no siempre era cierto.

Ringo "clon" de Frank Zappa, junto al original, en la película *200 Motels*.
Fuente: British Film Institute.

BORN TO BOOGIE. 1972

Dir: Ringo Starr

Ringo también caería en la tentación de dirigir y es tras su colaboración con Zappa cuando debuta detrás de la cámara con *Born To Boogie*. El film era un retrato de Marc Bolan, líder de T.Rex, una de las grandes revelaciones del *rock* británico de los primeros 70.

La labor de Ringo como director no pasó de correcta y *Born To Boogie* se queda en una familiar película de amigos, aunque al menos sirvió para inmortalizar un episodio fascinante de la historia del *rock,* como fue el éxito de T.Rex, al incluir la mayor parte del concierto celebrado por Bolan y su grupo en el Wembley Empire de Londres en marzo del 72.

La película se estrena en octubre del mismo año pasando prácticamente desapercibida sin que a Ringo le queden ganas otra vez de volver a jugar a director de cine.

SON OF DRACULA. 1972

Dir: Freddie Francis

Para completar un bienio cinematográfico lleno de tropiezos, en agosto de 1972, Ringo y otro de sus amigos, el cantante Harry Nilsson participan en *Son Of Dracula.*

La cinta iba a titularse originalmente *Count Downe* y constituye una fallida parodia de las películas de terror y del cine *rock* de la época. El argumento contaba cómo después de que el Dr. Frankestein había acabado con Drácula, el hijo del vampiro, interpretado por Nilsson, se veía importunado por el Dr. Van Helsing.

La película tenía 90 minutos de duración y en ella Ringo, además de producir, interpretaba a un vetusto mago Merlín de doscientos años. El rol protagonista correspondió a Harry Nilsson en el papel de Count Downe, mientras Suzanna Leigh aparecía como Amber y Dennis Prize hacía el papel de Count Frankenstein. El guión estaba escrito por J. Faribank y el director era Freddie Francis, un famoso cámara británico que había dirigido algunas películas de terror gótico en los sesenta.

Ringo con Marc Bolan en *Born to Boogie*. El insípido debut del batería como director. *Fuente:* British Film Institute.

Son Of Dracula se estrenó en Georgia, Atlanta, dos años después, el 19 de abril de 1974 y sin ninguna repercusión. También se puso a la venta una banda sonora que reunía a Nilsson y Ringo con nombres como Klaus Voorman, Peter Frampton o el batería de Led Zeppelin, John Bonham.

THAT'LL BE THE DAY. 1973
Dir: Claude Whatham

Tras el fiasco que supuso *Son Of Dracula* y cuando su carrera ante las cámaras parece abocada al fracaso, Ringo se tropieza con el mejor papel de su carrera en *That'll Be The Day.*

Claude Whatham es el director de esta cinta ambientada en los 50 en la que la estrella pop David Essex (intérprete entonces del hit "Rock On") daba vida a un confuso joven que abandona a su familia para dedicarse a la música.

En oposición a Essex, Ringo interpretaba a su amigo Mike, un *teddy boy* de peculiar filosofía que se ganaba la vida trabajando en una feria. Un papel, al fin y al cabo, lleno de reminiscencias autobiográficas de juventud.

El rodaje de *That'll Be The Day* comenzó en febrero de 1973, la película estaba producida por David Puttnam y Sandford Lieberson y contaba en el reparto con Rose Mary Leach, James Booth, el cantante de los 50 Bill Furry y el batería de The Who, Keith Moon.

Con un guión especialmente cuidado, el film constituía una reflexión acerca de los viejos temas del amor, la búsqueda de uno mismo, la incomunicación generacional o los amigos ganados y perdidos. Siempre desde un tratamiento que bordea la nostalgia pero se libra de cualquier atisbo de cursilería. *That'll Be The Day* fue saludada como un afortunado regreso del cine británico al realismo y la interpretación de Ringo calificada de excelente.

Crítica y público estuvieron de acuerdo en que el batería eclipsaba a Essex ante la cámara, dejando a la estrella pop en un discreto segundo plano. Volviendo a la naturalidad de *A Hard Day's Night,* cada una de las escenas en las que intervenía suponen un prodigio de espontaneidad, ya aparezca trabajando en los barracones de la feria, jugando al billar o aconsejando al inexperto protagonista sobre la mejor manera de conquistar a una chica.

Ringo demostró que no sólo sabía desenvolverse en la comedia, sino también en registros dramáticos más exigentes. Pero curiosamente, el éxito de *That'll Be The Day* no le sirve para encontrar mejores papeles cinematográficos aunque en lo musical la publicación a finales de año de su álbum *Ringo*, también favorablemente acogido, viene a redondear un afortunado 1973.

LISZTOMANIA. 1975

Dir: Ken Russell

La siguiente incursión cinematográfica de Ringo es en 1975 con una fugaz aparición en la película de Ken Russell *Lisztomania.*

Tras adaptar las biografías de Tchaikowsky y Mahler a la gran pantalla, Russell, que acababa de realizar la versión fílmica de *Tommy,* la ópera-rock de The Who, se atrevía ahora con un surrealista y desmadrado *biopic* del compositor Franz Liszt. Ken Russell reservó al solista de The Who, Roger Daltrey, el papel principal tras comprobar su talento interpretativo en *Tommy*. El extenso reparto incluía también otros nombres como Rick Wakeman y Paul Nicholas. El breve rol de Ringo consistía en interpretar al Papa pero fue Nicholas quien cosechó los mayores elogios de la critica por su papel de sádico proto-nazi. En cualquier caso, *Lisztomania* fue despreciada por la crítica que la recibió como otro enloquecido producto de un director que había hecho del exceso fílmico su marca de fábrica.

EL ÚLTIMO VALS (THE LAST WALTZ). 1977
The Last Waltz
Dir: Martin Scorsese

En 1977, el grupo The Band celebra su despedida con un concierto al que invitan a todos sus amigos, entre otros Bob Dylan, Eric Clapton, Neil Diamond, Paul Butterfield, Van Morrison, Ronnie Hawkins, Joni Mitchell, Muddy Waters, Dr. John, Neil Young y Ringo Starr.

Este concierto será filmado por Martin Scorsese, quien lo convierte en un excelente documental para la gran pantalla titulado *The Last Waltz,* dando asimismo origen a un triple LP conteniendo la banda sonora.

Ringo aparece en los últimos minutos del film cuando él y Ron Wood se unen a los ilustres invitados para interpretar todos juntos una apoteósica versión del "I Shall Be Released" de Dylan. Entre tal multitud, el batería de Los Beatles tan sólo es visible en un par de planos perdidos. No en vano, Ringo había asistido al concierto como mero espectador. Su intervención obedeció a un "atraco" del promotor Bill Graham que le hizo levantarse de su butaca y subir al escenario para el número final.

SEXTETTE. 1978

Dir: Ken Hughes

Escrita por Mae West y dirigida por Ken Hughes, *Sextette* está concebida a mayor gloria de su crepuscular protagonista en lo que, de hecho, sería su último, lamentable e innecesario film tras ocho años sin ponerse ante las cámaras. En concreto desde la película de *Myra Beckinridge.*

Con marcado y rancio sabor autobiográfico *Sextette* cuenta la historia de una vieja *sex symbol* que celebra su sexto matrimonio. Trasladada a un hotel de Londres para consumar el casamiento y escribir sus memorias, se ve sometida a continuas interrupciones de *fans,* periodistas, poco afortunados números musicales y varios ex maridos que van pasando por el establecimiento hotelero.

Uno de esos maridos era Ringo, perdido dentro del amplio y pintoresco reparto que incluye a Alice Cooper, George Raft, George Hamilton, Tony Curtis y Walter Pidgeon, entre otros. De ellos, tan sólo Dom De Louise logra resolver con cierta maestría su personaje de agente de la estrella.

Sextette daba ocasión de descubrir a un casi novato Timothy Dalton en el papel de sexto marido de la protagonista, mientras que Tony Curtis incorpora a un lamentable delegado soviético apodado como "Sexy Alexi".

Con Mae West omnipresente en cada plano, *Sextette* llega a producir vergüenza ajena al poner de relieve de manera tan evidente, y con total ausencia de pudor o autocrítica, la decadencia de la antigua *sex symbol.*

De nuevo la película pasa sin pena ni gloria y en España no llega a estrenarse hasta 1982. Después de *Sextette* Ringo vuelve al paro cinematográfico y musicalmente tampoco disfruta de ningún reconocimiento tras el estrepitoso fracaso de sus discos *Ringo The Fourth* (1977) y *Bad Boy* (1978). Como excepción una mínima colaboración con Scorsese...

El director Claude Whatham, Ringo y David Essex durante el rodaje de
That'll Be the Day. Ringo "robó" el protagonismo a Essex cosechando las
mejores críticas de su carrera.
Fuente: British Film Institute.

CAVERNÍCOLA (CAVEMAN). 1980
Dir: Carl Gottlieb

Tras un período dedicado a otras actividades (entre ellas diseñar
juegos de ajedrez), en 1980 el cuarto *beatle* tendrá por fin la ocasión de lucirse en su primer papel protagonista ante la cámara
desde su intervención en *200 Motels*. La oportunidad se la brinda
Caveman, una comedia ambientada en la prehistoria.

Los productores Dave Foster y Lawrence Turman, quienes ya
habían estado detrás de películas como *Primer Amor* y *El Cazador,*
se decidieron por Ringo para el papel después de probar sin fortuna a más de ciento cincuenta aspirantes. Según Foster: "En principio estábamos buscando a un actor desconocido, con buen sentido
del humor y un rostro vulnerable, con expresión de tipo abandonado. Después de muchas pruebas, el encargado del *casting* sugirió
a Ringo. Francamente, a nadie se nos había ocurrido si podría
interpretar ése papel. Tan pronto iniciamos la entrevista con él

comprendimos que era el hombre que buscábamos y en menos de diez minutos cerramos el contrato".

La cinta, dirigida por el coguionista de *Tiburón 2* Carl Gottlieb, se comenzó a rodar el 11 de febrero de 1980 en México, concretamente en Durango, Puerto Vallarta y Churubusco. Junto a Ringo, el reparto estaba integrado, entre otros, por el cómico Avery Schreiber, el futbolista John Matuszak y un entonces desconocido Dennis Quaid, sin olvidar a Barbara Bach, amor de Ringo en la película y, finalizado el rodaje, también en la vida real.

Nacida en Nueva York seis años después que Ringo, Barbara había sido una de las 55.000 vociferantes *fans* que contempló la actuación de Los Beatles en el Shea Stadium el 23 de agosto de 1965, sin imaginar que acabaría siendo la esposa del batería más famoso del mundo.

Tras comenzar como modelo, Barbara se trasladó a Italia para casarse con un próspero hombre de negocios once años mayor que ella llamado Augusto Gregorini. Del matrimonio nacieron dos hijos, Francesca y Gianni, antes de que la pareja se divorciase en 1975, para entonces ya ha debutado en la gran pantalla con el "giallo" (variante italiana del *thriller*) *Una Tarántula Con El Vientre Negro* y aparecido en otras cinco películas con Giancarlo Giannini.

Una vez divorciada, Barbara regresa a Estados Unidos y en 1977 interpreta junto a Roger Moore la aventura de James Bond *The Spy Who Loved Me*. El éxito del film la confirma como una de las más firmes promesas del momento, aunque cuando firma para hacer *Caveman* acababa de ser rechazada para interpretar a uno de los *Ángeles de Charlie* en la popular serie.

En cuanto al matrimonio, éste no estaba en sus planes, ni tampoco en los de Ringo, divorciado de Maureen Cox desde 1975. Él y Barbara habían sido presentados en una fiesta que reunió al equipo de *Caveman* poco antes del rodaje. "Pero no fue hasta diez días antes de concluir la filmación en México —recuerda Ringo—, cuando nos dijimos hola por vez primera. Cinco días después, lo recuerdo, era domingo por la tarde, estaba enamorado de ella."

En lo estrictamente cinematográfico *Caveman* nos situaba en tiempos de los dinosaurios para contar la historia de Lana (Barbara Bach), una bellísima troglodita que se enamora de Atouk (Ringo), el cavernícola más escuchimizado de la tribu más pacífica. Por él abandona a su hombre, un gigantesco y fornido John Matuszak que además es el jefe de la tribu más violenta.

Ringo como el "cavernícola" Atouk, capaz de conquistar a la hermosa Lana (Barbara Bach) dentro y fuera de la pantalla. *Fuente:* American Graphic System.

A pesar de su inferioridad, poco a poco Ringo irá revelándose como el auténtico héroe en lo que no es sino una fábula más sobre el triunfo del débil.

Entre otras proezas se convierte en el primer cavernícola que descubre el secreto de andar erecto, para aprender luego a guisar y organizar toda una sociedad, hasta llegar a liderar a sus compañeros y evitar el desastre frente a las gigantescas criaturas prehistóricas y otros hombres de las cavernas mucho menos sociables. Un papel en el que Ringo confesó sentirse a gusto: "Lo demás fueron simples apariciones pero esto es un verdadero gran papel y el personaje es muy variado. Va desde una persona dócil y dulce hasta el líder de un equipo, es decir, desde muy débil hasta muy fuerte. Se hace difícil interpretar a veces, pero creo que hasta ahora he logrado aparecer correctamente en cada escena".

La dificultad interpretativa a la que aludía Ringo no era exagerada: el vocabulario de *Caveman* tan sólo estaba integrado por quince palabras diferentes de diálogo, siendo necesario recurrir a todo tipo de recursos gestuales y gruñidos para expresar todo lo demás.

De hecho, a la entrada de los cines cada espectador recibía un breve *Diccionario Del Cavernícola* donde estaban escritas las quince palabras y su significado. Por ejemplo la palabra "Macha" designaba a las bestias salvajes, "Haraka" quería decir fuego, "Aloonda" significaba "Amor", "Zug-Zug" relación sexual y "Ca-Ca" excremento. El espectador se familiarizaba pronto con estos términos y la película no necesitaba doblaje o subtítulos de ningún tipo. Ringo se sintió orgulloso cuando este peculiar vocabulario comenzó a extenderse entre el público joven e incluso los adolescentes de la localidad mexicana de San Fernando llegaron a adoptarlo masivamente durante algún tiempo.

Finalizado el rodaje en abril, *Caveman* se estrenó mundialmente en navidades aunque a España no llegó hasta agosto de 1981, correctamente titulada como *El Cavernícola*. La crítica en general valoró por encima de otras consideraciones su humor ingenuo y sencillo, pero como ya ocurriera con *That'll Be The Day,* la buena acogida no garantizó nuevas ni atractivas ofertas cinematográficas a su protagonista.

Ringo y Barbara contraerían matrimonio en abril de 1981 en Londres, en el registro de Marylebone en una ceremonia a la que asistieron Paul y George. Tras su participación en la horripilante *Give My Regards To Broad Street* de McCartney, donde Barbara y él se limitan a ser ellos mismos en una película casera, Ringo se aparta del cine para entregarse a los discos y a las ya habituales giras con su All Starr Band, sin que el cine aparezca entre sus planes inmediatos. Según declara en 1995: "No me ofrecían ningún papel que mereciera la pena, asi que terminé por perder el interés y ellos terminaron por no llamarme".

—VI—
EL CINE BEATLE SIN LOS BEATLES

Periodista: ¿Podemos esperar más películas de Los Beatles?
John: Bueno, habrá muchas más, pero no sé si podéis esperarlas o no.

TODO ESTO Y LA II GUERRA MUNDIAL. 1976
All This And The Second World War
Dir: Susan Winslow

A mediados de 1973 el productor Lou Reizner, artífice de películas como *Tommy,* tuvo la idea de hacer un largometraje sobre la Gran Guerra reuniendo imágenes de la contienda ilustradas con temas de Los Beatles (concretamente de Lennon&McCartney) en versión de otros intérpretes. Llevar a buen término el proyecto costaría casi tres años debido, principalmente, al gran número de artistas de diferentes compañías discográficas que se reunieron en la banda sonora, pero por fin en otoño de 1976 estaba lista *All This And The Second World War.*

La originalidad del documental radicaba en la forma en que las canciones se relacionaban con cada escena, una conexión que se establecía mediante la similitud o la paradoja entre lo que el espectador veía y lo que escuchaba.

De este modo "The Long And Winding Road" servía de fondo al avance alemán sobre Europa, "Let It Be" servía de contrapunto al bombardeo de Pearl Harbour, "Get Back" sonaba durante el desembarco de Normandía y "The Fool On The Hill" ilustraba la figura de Hitler.

"Golden Slumbers-Carry That Weight", grabada por los Bee Gees en octubre del 73 fue la primera canción registrada para el proyecto. Las dos únicas versiones anteriores que se utilizaron fueron el "Come Together" de Tina Turner y "Lucy In The Sky With Diamonds" de Elton John. Las canciones restantes se grabaron especialmente para la película y destaca el "Help!" de Henry Gross, en una versión lenta, tal y como John siempre deseó grabarla.

Interesante experimento musico-fílmico para acercar la historia reciente a las nuevas generaciones, la película no tuvo demasiada repercusión pero su lujosa banda sonora se vendió bien. El doble álbum no tenía desperdicio e incluía las siguientes canciones e intérpretes:

Cartel promocional español de *Todo Esto y La Segunda Guerra Mundial (All This and The Second World War)*. *Fuente:* Diario ABC.

"Magical Mystery Tour" (Ambrosía)/ "Lucy In The Sky With Diamonds" (Elton John)/ "Golden Slumbers-Carry That Weight" (Bee Gees)/ "I Am The Walrus" (Leo Sayer)/ "She's Leaving Home" (Brian Ferry)/ "Lovely Rita" (Roy Wood)/ "When I'm Sixty-Four" (Keith Moon)/ "Get Back" (Rod Stewart)/ "Let It Be" (Leo Sayer)/ "Yesterday" (David Essex)/ "With A Little Help From My Friends-Nowhere Man" (Jeff Lynne)/ "Because" (Lynsey De Paul)/ "She Came In Through The Bathroom Window" (Bee Gees)/ "Michelle" (Richard Cocciante)/ "We Can Work It Out" (Four Seasons)/ "The Fool On The Hill" (Helen Reddy)/ "Maxwell's Silver Hammer" (Frankie Lane)/ "Hey Jude" (The Brothers Johnson)/ "Polythene Pam" (Roy Wood)/ "Sun King" (Bee Gees)/ "Getting Better" (Status Quo)/ "The Long And Winding Road" (Leo Sayer)/ "Help!" (Henry Gross)/ "Strawberry Fields Forever" (Peter Gabriel)/ "A Day In The Life" (Frankie Valli)/ "Come Together" (Tina Turner)/ "You Never Give Me Your Money" (Will Malone And Lou Reizner)/ "The End" (London Symphony Orchestra).

SGT. PEPPER'S LONELY HEARTS CLUB BAND. 1977

Dir: Robert Stigwood

En noviembre de 1974, el Beacon Theatre de Nueva York fue escenario del estreno del musical *Sgt. Pepper's Lonely Hearts Club Band On The Road,* basado, como su nombre indica, en los álbunes de Los Beatles *Sgt. Pepper's* y *Abbey Road* y aderezado con otras canciones. Tom O'Horgan fue el creador de este *collage* que cobraba forma en un cuento de buenos y malos con historia de amor incluída.

El éxito del montaje hizo que Robert Stigwood se empeñase en llevar la obra a la gran pantalla con todo lujo de medios en una adaptación que resultó muy por debajo de lo que se esperaba.

La versión fílmica de *Pepper On The Road* contó con la producción musical de George Martin y con Peter Frampton en el papel protagonista de Billy Shears, secundado por los Bee Gees como "Banda De Los Corazones Solitarios". En una trama sin diálogos, que evolucionaba únicamente apoyada en las canciones, los cuatro representaban a las fuerzas del bien en oposición a los malvados "Hombres Martillo", seres que basaban su poder en las sustancias alucinógenas.

En una trama que funcionaba en teatro pero que perdía buena parte de su eficacia en su traducción fílmica, los "Hombres Martillo" intentaban arruinar la felicidad de Billy y su amada, la joven Strawberry, que abandona la casa de sus padres mientras suena "She's Leaving Home". La pareja se enfrenta a numerosos avatares que incluyen a un inquietante Alice Cooper interpretando "Because" desde unas estupefacientes tinieblas.

El momento más dramático de la acción lo constituye la muerte de Strawberry, con un desolado Peter Frampton cantando "The Long And Winding Road". Pero la aparición mágica del Sargento Pepper, interpretado por Billy Preston y cantando "Get Back" (después de todo Preston participó en el parto original de la canción) devuelve a la normalidad todo lo que el mal había destruido, dando paso a una apoteosis final con todos los personajes cantando el reprise del "Sgt. Pepper".

La película resultó un estrepitoso fracaso comercial y de crítica, sin que la reunión de numerosas estrellas dentro de la banda sonora (incluyendo la curiosa participación del veterano cómico norteamericano George Burns cantando "Fixing A Hole") fuera señuelo suficiente para un público que respondió con indiferencia.

El trabajo de Peter Frampton, un más que limitado actor en un papel de escasas posibilidades, no le ayudó a relanzar una trayectoria musical en franca decadencia.

Más que a los incondicionales de Los Beatles, que a esas alturas de los setenta comenzaban a estar cansados de tanto *revival* puramente lucrativo en torno a sus ídolos, *Sgt. Pepper's Lonely Hearts Club Band On The Road* atrajo a los nuevos *fans* de los Bee Gees, multiplicados en número tras el revulsivo discotequero de *Saturday Night Fever.*

Por cierto, que *Sgt. Pepper...* se filmó justo antes de la "eclosión Travolta" y llegó a las pantallas cuando *Saturday Night Fever* ya era un éxito. Para entonces los hermanos Gibb, que accedieron a rodar la cinta de mala gana y convencidos por su *manager* Robert Stigwood en un intento de revitalizar su maltrecha carrera, no tuvieron pelos en la lengua a la hora de abominar de la película cuando ya estaban instalados en una febril, rentable y confortable cumbre discotequera.

Los Bee Gees en la desastrosa *Sgt. Pepper's Lonely Hearts Club Band*.
Fuente: Contifoto.

LOCOS POR ELLOS. 1978
I Wanna Hold Your Hand
Dir: Robert Zemeckis

En 1978, diez años antes de *¿Quién Engañó A Roger Rabbit?* y cuando le faltaban dieciseís para el Oscar a la mejor dirección por *Forrest Gump,* Robert Zemeckis fue el primero en aproximarse cinematográficamente al fenómeno de la beatlemanía con *I Wanna Hold Your Hand,* libremente rebautizada en España como *Locos Por Ellos.*

Zemeckis eligió el representativo título de la primera canción *beatle* que llegó al nº1 en Estados Unidos para contar el desembarco e invasión norteamericana del grupo desde el punto de vista de los *fans.*

Con producción de Steven Spielberg y guión de Bob Gale y el propio Zemeckis, *I Wanna Hold Your Hand* se centraba en las chicas que berreaban bajo la ventana de sus ídolos en el Hotel Plaza y en los chavales que se dejaban crecer el pelo para espanto de sus progenitores.

Salvando las distancias, es interesante comparar *I Wanna Hold Your Hand* con *A Hard Day's Night* por lo que tienen de complementario. Si en el film de Lester descubríamos el mundo interno de Los Beatles mientras ensayan sus canciones o vulneran los convencionalismos sociales por la vía del humor, la película de Zemeckis nos muestra la parte externa del fenómeno. Nos acercamos al *fan* capaz de guardar bajo la cama y cuidadosamente envuelto en papel de estaño un trozo de césped "que una vez pisó Paul", o la peripecia de la chica que, casi por casualidad, se encuentra metida en la habitación de sus ídolos y disfruta de total libertad para acariciar sus guitarras o llevarse algunos de los cabellos que quedan enredados en sus peines.

I Wanna Hold Your Hand comienza con las auténticas imágenes de la llegada de Los Beatles al aeropuerto Kennedy de Nueva York el 7 de febrero del 64 y culmina con la actuación del grupo en el show de Ed Sullivan.

En ese lapso de tiempo el espectador asiste a la febril actividad de un grupo de jóvenes capaces de cualquier cosa con tal de acercarse a sus ídolos, tocarles o guardar algún recuerdo suyo que incorporar a su existencia cotidiana.

Toda la película gravita sobre la ausencia material de Los Beatles, que realmente tan sólo aparecen en imágenes documentales al principio, o a través de los monitores de televisión que muestran su actuación ante 73 millones de espectadores. Esas imágenes auténticas se complementan con otras en color de actores que simulan ser John, Paul, George y Ringo, pero que como mucho aparecen de espaldas o dejan ver sus botines, desde el "ojo de lombriz" de una *fan* oculta bajo una cama.

La práctica totalidad de los *gags* se basa en la comicidad que supone la exageración pasional que en sí fue la *beatlemanía,* un fanatismo desbordado que en la pantalla grande puede hacer sonreír a los que no lo compartieron, tanto como a los que se enorgullecieron de seguir a Los Beatles hasta la extenuación.

I Wanna Hold Your Hand estaba llena de personajes desesperados porque quedan atrapados en un ascensor, corriendo el riesgo

Cartel promocional español de *Locos por ellos (I Wanna Hold Your hand)*.
Fuente: Diario ABC.

de perderse la actuación del grupo, o capaces de concursar en la radio respondiendo a preguntas como "¿Quién es el más joven y a la vez el más viejo de los cuatro?", si con ello pueden optar a una butaca para asistir al concierto televisado. Un "no vivir" constante recompensado con creces cuando una de las protagonistas tocada por la fortuna se encuentra cómo Los Beatles en carne y hueso suben a su coche por equivocación cuanto terminan su concierto televisado.

Reconstrucción correcta de una época febril, *I Wanna Hold Your Hand* puede considerarse una comedia sentimental y nostálgica pensada para que quienes lo vivieron recordasen la euforia de un tiempo ilusionante y para que los más jóvenes conocieran el alcance de un fenómeno único.

Interpretada por actores en su mayoría desconocidos en nuestro país como Bobby Di Cicco, Marc Mc Clure o Susan Kendall, *I Wanna Hold Your Hand* también contaba en su reparto con Nancy Allen, más familiar para el público español por su aparición primero en *Carrie* y luego en *Vestida Para Matar* e *Impacto,* todas ellas películas de Brian de Palma, de quien fue durante años esposa y musa.

I Wanna Hold Your Hand se proyectó en el festival de cine americano de Deaville siendo recibida con división de opiniones. Zemeckis no había conseguido ni mucho menos la gran película de la beatlemanía, pero el intento tampoco era, ni mucho menos despreciable. Muchos años después, en una escena de *Forrest Gump* (1994) y gracias a la magia de la infografía, Zemeckis volvería a dar rienda suelta a su vena *beatlemana* reuniendo al hombre de la caja de bombones y al mismísimo John Lennon en un plató televisivo. En dicha escena, ambos comparten sofá ante un entrevistador y la espontánea palabrería de Forrest sugiere a Lennon los principales versos de "Imagine".

EL NACIMIENTO DE LOS BEATLES. 1979
Birth Of The Beatles
Dir: Richard Marquand

A finales de los setenta, Richard Marquand, entonces escasamente conocido como director de *Legacy* y Dave Clark, productor de la *biopic* sobre Elvis, fueron los primeros en llevar a la pantalla la prehistoria de los chicos de Liverpool.

Con el explícito título de *Birth Of The Beatles* y rodada en la ciudad natal del cuarteto, la película contó con intérpretes completamente desconocidos, elegidos por su similitud física con los ori-

John Altman como George Harrison y Stephen McKenna en el papel de John
Lennon en *El Nacimiento de Los Beatles birth of The Beatles)*.
Fuente: British Film Institute.

ginales. El más parecido era Rod Culbertson en el papel de Paul
McCartney. John Altman incorporaba a un más que aceptable
George Harrison y Stephen McKenna repetía el papel de John
Lennon tras haberlo interpretado por vez primera en el musical
teatral *John, Paul, George, Ringo... y Bert,* un espectáculo estrena-
do en el Lyric Theatre de Londres el 15 de agosto de 1974.

Sin cargar las tintas románticas en la historia de John y Cynthia,
la película hacía un digno retrato de los inicios del grupo en el
Liverpool del *skiffle* y antes de que Ringo se uniese a la banda. El

relato incluia con detalle su viaje a Hamburgo, sin olvidar la adopción de los flequillos y sus delirantes actuaciones ante hornadas de marineros borrachos. Como ejemplo de uno de aquellos *shows,* George aparece cantando con una taza de váter alrededor del cuello. Aunque la anécdota es real, la canción que interpreta en la película es "Don't Bother Me", tema que, en aquellos días de Hamburgo, todavía dormía en el limbo musical de Harrison.

Birth Of The Beatles contó con una aceptable recreación de clubs como el Kaiserkeller o el Star Club, los antros en que Los Beatles se ganaban la vida en aquella época. Además, la película se permitió el valioso asesoramiento técnico del que fuera batería del grupo en aquellos tiempos, Pete Best, quien, después de ser sustituido por Ringo trabajó durante años en Liverpool como panadero y que, sin duda, proporcionó a los guionistas del film un montón de sabrosas anécdotas.

La película tampoco pasaba por alto aspectos como la homosexualidad de Brian Epstein (a quien John denomina "Eppy"). El film termina con el éxito norteamericano y dejando clara constancia de un John Lennon defraudado por haber traicionado en cierto modo sus orígenes y lleno de vértigo ante lo que se les viene encima. Didáctica para no iniciados y escasa para *fans* exigentes, *Birth Of The Beatles* se estrenó en dos versiones, una en forma de serie televisiva y otra para la pantalla grande.

En España la película llegó a los cines a principios de 1981, la fecha más adecuada para que los carteles promocionales se adornasen con la frase "en homenaje a John Lennon".

BACKBEAT. 1993

Dir: Ian Softley

Catorce años después, con mayor presupuesto y promoción que *Birth Of The Beatles, Backbeat* retomaba como tema los difíciles orígenes del cuarteto y su viaje a Hamburgo. La principal diferencia respecto a su antecesora consistía en situar como virtual protagonista al personaje de Stuart Sutcliffe, bajista del grupo cuando eran cinco, y destacar su historia de amor con Astrid Kirchnerr, la fotógrafa que Los Beatles conocieron en Hamburgo y parte tras-

Sheryl Lee y Stephen Dorff, Astrid y "Stu" en la fallida *Backbeat*.
Fuente: Warner.

cendental de su evolución, como creadora sus famosos peinados y autora de sus primeras fotos con la mitad de la cara iluminada, tantas veces imitadas en los años siguientes.

Backbeat, considerada por su director como "la versión de la historia más próxima a la verdad" nos traslada a los días en el Art College en Liverpool, cuando el mejor amigo de John era Stuart Sutcliffe, a quien todos denominaban Stu.

La película cuenta cómo Stucliffe, pintor de talento, tan sólo estaba en Los Beatles porque Lennon quería tener a su amigo en el grupo. Cuando el prometedor artista gana un premio de pintura, John le convence para que se gaste el dinero del galardón en comprarse una guitarra baja y unirse a la banda.

Cuando Los Beatles viajan a Hamburgo para actuar en locales de mala muerte entablan amistad con Astrid y surge el flechazo entre la fotógrafa y el pintor "porque se parecía a James Dean". Para satisfacción de McCartney, cuyos celos de Stu por su relación con John quedan bien patentes en la película, el frustrado bajista le regala su instrumento y abandona el grupo para casarse con Astrid y quedarse en Hamburgo entregado a la pintura.

Los Beatles regresan a Liverpool y en la antesala del estrellato se enteran de la muerte de Stu, a consecuencia de un tumor cerebral, probablemente originado a raíz de una pelea en Hamburgo en la que unos marinos le habían herido en la cabeza.

El novato director Ian Softley conoció esta historia cuando se topó por casualidad con algunas de las fotos que Astrid tomó a Los Beatles en 1960. Las imágenes despertaron de tal modo su curiosidad que no paró hasta conocer a la alemana.

Astrid, que durante muchos años trabajó como camarera y rechazó millones por participar en biografías del cuarteto, explicó a Softley cómo conoció a Los Beatles una noche que acudió a un club a escuchar a una banda de Liverpool e inmediatamente se enamoró del tímido bajista. Según Ian Softley, "la historia no trató a Astrid como se merece, su papel fue crucial en el futuro artístico de Los Beatles".

Para su ópera prima, Softley confió el papel de Astrid a la actriz de Sheryl Lee, conocida por su rol de Laura Palmer, el cadáver más célebre de la historia de la televisión dentro de la serie de David Lynch *Twin Peaks.*

Stephen Dorff fue el elegido para encarnar al malogrado Stuart Sutcliffe. En cuanto a Los Beatles, Ian Hart (protagonista luego de *Tierra y Libertad*) dio vida a John Lennon, Gary Bakewell era Paul McCartney, Chris O'Neil interpretó a George Harrison y Scott Williams a Pete Best, el antecesor de Ringo a la batería.

Como en *Birth Of The Beatles, Backbeat* requirió también recrear el ambiente de golfería y delincuencia de los clubs donde el grupo actuaba. También como en la anterior no podía faltar el necesario tributo a los mitómanos y en *Backbeat* está lo indispensable, como el momento en que Astrid convence a sus amigos para que abandonen sus tupés y Stuart es el primero en dejarse cortar el pelo por la chica hasta lograr el característico peinado que pronto imitaría el resto del grupo.

Por su parte, el carácter de los otros *beatles* se reflejaba de un modo bastante aproximado. Paul se muestra sistemáticamente agresivo con Stu, George exhibe su proverbial timidez, Pete Best aparece como el más distante y menos identificado con los demás y John sobresale entre todos como el líder insolente y agresivo aficionado a un vitriólico sentido del humor. El tipo que efectivamente era entonces.

Pero a pesar del innegable esfuerzo de Ian Softley por lograr una nueva aproximación a los inicios de la banda, *Backbeat* naufraga. Si bien la historia gana muchos enteros respecto a *Birth Of The Beatles,* la película se resiente de un guión irregular y una dirección rutinaria que no logra autenticidad a la hora de transmitir lo que eran Los Beatles justo antes de comerse el mundo.

Backbeat no contó con la complacencia ni la colaboración de Paul, George y Ringo y, sin lugar a dudas, lo mejor de la película fue su banda sonora, compuesta por versiones de los clásicos de *rock'n'roll* que Los Beatles acostumbraban a interpretar al principio de su carrera. El productor musical Don Was reunió a cinco músicos, entre los que destacan Mike Mills, bajista de REM, Dave Grohl, batería de Nirvana y Thruston Moore, guitarra de Sonic Youth. El grupo se completa con Don Fleming a la guitarra y Dave Pirner y Greg Dulli como cantantes. Todos ellos realizan magníficas versiones de clásicos de Elvis, Chuck Berry o Little Richard entre las que no faltan "Money", "Long Tall Sally" o "Rock'n' Roll Music", entre otras muchas.

Junto a estos títulos y aunque de forma más indirecta, es interesante mencionar *Prick Up Your Ears (Ábrete De Orejas)*. Dirigida por Stephen Frears en 1987, la película es un relato biográfico de Joe Orton, el joven dramaturgo británico fallecido el 9 de agosto de 1967 y que escribió dos guiones que Los Beatles rechazarían.

Interpretada por los magistralmente dirigidos Gary Oldman, Alfred Molina y Vanessa Redgrave, *Prick Up Your Ears* compone un incisivo retrato de la homosexualidad y la cultura británica de los 60 en cuyas secuencias Brian Epstein aparece como personaje y en una ocasión (en "off") los propios Beatles parten en un Rolls Royce acompañados por Orton.

Por último, Los Beatles también se convirtieron en personajes secundarios en la comedia española *El Amor Perjudica Seriamente La Salud*. Dirigida en 1996 por Manuel Gómez Pereira e interpretada por Ana Belén, Juanjo Puigcorbé, Penélope Cruz y Gabino Diego.

La cinta narra treinta años de amor-odio entre una pareja que se conoce cuando Los Beatles llegan a Madrid en 1965 para actuar en la Plaza de Toros de Las Ventas. Ella es una insolente niña trepa y él un modesto botones en el hotel donde se aloja el cuarteto.

Aparte de la escena digitalmente tratada en la que Penélope Cruz intenta tocar a un John captado por el NO-DO, la secuencia en que ésta y Gabino Diego se esconden bajo la cama de Lennon mientras el *beatle* intenta ligarse a una *fan,* constituye uno de los mejores momentos de la película.

APÉNDICE.
LIVERPOOL, 14 DE FEBRERO DE 1961

En la primavera de 1996 salió a la luz una brevísima película casera en la que aparecen Los Beatles y que constituye hasta el momento la filmación más antigua que existe del grupo.

En el film, sin sonido, en color y rodado en Super 8 descubierto en Liverpool y realizado el 14 de febrero de 1961, puede verse durante breves instantes a Los Beatles, con trajes de cuero, tocando en el Club Cassanova de su ciudad natal.

La filmación fue realizada por el padre del actual propietario de la cinta, quien desea permanecer en el anonimato.

De los tres minutos y medio que dura aproximadamente, Los Beatles aparecen en tan sólo 30 segundos y el resto se centra en las celebraciones del día de San Valentín en Liverpool.

Las imágenes, muy oscuras durante todo el metraje, muestran principalmente a Paul, tocando su bajo Hofner, y George, quien aparece delante de Pete Best, al que tapa la mayor parte del tiempo, mientras que a John sólo se le ve en muy fugaces fragmentos.

Según rumores, la cinta fue vendida a Apple por treinta mil libras y se especuló sin fundamento con su posible inclusión en la colección de vídeos *Anthology*. Hasta la fecha, la única difusión pública de esta película data del 15 de mayo del 96, fecha en la que la cadena televisiva ITN emitió un breve fragmento de la misma dentro de uno de sus informativos.

BIBLIOGRAFÍA

BENSON, ROSS. *Paul McCartney. El Hombre y El Mito.* Ediciones B. Barcelona. 1992.

BRAUNER, HAROLD M. *The Golden Era Of The Beatles 1963-1974.* Hansen Publications. 1978.

BROWN, PETER; GAINES, STEVEN. *The Love You Make. An Insider Story Of The Beatles.* McGraw Hill. London. 1983.

CALDERÓN; TEO. *Movie, Movie.* Calderón y Villamandos. Madrid. 1998.

CARR, ROY; TYLER, TONY. *The Beatles. Una Guía Ilustrada.* Lumen. Madrid. 1976.

CARR, ROY. *Beatles At The Movies.* Harper Perennial. Nueva York. 1996.

CILLERO, ANTONIO. *Beatles 2.* Júcar. Madrid. 1976.

CLAYSON, ALAN. *Ringo Starr: Straight Man Or Joker?* Sanctuary Publishing. Londres. 1996.

CONNOLY, RAY. *John Lennon 1940-1980. A Biography.* Fontana Paperbacks, 1981.

COTT, JONATHAN; DALTON, DAVID. *The Beatles Get Back.* Apple Publishing. Londres, 1969.

CRUSSELLS, MAGÍ; IRANZO, ALEJANDRO. *The Beatles: Una Filmografía Musical.* Royal Books. Barcelona, 1995.

DAVIES, HUNTER. *The Beatles.* Caralt, Barcelona. 1968.

DAVIES, ANDY. *The Beatles Files.* Bramley Books. Londres. 1998.

DELANO, JULIA. *The Beatles Album.* Grange Books. Londres. 1991.

DI FRANCO, J. PHILIP. *The Beatles A Hard Day's Night.* Penguin. Australia. 1977.

DISTER, ALAIN. *The Beatles.* Júcar. Madrid. 1973.

DOWLDING, W. J. *The Beatles. Guía Completa de Canciones.* Celeste. Madrid. 1995.

FULPEN, H. V. *The Beatles. An Illustrated Diary.* Plexus. Londres. 1982.

HARRY, BILL. *The Beatles, Who's Who.* Aurum Press. Londres. 1982.

HOFFMAN, DEZO. *With The Beatles.* Omnibus Press. Londres. 1982.

JASPER, TONY. *Paul McCartney And Wings.* Octopus. Londres. 1977.

LEWISOHN, MARK. *The Complete Beatles Chronicle.* Piramid Books. Londres. 1992.

MILES. *The Beatles Vistos Por Sí Mismos.* Júcar. Madrid. 1982.

MILES. *John Lennon Visto Por Sí Mismo.* Júcar. Madrid. 1983.

NORMAN, PHILIP. *¡Gritad!¡¡Beatles!! La Verdadera Historia Del Legendario Grupo.* Ultramar. Madrid. 1981.

PANG, MAY; EDWARDS, HENRY. *Adorable John.* Plaza & Janés. Barcelona. 1984.

PEEBLES, ANDY. *John Lennon. La Última Conversación.* Ultramar. Madrid. 1981.

SIERRA I FABRA, JORDI. *Historia De La Música Rock.* Orbis. Barcelona. 1983.

SIERRA I FABRA, JORDI. *Paul McCartney: Y La Leyenda Continúa.* Edicomunicación. Barcelona. 1986.

SCHAFFNER, NICHOLAS. *The Beatles Forever.* Stackpole Books. 1977.

SPENCE, HELEN. *The Beatles.* Asesa. Barcelona. 1982.

TARAZONA, JAVIER; GIL, RICARDO. *George Harrison, El Hombre Invisible.* Milenio. Lleida. 1999.

WENNER, JANN. *Lennon Recuerda.* Ayuso/Akal. Madrid. 1975.

REVISTAS Y PERIÓDICOS

Ajoblanco, The Beatles Monthly, The Beatles'Garden, Cambio 16, Cineinforme, Diario 16, Disco Express, Fonorama, Fotogramas, Sal Común, El Gran Musical, Interviú, Life, London Beatles Fan Club Magazine,
Musical Express, NewWeekly, El País, El País Semanal, Q Magazine, Rolling Stone, Ruta 66. The World Tour. The New World Tour.

SITIOS EN INTERNET

Internet Movie Data Base, British Board Of Film Classification.